Le serment d'un Dante

Souvenirs troublants

DAY LECLAIRE

Le serment d'un Dante

éditions HARLEQUIN

Collection : PASSIONS

Titre original : BECOMING DANTE

Traduction française de MARIEKE MERAND-SURTEL

HARLEQUIN®
est une marque déposée par le Groupe Harlequin
PASSIONS®
est une marque déposée par Harlequin S.A.

Photo de couverture
Mariés : © GETTY IMAGES / OJO IMAGES / ROYALTY FREE
Réalisation graphique couverture : V. ROCH

© 2012, Day Totton Smith. © 2013, Harlequin S.A.
83-85, boulevard Vincent-Auriol, 75646 PARIS CEDEX 13.
Service Lectrices — Tél. : 01 45 82 47 47
www.harlequin.fr
ISBN 978-2-2802-8298-7 — ISSN 1950-2761

- 1 -

La porte du bureau s'ouvrit à la volée, et une des plus belles femmes que Gabriel Moretti ait jamais vue de sa vie entra. En la voyant, il éprouva comme une étrange effervescence dans tout le corps, sensation totalement inédite pareille à un tsunami qui ébranla toutes ses certitudes et mit ses sens en alerte maximale.

Cette femme-là t'appartient, chuchota une voix intérieure. *Prends-la !*

Gabe chassa cette pensée saugrenue et, sourcils froncés, fixa son attention sur l'inconnue. La jeune femme était grande ou, plutôt, ses escarpins à très hauts talons en donnaient l'illusion et mettaient en valeur son ossature délicate, presque fragile. Malgré sa minceur, des courbes féminines emplissaient à ravir un tailleur gris anthracite et blanc, de toute évidence une grande griffe française. Posé avec élégance sur ses épaules, un manteau de laine noire complétait sa tenue. Une chevelure couleur charbon ardent encadrait un visage ciselé et s'enroulait en lourde torsade sur sa nuque. Mais la jeune femme ne se distinguait pas uniquement par sa beauté. Il émanait d'elle force de caractère et détermination, tandis que ses yeux d'un vert pâle surprenant étincelaient d'intelligence. Des yeux ensorcelants. Et comme hantés, qui lui conféraient une vulnérabilité quasi poignante, à laquelle Gabe réagit avec une intensité troublante.

Prends-la.

Une exigence viscérale, qui écrasa pensée et raison, à peine supportable. Le temps ralentit, s'arrêta, confisquant son esprit, son sang-froid, tout ce qui faisait de lui l'homme qu'il s'était acharné à devenir. Le désir se mua en un impératif… cette femme, ici, conquise sur-le-champ. Et, pendant tout ce temps, le même chuchotis insidieux : *fais-la tienne. Marque-la au fer rouge de ta possession.* Un feu crépita, insoutenable d'intensité, incontrôlable de puissance. Il pénétra profondément en lui, s'infiltra dans ses veines à chaque battement de son cœur. Prit racine, lançant d'incessantes vrilles qui s'accrochèrent et s'épanouirent au tréfonds de son âme. Puis le temps s'accéléra, le ramenant brutalement au présent.

La jeune femme s'avança avec prudence, comme si elle hésitait. Elle riva son regard au sien et sembla surprise. A qui ou à quoi s'était-elle attendue ? Ou bien réagissait-elle simplement envers lui comme lui à son égard ?

— Gabriel Moretti ? demanda-t-elle d'une voix basse et rauque.

C'est elle ! Elle est faite pour toi !

— Désolée, monsieur Moretti, intervint Sarah, son assistante, en se précipitant dans le bureau. Elle a refusé de prendre rendez-vous et exigé de vous voir immédiatement.

Gabe referma le dossier qu'il relisait et se leva. Il planta sur la mystérieuse intruse le regard glacé qui lui valait le surnom de « Tueur » parmi ses concurrents comme ses adversaires. Peut-être se rebiffait-il en raison de cette terrible et lancinante voix intérieure — une voix qu'il n'avait jamais entendue et espérait ne plus jamais entendre. Ou peut-être était-ce pour réprimer l'élan qui le poussait à ignorer tout comportement civilisé et à prendre ce qu'il convoitait, peu importe les conséquences. Elle se contenta de lui retourner un regard aussi éclatant que les « diamants de feu » des Dante.

Glace et feu, une combinaison fascinante…

— Et si nous commencions par le commencement ? suggéra-t-il. A qui ai-je l'honneur ?

Il était impressionné par sa capacité à parler si calmement alors que le désir le submergeait en vagues brûlantes et désordonnées.

— Vous ne me reconnaissez pas ? répliqua-t-elle, légèrement amusée. Je suis Kat. Katerina Malloy.

Sa réponse lui fit l'effet d'un uppercut. Au temps pour sa petite voix intérieure. Non seulement cette femme n'était pas pour lui, mais elle ne le serait jamais. Quel que soit son désir pour elle, elle était la *dernière* au monde qu'il mettrait dans son lit — ou voudrait dans son lit. Il ne l'avait vue qu'une seule fois auparavant. A l'époque, il avait éprouvé la même réaction, en beaucoup moins fort, cependant. Sans doute le fait qu'elle se trouve alors dans le lit d'un autre homme, le fiancé de sa cousine, avait-il quelque peu modéré sa réaction.

Gabe adressa un signe de tête à son assistante, qui quitta la pièce.

Dès qu'ils furent seuls, il se rapprocha de Kat et lança la première salve.

— Si vous n'étiez pas habillée, je me serais peut-être plus facilement souvenu de vous.

Un éclair de colère illumina ses prunelles d'émeraude.

— Très gentleman de votre part de mentionner cet événement.

— Je vous déconseille de le prendre sur ce ton, riposta-t-il d'une voix de marbre. Sinon, je me verrai dans l'obligation de vous rappeler certains faits peu glorieux.

Elle écarta sa mise en garde d'un haussement d'épaule même si, à en juger par la couleur qui empourpra ses joues, la remarque fit mouche. Tant mieux. Garder leurs relations sur le terrain de la confrontation interdirait que s'y immisce toute autre émotion. Ou du désir. Ou encore le besoin impérieux de lui arracher ses vêtements et de s'imprégner d'elle, corps et âme.

— Vous avez refusé toutes mes propositions de rendez-vous, déclara-t-elle. Vous pourriez avoir la courtoisie de m'écouter avant de me jeter dehors.

Il la fixa sans répondre. Quelque chose dans son attitude la fit taire, et elle l'observa avec méfiance… une biche exquise flairant un prédateur affamé. Il était temps. Il garda le silence et le laissa s'alourdir jusqu'à ce qu'une rancœur glaciale s'installe entre eux. Et, durant tout ce temps, l'odieuse petite voix ne cessa d'assener ses exigences saugrenues concernant sa visiteuse, exigences qu'il n'avait aucune intention d'écouter et encore moins de suivre.

— Je ne vous dois rien, dit-il enfin. Ma défunte femme, éventuellement. Après tout, Jessa était votre cousine. Vous savez qu'elle vous aimait comme une sœur ? ajouta-t-il d'un ton neutre. Malgré ce que vous lui avez fait, malgré votre petit flirt avec Benson Winters, elle a passé les deux dernières années de sa vie à pleurer votre relation perdue.

Kat haussa un sourcil parfait.

— Ah oui ? Alors, elle avait une façon bien particulière de le montrer, étant donné qu'elle a monté
notre grand-mère contre moi et m'a calomniée dans
la presse. Pardonnez-moi, mais il ne s'agit nullement
d'un comportement que je prêterais à une sœur.

Il vit rouge.

— Peut-être parce que vous avez couché avec son
fiancé. Et, même si j'ai fini par y gagner puisqu'elle
s'est consolée auprès de moi, c'était un acte odieux.

Kat Malloy se reprit à une vitesse stupéfiante. Le
menton relevé dans un air de défi, elle rétorqua :

— C'est ce que la Terre entière ne cesse de me
répéter. Pour une raison étrange, j'ai une version un
peu différente de ce qui s'est passé ce soir-là.

Puis elle jeta un coup d'œil circulaire à la pièce et
s'arrêta sur le confortable coin salon où il recevait ses
clients. Ignorant les fauteuils, elle choisit le canapé.
D'un gracieux mouvement d'épaule, elle se débarrassa
de son manteau, le déposa sur un des accoudoirs et
s'assit sans façon, jambes croisées — des jambes
magnifiques, au galbe admirable, nota-t-il malgré lui.
Des jambes qu'il aurait rêvé de voir s'enrouler autour
de lui. Certes, les vipères aussi se lovaient contre leur
proie. Mais il ne s'en approcherait jamais au point de
risquer la piqûre de ses crochets venimeux. Quoi que
lui murmure sa voix intérieure, qui semblait-il ne se
souciait nullement de vipère ou de venin, seulement de
ces jambes sublimes et de la façon dont elles pourraient
se croiser autour de ses reins.

Kat le toisa avec un sang-froid remarquable.

— Avant de me mettre à la porte, vous devriez
prendre conscience d'un élément crucial.

Avec un sourire de sirène, elle ajouta :

— J'ai quelque chose que vous désirez.

Il balaya ses propos d'un geste.

— Vous n'avez rien que je désire, ni maintenant ni jamais.

Elle replia les mains sur ses genoux. Si convenable. Si élégante. Si fichtrement classe. Mais tout cela n'était que mensonge.

— En fait, je faisais référence au Heart's Desire.

Gabe se figea. Il avait consacré des années à tenter de racheter, en vain, le collier en diamants de feu de sa mère à Matilda Chatsworth. La grand-mère de Kat savait pertinemment la valeur que ce collier avait pour lui : il aurait payé n'importe quelle somme pour le récupérer. Dans ce domaine, ses talents de tacticien s'étaient révélés inopérants. Certes, il était fort jeune à l'époque et était moins maître de lui qu'aujourd'hui, surtout quand il s'agissait d'un objet possédant pour lui une telle charge émotionnelle.

Le collier avait été créé par sa mère, Cara, lorsqu'elle avait commencé à travailler comme créatrice pour les joailleries Dante. Durant cette période exaltante, elle était tombée amoureuse de Dominic Dante, le fils du propriétaire. Leur liaison passionnée avait failli se conclure par un mariage. Mais Dominic, sans aucun doute poussé par ses parents, avait choisi comme épouse une femme dotée d'un compte bancaire fort utile aux joailleries Dante. Après cette trahison, Cara avait accepté un poste dans la branche new-yorkaise de Dante et poursuivi le cours de sa vie. Jusqu'à ce que Dominic réapparaisse quelques années plus tard. Sa mère avait de nouveau succombé au charme de Dominic et passé une nuit avec lui. Une seule et unique nuit d'amour au cours de laquelle avaient été conçus Gabe et Lucia, sa sœur jumelle. Cara avait ensuite quitté définitivement la joaillerie Dante.

Mais Dominic n'avait pu oublier Cara et n'avait jamais cessé de l'aimer. Il avait passé des années à tenter de retrouver sa trace, jusqu'à ce qu'il y parvienne quinze ans plus tard et découvre alors l'existence des jumeaux. Cette fois, il demanda sa main, bien qu'il ait été toujours marié à Laura. Il offrit alors à Cara un collier qu'elle avait créé pour la joaillerie, qu'il baptisa en son honneur Heart's Desire, le Désir du Cœur, ainsi qu'une bague, en guise de promesse qu'il reviendrait, son divorce une fois prononcé, pour l'épouser et légitimer ses enfants. Mais il ne revint jamais, et il ne resta à Cara Moretti que de vaines promesses et les flammes mourantes des diamants de feu que lui avait offerts Dominic.

Gabe avait vingt ans quand sa mère tomba malade. Manquant d'argent pour la soigner, il fut contraint de vendre le collier de diamants à Matilda Chatsworth. Cet argent lui permit aussi de démarrer dans la vie. Tout en sachant qu'il n'avait pas eu d'autre choix que de vendre le Heart's Desire, il avait toujours espéré le racheter un jour. Il lui avait fallu longtemps avant de comprendre pourquoi il était si essentiel pour lui de récupérer ce bijou.

Il avait fini par admettre qu'il était le symbole de ce père absent, qui lui avait toujours manqué. Il représentait aussi la famille qui l'avait rejeté. Ainsi que la mère et la sœur qui avaient toujours été là, l'une pour l'autre et pour lui, dans les bons comme les mauvais moments.

Hélas, lorsqu'il eut les moyens de racheter le Heart's Desire, Matilda refusa de le lui céder. Même quand il épousa sa petite-fille Jessa, le collier resta hors de sa portée, comme une promesse jamais réalisée.

Aujourd'hui, après toutes ces années, il ne comprenait pas pourquoi Matilda avait décidé de le céder à sa seconde petite-fille plutôt que de le lui revendre. Pourquoi cette forme de désaveu, d'autant qu'elle méprisait Kat d'avoir trahi Jessa ?

Gabe fixa la jeune femme, devenue désormais un obstacle en travers de son chemin. Il ferait n'importe quoi pour s'en débarrasser. Une colère fulgurante entama son sang-froid.

— Vous l'avez ? lança-t-il d'une voix dure.

Kat hésita avant de répondre :

— Ma grand-mère m'a contactée récemment, me demandant de rentrer. Sa santé est fragile. Elle m'a promis de me donner le collier après sa… — une expression douloureuse traversa furtivement son visage, après…

— Dans ce cas, revenez me voir quand vous l'aurez réellement. Maintenant, si vous voulez bien m'excuser, ajouta-t-il en désignant la porte du menton. J'ai du travail.

— Je crains qu'il y ait autre chose.

Elle regarda autour d'elle et posa les yeux sur le minibar, la voix soudain un peu enrouée.

— Je pourrais avoir un verre d'eau ? Je meurs de soif.

— Vous avez l'intention de jouer la petite-fille éplorée par la perte prochaine de sa grand-mère, Kat ? Et de verser des larmes de crocodile ? Désolé, trésor, je ne marche pas.

Il surprit une nouvelle ombre de chagrin avant que son visage se referme.

— Les larmes que je verserai sur ma grand-mère seront réelles. Gam m'a élevée après la mort de mes parents, quand j'avais cinq ans. Je lui dois plus que je ne pourrai jamais le dire. Mais ne vous inquiétez pas, je ne craquerai pas devant vous. Je ne pleure jamais. Absolument jamais.

Gabe ne s'embarrassa pas de circonlocutions.

— Combien ? Combien pour le Heart's Desire ?

Le visage de Kat resta impassible.

— Il n'est pas à vendre.

Il se leva d'un bond, jurant entre ses dents.

— Vous êtes un sacré numéro, vous savez ? D'abord vous couchez avec Benson Winters, l'ancien fiancé de Jessa. Et maintenant vous trouvez le moyen de rentrer dans les bonnes grâces de Matilda et de mettre la main sur ce collier. Pourquoi ? A quoi vous jouez, en fait ?

La réponse fusa.

— Ce n'est pas un jeu. Ça ne l'a jamais été.

Il alla droit au but, du moins ce qu'il considérait comme le but de cet échange.

— Je vous paierai la pleine valeur du collier. Plus que sa pleine valeur. L'argent n'est pas un problème.

Comme d'habitude quand il s'agissait de ce collier, tout son talent de négociateur, fruit des dix dernières années de travail, s'évapora comme la brume sous le brûlant soleil d'été.

— Il ne s'agit pas d'argent, rétorqua-t-elle, coupant court à la discussion. Je croyais que vous alliez me servir un verre d'eau ? reprit-elle avec un petit sourire froid.

Bon sang ! En à peine cinq minutes, cette femme avait balayé toute l'aptitude qu'il avait acquise ces dernières années à se maîtriser. Etait-ce parce qu'il désirait cette femme ? Parce qu'elle lui appartenait ? Mais qu'est-ce qui lui arrivait ? Impossible de faire taire ces idées saugrenues.

Sans un mot, il se dirigea vers le bar.

— Plate ou gazeuse ? demanda-t-il.

— Plate.

— De la glace ?

— Volontiers.

Les glaçons chantèrent contre le cristal.

— Vous vous êtes cachée en Europe pendant ces cinq dernières années.

— Je ne me cachais pas, protesta-t-elle aussitôt.

Manifestement, il venait de toucher un autre point sensible. Il était étrange qu'une femme de la trempe de Kat se montre aussi vulnérable.

— Foutaises. Vous avez fui le pays dans les jours qui ont suivi la révélation de votre liaison avec le fiancé de votre cousine, Benson Winters, candidat au Sénat. Et vous êtes restée à l'étranger depuis, sans même revenir quand Jessa et moi nous sommes mariés, encore moins pour son enterrement.

Il lui tendit le verre, remarquant avec satisfaction qu'il tremblait un peu entre ses doigts lorsqu'elle le saisit.

— Mais, dès que vous avez découvert comment mettre la main sur le Heart's Desire, vous avez su retrouver le chemin de Seattle.

Elle but une gorgée, sans aucun doute afin de se donner quelques précieuses secondes pour reprendre ses esprits.

— Est-ce pour cette raison que vous avez systématiquement refusé de me recevoir ? Parce que je n'ai pas assisté à l'enterrement de Jessa ?

— C'est une bonne raison, vous ne trouvez pas ?

— Oui, si elle était vraie. Mais ce n'est pas le cas, riposta-t-elle en le regardant dans les yeux.

Peut-être que, s'il se focalisait sur sa colère, le désir disparaîtrait. Ou, tout du moins, s'allégerait. Il fallait absolument que la vague féroce qui fouettait ses sens, érodait la maîtrise qu'il avait de lui-même, lui laisse quelques minutes de répit. Il ne comprenait pas ce qui lui arrivait. Il n'aurait dû éprouver pour cette femme que du mépris. Pourtant, ce n'était pas ce qu'il ressentait. Pourquoi ?

— Quelle partie n'est pas vraie ? lâcha-t-il d'un ton rogue. Que vous ne vous êtes pas donné la peine de venir à l'enterrement de votre cousine, ou que vous êtes rentrée uniquement dans le but de vous emparer du Heart's Desire ?

— Jessa n'aurait pas souhaité ma présence, répliqua-t-elle avec un haussement d'épaule désinvolte.

— C'est évident. N'empêche qu'à la seconde où Matilda vous apprend qu'elle est malade vous rappliquez tel un vautour. Mais peut-être me trompé-je aussi sur ce point ?

Elle tressaillit, et ce sursaut à peine perceptible amena une pointe de vulnérabilité dans ses beaux yeux. Vulnérabilité qui, bien entendu, devait être feinte et s'inscrire dans le jeu qu'elle jouait. Il était impensable qu'elle possède ne serait-ce qu'une parcelle d'authentique vulnérabilité.

Un rayon de soleil filtra dans la pièce et vint se perdre dans les reflets roux enfouis au cœur de sa chevelure de jais.

— Vous ne vous trompez pas, répondit-elle. Je suis ici parce que ma grand-mère est malade.

— Mais ce n'est pas la raison de votre irruption dans mon bureau, n'est-ce pas ? Vous êtes ici parce que vous savez à quel point je veux le Heart's Desire.

Elle releva le menton.

— En effet. Je me suis laissé dire que vous feriez n'importe quoi pour le récupérer.

— Dans ce cas, dites votre prix.

— Je ne veux pas d'argent. Ce que je veux en échange du collier est assez simple et tout à fait dans vos cordes. J'ai entendu dire que vous êtes l'un des meilleurs négociateurs de Seattle, poursuivit-elle tandis qu'il gardait le silence. Voire de tout le nord-ouest du pays.

Elle posa son verre sur la table basse, croisa les doigts, ses jointures blanches trahissant la nervosité qu'elle cachait sous son apparence calme.

— Seriez-vous disposé à mettre vos compétences à l'épreuve ? demanda-t-elle.

— Essayez toujours.

— Ma grand-mère est une femme très traditionnelle. Naturellement, elle se fait du souci pour moi, pour mes… disons, mes choix sentimentaux malheureux ? Pour le moment, elle n'est pas ouverte à la réconciliation. Elle m'a juste informée de son intention d'honorer sa promesse de me léguer le collier, en me précisant que cela risquait d'arriver plus tôt que prévu.

— J'en déduis qu'obtenir le collier ne vous suffit pas ?

Kat hocha la tête.

— Non. Je veux plus. Beaucoup plus.

— Votre grand-mère est très riche. Laissez-moi deviner. Vous estimez avoir droit à une part généreuse du gâteau.

Une fois de plus, elle haussa une épaule désinvolte.

— Ce que je veux, c'est me réconcilier avec elle. Mes raisons me regardent.

— Et quel est mon rôle là-dedans ?

— Gam a clairement dit qu'elle exigeait une preuve de ma respectabilité. Je crois que ses paroles exactes étaient… : « Il faudra que je voie par moi-même que tu es avec un homme respectable qui ne tolérera aucune de tes idioties. »

— Seigneur ! murmura-t-il.

— Oui, ça a été ma réaction aussi. Mais, si je fais ce qu'elle demande, je pense que Gam m'ouvrira les bras. Ce qui nous amène à l'homme respectable en question.

Elle planta ses yeux vert d'eau sur lui et sourit.

— Bonjour, homme respectable.

Estomaqué, il la dévisagea.

— Vous me proposez le mariage ? Non. Pas question. Vous êtes folle de croire que j'accepterais.

Son ton catégorique était loin de refléter sa profonde répugnance à l'égard d'une suggestion aussi choquante. Ou sa profonde envie. Le mariage. Le lit marital. La nuit de noces. Il se rappela la première fois où il avait vu Kat Malloy et serra les poings. Elle était nue, allongée sur des draps de satin, son visage juvénile faussement innocent. La Belle au bois dormant, bien après que le baiser du prince l'a réveillée.

La découvrir ainsi l'avait profondément troublé, mais il avait supposé à l'époque qu'il s'agissait d'une réaction masculine naturelle devant une superbe femme nue, bien qu'il ne se soit jamais expliqué pourquoi cette image d'elle restait gravée dans sa mémoire depuis cinq ans, tandis que les images de sa femme, décédée deux ans plus tôt, s'estompaient déjà. Pas étonnant qu'il n'ait pas reconnu la jeune femme qui était entrée aujourd'hui dans son bureau. Les deux ne pouvaient être plus différentes : une jeune femme élégante un peu coincée contre la tentation personnifiée.

Elle éclata d'un rire amusé.

— Du calme, Gabe. Je ne vous propose pas de m'épouser. Juste de nous fiancer. Certes, des fiançailles prolongées. Qui prouveront à Gam que je me suis rangée. Vous contribuerez à rendre ses derniers mois heureux.

— Comme si cela avait la moindre importance pour vous.

— Cela en a. Malgré tout ce qui s'est passé, elle reste ma grand-mère.

Elle marqua une pause pour qu'il puisse bien assimiler sa remarque, avant de poursuivre :

— De plus, vous êtes le prétendant idéal ! Comme vous avez été le mari de Jessa, nos fiançailles me permettent de retrouver toute ma respectabilité. Vous êtes réputé pour votre honneur et votre intégrité. Pour être un homme puissant qui, quoique juste, ne se laisse pas faire. Bref, exactement l'homme qu'avait Gam en tête pour me… discipliner, conclut-elle sur le mode de la plaisanterie.

— Non.

— Pensez-y, Gabe. Je serai à votre merci. Obligée de me plier à toutes les règles que vous fixerez. Et, en échange, vous aurez le Heart's Desire. C'est un marché gagnant-gagnant.

Elle usait de sa voix de sirène, de ses yeux étincelants, de son sourire sensuel. Tout pour le séduire, le faire plier.

Il hésita une longue minute, se demandant comment gérer une proposition qu'il devrait refuser sans équivoque, mais qu'il trouvait bien plus tentante qu'il ne l'aurait cru possible. Quelle était cette phrase célèbre d'Oscar Wilde ? « La meilleure façon de résister à la tentation, c'est d'y céder. » D'un pas vif, il revint à son bureau et appuya sur un bouton sur le téléphone.

— Sarah ?

— Oui, monsieur Moretti, répondit aussitôt son assistante.

— Annulez le reste de mes rendez-vous aujourd'hui. Je quitte le bureau et ne serai de retour que lundi, à l'heure habituelle. Reportez tout à la semaine prochaine. Donnez la priorité au dossier Atkinson.

Sans prendre la peine d'attendre de réponse, il se tourna vers Kat et indiqua la porte.

— On y va ?

— On va… où ?

L'amusement avait cédé la place à une méfiance qui le fit sourire.

— Voir si nous pouvons honorer notre futur contrat, bien sûr. A supposer que nous soyons capables d'arriver à un accord.

— Honorer notre contrat, répéta Kat en se raidissant.

La nervosité agitait son visage expressif. La nervosité et autre chose, quelque chose qu'il ne parvenait pas bien à identifier. De la crainte ?

Il ne comprenait pas ce qui l'incitait à la provoquer ainsi. Peut-être cette vulnérabilité qu'il avait remarquée, le besoin de savoir si elle était ou non réelle. Ou peut-être devinait-il une faiblesse, une faille qu'il pouvait exploiter de manière à prendre l'avantage dans leur bras de fer. Plus vraisemblablement, il s'agissait simplement de désir. Du désir fou qui le taraudait depuis la seconde où elle avait franchi le seuil de son bureau.

Il la toisa.

— N'est-ce pas le résultat d'une proposition une fois acceptée ? Les parties honorent le contrat. Je suggère que nous nous rendions pour cela dans un endroit plus privé. Après tout, vous venez de dire qu'une part du marché était de vous avoir à ma merci, contrainte d'accepter mes règles. Eh bien, trésor, honorer notre contrat est la première règle que je fixe. Alors je vous suggère de m'emboîter le pas de vos splendides escarpins et de commencer à demander grâce.

— Vous plaisantez, bien sûr.

Elle se leva d'un bond, vibrante d'indignation. Ce qui n'était guère flatteur, étant donné que la plupart des femmes se montraient généralement empressées… qu'il les honore.

Etait-ce pour cette raison qu'il ne la rassura pas tout de suite ? Ou était-ce encore cette voix intérieure qui le poussait ? Il ne résista pas à lui lancer une nouvelle pique.

— Non, je ne plaisante pas. Je suis ouvert à une discussion préalable. Voire disposé à passer un coup de fil à mon avocat pour rédiger une astuce juridique qui vous interdise de manquer à vos engagements. Ensuite…

Il s'approcha et s'arrêta à quelques centimètres d'elle. La tension entre eux augmenta, devenant presque palpable.

— Ensuite…, disons que vous aviez raison. Je ferai tout ce qu'il faudra pour récupérer ce collier.

— Même coucher avec moi ? demanda-t-elle d'une voix presque amère qui éveilla sa curiosité.

— Si vous insistez.

— Je n'insiste pas. En fait, je ne veux pas coucher avec vous, ni avec personne.

Elle s'interrompit un instant, et sa façade soigneusement élaborée se fissura. Sa voix se fit étonnamment véhémente, accroissant la curiosité de Gabe.

— La seule chose que je veux, c'est satisfaire aux exigences de ma grand-mère.

— Et moi, la seule chose que je veux, c'est le Heart's Desire. C'est vous qui avez proposé des fiançailles comme moyen de parvenir à nos fins respectives.

— Cela ne signifie pas que nous devions…

De nouveau, elle s'interrompit, baissant ses longs cils afin de masquer son expression. De dégoût, s'il ne se trompait pas.

— C'est un point qu'il nous faudra négocier, riposta-t-il. Et, comme vous l'avez mentionné, je suis un négociateur hors pair.

Il se pencha vers elle, poursuivant d'un ton plus bas mais néanmoins impérieux :

— Vous vous placez sur mon chemin. Vous possédez quelque chose que je désire. Pourquoi jouer la surprise quand je prends ce que vous faites si bêtement miroiter devant moi, même si cela implique que vous obtenez davantage que ce que vous avez marchandé ?

— Ça n'était pas dans mes intentions, protesta-t-elle avec une pointe de panique. Vous le savez.

— Mais c'est le résultat. A présent, allons dans un endroit privé, où personne ne surprendra ni n'interrompra notre discussion, pour définir précisément les conditions de ce pacte du diable. Car rien, ni nos fiançailles ni leur consommation et encore moins la tristement célèbre cousine de feu mon épouse, ne m'empêchera de récupérer ce collier. Est-ce bien clair ?

La respiration saccadée de Kat brisa le silence soudain, et son teint crémeux devint livide. Elle le fixait, ses yeux brillants assombris par l'exaspération. Il s'attendait à ce qu'elle flanche. Or, elle retrouva toute sa contenance et lui jeta un regard de défi.

— Aucun homme ne me dicte ma conduite. Pas même mon futur fiancé.

En cet instant, Gabe prit conscience qu'il ferait tout pour posséder cette femme, en dépit de qui elle était et de ce qu'il savait d'elle. Comment était-ce possible ? Jessa avait été des plus explicites au sujet de sa scandaleuse cousine. Lui-même avait vu de ses propres yeux Kat tomber en disgrâce. Elle était exactement le genre de femme qu'il évitait à tout prix. Il s'efforçait de mettre son attirance pour elle sur le compte de la ressemblance entre les deux cousines — chacune très mince et brune. Mais Jessa avait des yeux d'un noir d'encre, comme ses cheveux, sans cette nuance de feu qui faisait vibrer les mèches sombres de Kat. Et les traits d'une jeune femme avenante plutôt que la stupéfiante beauté de sa cousine. Elle n'avait pas non plus les courbes sensuelles qui donnaient à Kat dans son tailleur griffé une allure aussi affolante. Pour finir, la nature douce et accommodante de sa défunte femme n'aurait pu différer davantage du caractère ombrageux de sa cousine. Non que la personnalité de celle-ci change quoi que ce soit à l'affaire. Une seule chose comptait pour lui, et rien ne s'interposerait entre lui et le Heart's Desire.

— Si vous souhaitez regagner les bonnes grâces de Matilda autant que je souhaite le collier de ma famille, vous ferez ce qu'il faudra. Et, si cela signifie honorer un accord légal, vous vous y soumettrez.

Elle commença à protester, mais il lui coupa la parole sans ménagement.

— Quoi que vous ayez à dire peut l'être dans un lieu plus privé que celui-ci.

— Mais…

— Pas ici.

Sourcils froncés, elle croisa les bras sur sa poitrine.

— Je n'irai pas chez vous. Donc, ça sera dans cette pièce ou nulle part.

— Parfait. Si vous voulez le faire ici, pas de problème. Laissez-moi juste fermer la porte à clé, qu'on en finisse. Vous préférez le bureau ou le canapé ?

Elle recula d'un pas vif.

— Ni l'un ni l'autre.

— Alors, allons ailleurs afin de discuter tranquillement de la situation. Ce qui nous conduit forcément chez moi. Ce qui présente le double avantage de donner l'impression que ma future épouse arrive tout juste de l'étranger et qu'on ne peut pas attendre d'être seuls pour… honorer notre engagement.

— Ce que je n'ai aucune intention de faire, rétorqua-t-elle.

Ignorant sa remarque, il désigna la porte.

— On y va ?

Comme elle hésitait, il s'exhorta à la patience.

— D'accord, défendez-vous, ne vous gênez pas. Mais choisissez votre combat. Se battre sur chaque point risque d'être épuisant et, franchement, vain. Si on ne peut pas se mettre d'accord sur quelque chose d'aussi simple que l'endroit où discuter, autant mettre un terme à cette farce sur-le-champ.

— D'accord, allons chez vous. Mais nous ne ferons que parler.

— Excellent début.

Gabe ne lui laissa pas le temps de trouver des arguments supplémentaires. Il l'entraîna hors du bureau, puis dans sa voiture en direction de Medina. Ils firent le trajet dans un silence tendu. La tension et le désir se mêlaient entre eux, bouillonnant sous la surface.

Comme ils s'arrêtaient dans l'allée d'une vaste

propriété qui donnait sur le lac Washington, Kat lui décocha un regard surpris.

— C'est magnifique, murmura-t-elle.

— Attendez de voir la vue sur le lac.

Il la guida vers la véranda où, sans la prévenir, il la porta dans ses bras pour lui faire franchir le seuil. Dès qu'il la reposa au sol, elle tenta de se dégager de son étreinte, mais il l'en empêcha.

— Bienvenue chez moi, mademoiselle Malloy.

Jamais il ne pourrait expliquer ce qui arriva ensuite, quelle sorte de folie s'empara de lui. Il entendit de nouveau la petite voix dans sa tête, la voix insidieuse qui exigeait sans cesse : *Prends cette femme. Elle t'appartient. C'est elle*. Peut-être céda-t-il à la tentation parce qu'il l'avait désirée depuis qu'elle était entrée dans son bureau sur ses escarpins à talons rouges vertigineux. Ou parce qu'elle ne voulait pas de lui. Ou encore pour qu'elle sache qui tenait les rênes de cette invraisemblable union. Quoi qu'il en soit, il prit sa main et pencha la tête pour s'emparer de sa bouche, l'entraînant dans un baiser fougueux.

Dès que leurs mains et leurs lèvres se touchèrent, la passion déferla, embrasant leurs corps, et ils se consumèrent de désir, un désir comme il n'en avait jamais éprouvé auparavant. La sensation se propagea de la bouche aux extrémités des doigts avant de se concentrer au creux de sa paume, puis de se diffuser au plus profond de ses os, où elle devint une partie même de son être. Le désir le submergea, insistant, irrépressible, et il dut faire appel à chaque once de la discipline de fer qui faisait sa réputation pour garder un semblant de contrôle. Pour l'empêcher de la porter dans sa chambre afin d'honorer sa proposition de toutes les manières possibles.

A cet instant, Gabriel découvrit qu'il ne pouvait plus se maîtriser. Qu'il n'en avait pas envie. Il approfondit son baiser et laissa la folie qui l'égarait le consumer. Tout le poussait à imprimer sa marque en elle, sur elle, à la désigner comme sienne à la face du monde.

Sa femme. Sa fiancée. Sa moitié.

Sa compagne pour la vie.

2

Kat ne comprenait pas ce qui venait de se passer.

Un baiser. Un simple baiser, qui n'aurait pas dû tirer à conséquence. Mais, à la seconde où ses lèvres avaient touché les siennes, le désir l'avait envahie, submergée, et cette sensation était totalement inédite. Comme si elle était devenue quelqu'un d'autre. Qui se consumait de désir par toutes les fibres de son corps.

Aucun homme ne l'avait jamais touchée ainsi. Aussi bien physiquement qu'émotionnellement. Elle avait travaillé si dur pour se protéger, pour construire des barrières capables de résister à toutes les tentatives d'approche. Et voilà que d'un unique baiser cet homme — son futur fiancé — avait fait tomber ces barrières.

Sans parler du baiser. Un baiser qui provoquait étincelles et brûlures, comme si elle avait touché un câble électrique. Un baiser qui l'incitait à se fondre en lui, réceptive et abandonnée, sans la moindre pensée ni l'ombre d'une hésitation. S'il avait décidé de lui arracher ses vêtements ici même, dans le vestibule, elle n'aurait pas levé le petit doigt pour l'en empêcher. Plus exactement, elle n'aurait pas *pu* lever le petit doigt. Elle ne pouvait pas plus contrôler la réaction qu'il lui inspirait qu'elle ne pouvait contrôler le flux et le reflux de la marée ou le lever et le coucher du soleil.

Il approfondit son baiser, et elle céda à la passion qui la dévorait. Elle voulait qu'il imprime sa marque en elle, sur elle, qu'il la désigne comme sienne à la face du monde.

Il était son homme. Son fiancé. Sa moitié.

Son compagnon pour la vie.

Lorsque cette pensée surgit et s'imposa dans son esprit, elle la combattit de toutes ses forces. Avec un petit cri aigu, elle se dégagea de l'étreinte de Gabe, même si elle eut l'impression qu'elle arrachait une partie d'elle-même. Elle fit un pas en arrière. Puis un autre, et encore un, jusqu'à sentir le bois solide de la porte d'entrée contre sa colonne vertébrale.

Non. Oh ! non ! Comment pourrait-elle repartir de zéro, effacer l'ardoise, si elle se donnait à cet homme ? Il faisait partie d'un passé devenu indésirable, du scandale. Or, justement, son plan consistait à se défaire de ce passé. Si se fiancer à Gabe faisait partie de ce plan, c'était uniquement de façon temporaire, et surtout sans implication sentimentale. Pourtant, elle avait l'impression que des liens jusque-là invisibles s'enroulaient autour d'elle, se resserraient, l'étouffant presque. Comme si qui elle était — et qui elle aspirait à devenir — n'existait plus, piégée au cœur de la toile tissée par Gabe, une toile de désir. Un désir mystérieux et irrépressible.

— Qu'est-ce que vous venez de me faire ? gémit-elle d'une voix rauque.

— Je vous ai embrassée.

Elle hocha la tête et sentit aussitôt son chignon se défaire sur sa nuque et le poids de sa chevelure tomber dans son dos. Comme une ultime trahison, une reddition qu'elle n'avait jamais souhaitée, ni ne pouvait se permettre. Comme la perte d'elle-même. Leur baiser n'avait duré qu'une minute ou deux, et voilà ce qu'il avait déjà fait d'elle. Ou plutôt ce qu'il avait défait en elle. Elle toujours si fière de son assurance, de son sang-froid, de sa capacité à maintenir à distance ceux qui voulaient quelque chose d'elle, mais ne l'obtiendraient jamais. Pourtant, d'un simple baiser, Gabriel Moretti avait pulvérisé toute sa belle assurance.

— Ce n'était pas un baiser, protesta-t-elle faiblement, levant une main tremblante à sa bouche. Ça brûlait. Comment faites-vous ça ?

Une lueur passa dans le regard doré de Gabe.

— C'est arrivé, voilà tout. J'ignore comment ou pourquoi.

Elle humecta ses lèvres, chaudes, gonflées… délicieusement sensibles.

— Est-ce que… est-ce que c'est arrivé aussi avec Jessa ? Est-ce que c'est votre marque de fabrique ?

Il haussa un sourcil d'un noir de jais.

— Ma marque de fabrique ? répéta-t-il d'un ton amusé, avant de secouer la tête. Non, si c'est une marque de fabrique, je dirais qu'elle vient plutôt des Dante.

— Les Dante ?

Ceux qui avaient créé le collier de sa mère ? Les Dante pour lesquels elle espérait travailler un jour ? Tout cela n'avait aucun sens…

— Je ne comprends pas, avoua-t-elle.

— Moi non plus, mais je trouverai.

Comme il faisait un pas dans sa direction, elle se raidit. A son grand soulagement, il ne s'approcha pas davantage.

— Vous, je ne sais pas, mais moi, j'ai besoin d'un verre. Et pas un verre d'eau, précisa-t-il.

— Il est à peine midi, objecta-t-elle.

— Peu importe, j'ai besoin d'un verre. Si vous voulez bien m'attendre dans le petit salon, je vais m'occuper du déjeuner.

Elle jeta un coup d'œil circulaire au vaste hall, écrasée par un sentiment d'impuissance.

— J'aimerais me rafraîchir.

— Il y a une salle de bains juste après le salon, répondit-il.

Priant pour que ses talons chancelants la portent le temps de traverser le hall, elle prit la direction qu'il lui indiquait et entra dans le petit salon. C'était une pièce charmante, très joliment meublée. Mais elle ne s'attarda pas pour admirer le sol de duramen sombre et les meubles anciens, et poursuivit jusqu'à la salle de bains. Un regard au miroir confirma ses pires craintes.

Elle n'avait pas seulement l'air d'une femme qui venait d'être embrassée avec fougue. Elle avait l'air d'une femme qui avait été déshabillée, mise à nu. Exposée. Laissée sans la moindre défense. Cela ne lui était arrivé qu'une fois, et elle avait juré que cela ne se reproduirait plus. Pourtant, Gabriel Moretti avait trouvé le moyen d'accéder à ce qu'elle gardait enfoui dans les profondeurs de son être. Et il l'avait fait d'un simple baiser.

Comment était-ce possible ?

Quant à ce feu qui les avait consumés tous les deux, ce n'était pas uniquement de la passion. C'était autre chose. Une chose qu'elle n'avait aucun espoir de contrôler, une chose qui au contraire dirigeait et ordonnait, comme si le destin s'était emparé de sa vie et l'avait mise sur une nouvelle voie. Une voie qui la menait droit entre les bras de Gabe, le seul endroit où elle n'avait nulle intention d'aller et qu'elle mourait pourtant d'envie d'explorer.

Chanceuse Jessa…

Kat leva de nouveau une main à sa bouche, stupéfaite de constater à quel point ses doigts tremblaient. Quant à ses yeux, ils brillaient d'une lueur sombre. Une lueur de peine. Avec ses cheveux en désordre et sa bouche aussi gonflée qu'un fruit mûr, on aurait dit qu'elle avait été… Seigneur ! Violée. Par un seul baiser. Qu'est-ce qui se passerait quand il l'entraînerait plus loin qu'un simple baiser ?

Elle chassa cette pensée. Cela n'arriverait pas. Elle ne le permettrait pas. Ouvrant son sac, elle s'employa à user des subterfuges utilisés depuis la nuit des temps par les femmes pour se protéger. Avec ses cheveux de nouveau resserrés en torsade sur la nuque et son maquillage impeccable, elle se sentit mieux. Mais se serait sentie mille fois mieux encore si elle avait pu masquer l'expression de ses yeux.

Elle les ferma et se souvint. Se souvint de tout ce qu'elle avait traversé, de tout ce qu'elle avait accompli à ce jour. De tout ce qu'elle comptait accomplir à l'avenir. Elle se rappela le passé et l'immense dette dont elle était redevable à sa grand-mère pour l'avoir accueillie après la mort de ses parents. Se rappela combien elle s'était battue durant les cinq dernières années, économisant chaque centime hérité de ses parents sous forme de fidéicommis. La vie avait été extrêmement difficile jusqu'à ce que ses finances fassent un brusque bond dix-huit mois plus tôt, un bond assez haut pour lui permettre de s'offrir quelques très belles pièces de grands couturiers et de chausseurs.

Mais, par-dessus tout, sa volonté désespérée de se

réconcilier avec la femme qui avait été tout son univers. Sans parler de son objectif ultime et de sa destination finale : San Francisco pour tenter sa chance comme créatrice de bijoux chez Dante.

En y pensant, elle sentit que le calme se faisait en elle. Lorsqu'elle se regarda de nouveau dans le miroir, elle vit une femme en charge de son propre destin. Une femme capable de résister à Gabriel Moretti. Elle prit une profonde inspiration, priant pour que ce soit aussi ce que Gabe voie.

Elle regagna le petit salon, où il remplissait deux verres. Il lui jeta un coup d'œil, et une lueur complice s'alluma dans ses yeux dorés.

— Ça va mieux ? demanda-t-il.

— Nettement.

— Un whisky ?

Pourquoi pas, après tout ?

— Merci. Sec, s'il vous plaît.

— J'ai organisé le déjeuner. Ça sera bientôt prêt. J'ai également contacté mon avocat, Tom Blythe. Il va nous préparer une sorte d'accord. Je peux vous assurer de sa discrétion.

Gabe s'approcha et lui tendit un lourd verre en cristal. Leurs doigts se frôlèrent, intensifiant l'effervescence qui régnait entre eux. Curieusement, elle la sentait surtout au creux de sa paume et sur ses lèvres. Etrange, très étrange. Et aussi très perturbant.

— Bon, lança-t-il après avoir levé son verre à sa santé. Si vous me disiez ce que vous proposez et qu'on en discute ?

Son attitude quasi professionnelle l'aida à retrouver son sang-froid. Elle lui en fut reconnaissante.

— C'est assez simple. On décide d'un premier

rendez-vous, dans un endroit public pour que ce soit à la fois remarqué et remarquable. On sort ensemble pendant un nombre déterminé de mois. On annonce nos fiançailles. Et on les laisse suivre leur cours jusqu'à...

Sa voix se brisa. Elle but une brève gorgée, afin que la brûlure du whisky renforce sa maîtrise de soi. Puis elle répéta le mot, avec plus de succès cette fois.

— Jusqu'à...

Mais elle n'arrivait pas à aller au bout de la phrase, à prononcer les mots qui menaçaient de briser son cœur. *Jusqu'à ce que Gam meure.*

— Il faut préciser certains points, objecta Gabe.

— Lesquels ?

— Le lieu de notre rendez-vous. Combien de temps nous devrons sortir ensemble. Comment et quand annoncer nos fiançailles. Comment s'y prendre au mieux avec Matilda. A quel moment se fera le transfert de propriété du collier.

Sa voix se fit plus rauque tandis que son regard s'enflammait.

— Sans oublier... les termes spécifiant les modalités selon lesquelles notre contrat sera honoré, conclut-il.

Cette fois-ci, il n'eut pas besoin de la toucher pour qu'elle perde tous ses moyens. Elle but une nouvelle gorgée pour retrouver un peu de contenance, priant le ciel pour que sa voix ne trahisse pas son agitation intérieure. Pourquoi lui, Seigneur ? Pourquoi fallait-il que ce soit le mari de Jessa, et pas un autre, n'importe quel autre homme au monde ?

— Je suggère des endroits les plus branchés et les plus en vue possible pour nos premières sorties en public. Je ne suis pas très dans le coup ces derniers temps, alors vous saurez mieux choisir que moi.

— D'accord, acquiesça Gabe.

— Quant à l'annonce de nos fiançailles, je propose d'attendre entre trois et six mois.

— Un seul.

Elle secoua la tête.

— Personne n'y croira, si c'est aussi rapide.

— Je pense que si, riposta-t-il avec un sourire qui mit tout son être en ébullition. Surtout quand tout le monde remarquera que je ne peux pas m'empêcher de poser mes mains sur vous en permanence.

— Trois, plaida-t-elle, au désespoir. Trois mois.

— Un mois.

— Mais personne n'y croira, répéta-t-elle, les lèvres serrées. Or j'ai besoin qu'on y croie.

— Tout le monde croira que je suis un imbécile d'être tombé amoureux de vous, répliqua-t-il d'un ton neutre. Car hélas votre réputation vous précède, ma chère, et je crains qu'on ait de vous une opinion bien moins positive. Et, lorsque je romprai nos fiançailles et tout contact avec vous, je crains qu'il en soit fait de votre respectabilité.

C'est alors que Kat comprit. Elle sentit son visage devenir livide, et l'air se bloqua dans ses poumons.

— Quand vous romprez nos fiançailles, vous espérez confirmer le consensus général, n'est-ce pas ? Pourquoi ? Pourquoi faire ça ?

Les yeux de Gabe brillaient comme les feux de l'enfer.

— Disons qu'il pourrait s'agir du cadeau de fiançailles de Jessa. Bien sûr, vous pouvez refuser, vous draper dans votre dignité et quitter la table des négociations. Mais quelque chose me dit que vous ne le ferez pas, même si cela signifie vous retrouver au cœur d'un nouveau scandale qui, une fois de plus, mettra à mal votre réputation.

— Si vous détruisez ma réputation, comment suis-je censée convaincre ma grand-mère que j'ai changé ?

— Je n'ai pas l'intention de détruire votre réputation tant que Matilda sera vivante. Entretemps, elle croira tout ce que je lui dirai. Si je vous donne mon approbation, elle l'acceptera, principalement parce qu'elle aura envie d'y croire. Mais nous deux, on connaît la vérité, n'est-ce pas, Kat ? Et, à terme, le reste de la ville la connaîtra aussi.

La douleur la déchira. *Va-t'en*, lui enjoignit une petite voix. *Pars tout de suite. Ça n'en vaut pas la peine.* Sans doute l'aurait-elle fait sans un détail malheureux. Quelque chose s'était produit quand il l'avait embrassée. Quelque chose qui changeait tout. Elle était incapable de l'expliquer et ne comprenait pas comment ni pourquoi la donne en était modifiée. Elle le savait, un point c'est tout.

D'une manière ou d'une autre, Gabe avait créé un lien entre eux, un lien auquel elle ne pouvait échapper. Auquel elle ne *voulait* pas échapper. Bien sûr, ce lien ne durerait pas. Mais pour le moment il la contraignait à rester jusqu'à ce qu'il se rompe, se dissipe, ou prenne fin.

Kat était venue à Seattle avec un but — se réconcilier avec sa grand-mère. Rien d'autre n'importait, encore moins maintenant que le temps leur était compté. Tout du moins, c'était ce qu'elle pensait jusqu'à ce qu'elle rencontre Gabriel Moretti, qu'elle entre dans son bureau et soit submergée par un désir si irrépressible que tout le reste semblait ne plus avoir d'importance.

Elle ferma les yeux. Elle venait simplement de prendre conscience qu'elle était une femme comme les autres, avec des désirs. Rien qui puisse interférer avec ses objectifs, enfin, pas vraiment. Une fois ce désir passé, et lorsqu'elle se serait employée à adoucir les derniers jours de sa grand-mère, elle serait libre de tourner la page. Elle repartirait sur de bonnes bases. Cette idée flottait devant elle comme un rêve doré. Un rêve que, ces cinq dernières années, elle avait cru hors de portée.

— Eh bien ? demanda Gabe. Vous acceptez ma proposition ?

La tension contenue dans la question la décontenança un peu, mais elle se ressaisit.

— Disons que je suis disposée à pousser la négociation plus loin.

S'il éprouva un sentiment de triomphe, il n'en montra rien. Au contraire, il parut un peu plus tendu.

— J'insiste sur un engagement officiel qui vous oblige à me remettre le Heart's Desire, reprit-il.

— Un engagement qui nous lie tous les deux, rétorqua-t-elle sans se démonter. J'ai besoin de l'assurance que vous restiez mon fiancé et que vous me traitiez de façon appropriée tant que ma grand-mère est vivante. Et faites-moi confiance pour expliciter en détail ce que j'entends par « appropriée ».

— Très bien.

— Nous sommes donc d'accord ?

Il la fixa droit dans les yeux.

— J'attends de vous que vous honoriez notre contrat.

Elle sentit ses joues s'empourprer. Pivotant sur ses talons, elle arpenta la pièce et s'arrêta pour examiner une ravissante statuette d'ébène sculpté. Elle en effleura les lignes gracieuses, souhaitant qu'un jour sa vie puisse suivre à son tour un tracé aussi harmonieux. Un souhait vain ?

Même quand elle était enfant, son existence avait été tourmentée, et sa grand-mère en avait constitué le seul élément solide, le seul et unique soutien. Depuis qu'elle avait cinq ans, quand ses parents étaient morts à la suite d'une infection virale contractée lors d'une mission humanitaire, Gam avait été son univers. Son point d'ancrage.

Jusqu'à ce que Jessa change tout cela.

Kat se détourna de la statuette pour faire face à Gabe.

— J'imagine qu'« honorer notre contrat » est votre manière subtile de me dire que vous voulez faire l'amour avec moi, lança-t-elle.

— Pas du tout.

La confusion l'envahit. Avait-elle mal compris ?

— Que voulez-vous dire, alors ?

Il s'approcha sans bruit.

— Notre contrat n'implique aucune forme d'amour. Il ne s'agit que de sexe.

Elle préféra ne pas s'aventurer sur ce terrain miné et s'efforça de prendre une moue amusée.

— Désolée, mais cela n'arrivera pas.

— Vous croyez ?

— Disons que je me réserve pour le mariage, répliqua-t-elle avec le plus grand sérieux.

Il éclata de rire, un rire grave, riche, qui s'infiltra dans ses veines comme le plus doux des poisons.

— J'aime votre sens de l'humour, lâcha-t-il.

Elle lutta pour ne pas flancher, pour ignorer les sensations qui déferlaient en vagues de plus en plus fortes.

— Je n'avais pas l'impression d'être drôle.

Le regard de Gabe s'assombrit, conférant une nuance fauve à ses prunelles dorées. Il l'emprisonnait, l'excitait et la mettait en garde tout à la fois. Son regard était comme une promesse qui suscitait en elle convoitise et crainte.

— Comme vous voudrez, dit-il enfin. Si vous insistez pour attendre le mariage, j'accepte.

Elle savait qu'il ne le pensait pas, qu'il était persuadé qu'elle finirait par céder.

— Marché conclu, alors ?

— Marché conclu, acquiesça-t-il en inclinant son verre vers le sien.

Le cristal en s'entrechoquant chanta une note légère et pure, contrastant avec leur pacte malsain. Gabe attendit qu'ils aient bu tous les deux avant de reposer leurs verres sur le bar d'acajou. Puis il la prit dans ses bras.

— Qu'est-ce que vous faites ? s'exclama-t-elle, paniquée.

— J'honore notre contrat.

Elle tenta de se dégager.

— Mais ce n'est pas ce que vous avez dit, protesta-t-elle.

— J'ai accepté d'attendre que vous insistiez. Mais cela ne signifie nullement que je ne puisse pas essayer de vous faire changer d'avis.

Il baissa la tête et approcha ses lèvres des siennes.

— Tentée, Kat ?

Il avait pensé que ce baiser serait différent. Ce ne fut pas le cas. Bien au contraire, l'étrange attirance qui les liait depuis leur premier baiser s'intensifia. Il sentit tout son corps s'embraser quand, avec un petit gémissement, Kat entrouvrit les lèvres et le laissa savourer la douceur de miel de sa bouche. Jamais il n'avait rien goûté d'aussi exquis. Comme si cette saveur avait été faite pour lui, pour lui plaire et l'exciter, pour tenter et satisfaire. Il avait l'impression de ne jamais pouvoir s'en rassasier. Il en voulait plus.

Il trouva les boutons de sa veste et les défit. Les bords s'écartèrent de quelques centimètres, et en dessous il découvrit un bout de dentelle noire révélant presque autant qu'il dissimulait. Kat avait la peau d'un blanc crémeux sublime, douce et nacrée contre la matité sombre de son soutien-gorge. Le haut de ses seins bombait au-dessus des fins bonnets, et sa respiration s'accéléra sous son regard. Avec délicatesse, il prit ses seins au creux de ses mains, se rappelant comment ils lui étaient apparus quand il l'avait trouvée dans le lit de Winters.

Magnifiques. Absolument magnifiques.

A travers la fragile dentelle, ses mamelons se durcirent en réponse à sa caresse. Il la guida vers le sofa, poussé par le besoin impérieux de la prendre, un besoin plus intense que tout ce qu'il avait pu ressentir auparavant. Elle se laissa tomber sur les coussins avec un petit cri et resta immobile, haletante contre le velours vert foncé, la veste entrouverte, les cheveux dénoués comme un feu sombre autour de ses épaules pâles. Elle le fixait de ses grands yeux superbes, qui prenaient la couleur du velours, reflétant sa nuance de forêt ténébreuse.

Dans son regard, il s'attendait à voir l'expression d'une séductrice qui s'était trouvée dans cette situation un nombre incalculable de fois. Il ne s'attendait pas à y lire… la crainte et la vulnérabilité d'un être sans défense. S'agissait-il d'une nouvelle manigance de la part de cette femme passée maître dans l'art de duper son monde ? Pourtant, il ne discernait aucune tromperie dans ses yeux.

Plus il plongeait dans son regard magnifique, plus il

la désirait. Il la rejoignit sur le sofa, prenant appui sur ses bras et, n'y tenant plus, enfouit ses mains dans ses cheveux. Les mèches épaisses coulaient entre ses doigts comme de la soie, et l'incendie qui le consumait était au diapason de celui qu'il voyait dans ses yeux verts.

— Pourquoi les attachez-vous ? demanda-t-il.

— Pour les maîtriser.

— La maîtrise, ça vous plaît, affirma-t-il avec un sourire.

— La maîtrise de moi, précisa-t-elle. Bien que j'aie l'impression de n'en avoir aucune. Du moins, avec vous.

Elle ponctua son propos d'une moue un peu ironique.

— On dirait qu'on est dans le même bateau.

Il n'avait pas eu l'intention de le reconnaître. Mais cette femme lui faisait perdre son sang-froid et la faculté de penser clairement.

— Il existe cependant une solution, reprit-il.

— Si c'est faire l'amour que vous avez en tête, je ne considère pas qu'il s'agisse d'une solution.

Il ne put retenir un rire cynique.

— Faire *l'amour* ?

Baissant les yeux, elle lâcha platement :

— Ah, c'est vrai. Coucher ensemble.

— Voilà qui est plus juste. Du sexe, rien que du sexe. Et faites-moi confiance… c'est la solution la plus simple compte tenu des problèmes entre nous.

Il effleura sa joue d'un léger baiser. Elle frémit, ce qui lui arracha un nouveau sourire et l'incita à continuer, mordillant sa peau douce et tendre.

— Là, vous ne faites qu'ajouter une complication supplémentaire, rétorqua-t-elle en se raidissant un peu.

Sans se laisser démonter, il poursuivit, descendant

le long de son cou. Son pouls battait contre ses lèvres, et il pouvait presque savourer son désir.

— Une complication délicieuse, murmura-t-il.

Elle respirait par à-coups, avec de petits gémissements qui excitaient sa convoitise et son besoin impérieux de la posséder. S'il devait se maîtriser encore longtemps, il craignait d'y laisser sa santé mentale.

— Délicieuse et nécessaire, ajouta-t-il.

Très, très nécessaire.

— Pourquoi nécessaire ? demanda Kat.

Plaisantait-elle ? Il arrêta sa bouche dans le creux satiné entre son cou et son épaule et y déposa une pluie de baisers.

— Parce que nous devons à tout prix donner l'impression d'être fous l'un de l'autre. De ne pouvoir nous empêcher de nous toucher mutuellement. De n'avoir qu'une envie, nous soustraire aux regards des autres afin de nous retrouver seuls pour goûter à des délices infinies.

— Comme vous le soulignez, il s'agit de donner le change, déclara-t-elle, paupières closes.

Imperturbable, il fit glisser sa veste de ses épaules, découvrant un peu plus de sa peau nacrée et soyeuse.

— Il ne doit y avoir aucun doute sur le fait que nous sommes amants. C'est la seule façon d'expliquer la rapidité de nos fiançailles. Les femmes ont le chic pour deviner ces choses-là. Elles sauront immédiatement si on fait semblant.

— Notre attirance n'est pas feinte. Elle pourrait suffire.

Il releva la tête.

— Vous avez déjà couché avec un homme. Vous savez aussi bien que moi que cela change tout.

Elle ouvrit les yeux et le défia étrangement du regard.

— Ah oui ?

— S'il vous plaît, Kat, ne jouez pas l'innocente avec moi.

— J'imagine que ça ne servirait à rien, n'est-ce pas ?

— N'oubliez pas que c'est moi qui vous ai trouvée avec Winters.

Il ne voulait pas en parler, ne voulait pas que l'ombre d'un autre homme gâche ce moment ou s'immisce entre eux. Pas maintenant. Pas alors qu'il l'avait enfin à sa merci.

— Soyez raisonnable, Kat, poursuivit-il. Vous avez eu des amants. Pensez à votre façon de leur parler. A ces caresses, ces regards que seuls les amants s'échangent. La connaissance qui ne s'acquiert qu'après avoir couché avec quelqu'un. Après qu'un homme vous a déshabillée et possédée. Elle transparaît dans tout, la moindre parole, le moindre geste, dans la manière de réagir, tant consciente qu'inconsciente.

— Ce niveau de familiarité est-il absolument nécessaire entre nous ?

Comment pouvait-elle en douter ?

— Oui. Je veux vous toucher et que tout le monde, en le voyant, devine que je vous ai touchée de la même façon dans l'intimité. Je veux la même expression sur votre visage et dans vos yeux, pour que chacun se dise que la dernière fois que vous m'avez regardé ainsi, nos corps étaient accouplés.

Elle frémit de nouveau, et il sut que ses mots la séduisaient autant que ses mains, que ses lèvres sur elle.

— Je n'en ai pas envie, répliqua-t-elle néanmoins.

Mais il soupçonnait que ses propos s'adressaient davantage à elle qu'à lui. Il effleurait la bordure de son soutien-gorge, et bientôt une légère rougeur colora le haut de ses seins, tandis que sa respiration se précipitait un peu. Baissant la tête, il prit un mamelon dressé entre ses dents à travers la dentelle, aussitôt humide. Elle laissa échapper un petit cri, et il sentit son sexe se durcir un peu plus contre elle, renforçant son besoin urgent de la prendre, une exigence primaire, continue, harcelante, qu'il n'avait jamais expérimentée auparavant. Il glissa les doigts sous la dentelle du soutien-gorge, libérant ses seins.

Ils étaient ronds et pleins, et la pointe avait la couleur d'une pêche mûre. Il mourait d'envie de les goûter, de vérifier s'ils étaient aussi délicieux que le fruit auquel ils ressemblaient. Mais un coup soudain frappé à la porte l'empêcha de continuer.

— Monsieur Moretti ? Le déjeuner est servi.

Kat se figea, une expression d'horreur passant sur son visage. Elle le regarda avec incrédulité.

— Qu'est-ce qu'on est en train de faire ?

— On appelle ça les préliminaires, je crois. Ou une mise en bouche, ajouta-t-il en baissant les yeux sur ses seins veloutés.

Elle remit son soutien-gorge.

— C'est terminé. S'il vous plaît, lâchez-moi.

— Pas de mise en bouche ? J'en déduis que le dessert est également hors de question, soupira-t-il comme elle se contentait de le foudroyer du regard.

— Je ne prends jamais de dessert.

Il eut un sourire goguenard.

— Je serais ravi de manger le vôtre.

— On ne parle pas de nourriture, n'est-ce pas ?

Gabe jeta un dernier regard à ses seins appétissants.

— Tout dépend de votre point de vue.

Il se leva et lui tendit la main. A sa grande surprise, elle accepta son aide pour se redresser.

— Je suppose que vous aimeriez vous rafraîchir un peu ?

Elle poussa un soupir.

— Est-ce nécessaire ?

— Pas vraiment, répondit-il.

Il la recoiffa de ses doigts tandis qu'elle reboutonnait sa veste, puis tentait, sans grand succès, de la défroisser.

— En plus, ajouta-t-il, j'aime bien vos cheveux lâchés. Ça vous rend plus humaine.

Un sourire furtif se dessina sur sa bouche encore gonflée de ses baisers.

— Humaine ? répéta-t-elle. Par opposition à quoi ?

Gentiment, il tira sur les pans de sa veste, amusé de constater qu'elle avait boutonné dimanche avec lundi. Devait-il le lui signaler ? Non ; elle lui paraissait infiniment plus humaine ainsi.

— A quelque chose d'irréel. De distant. D'intouchable et d'intouché. Or, nous savons tous les deux que cette image n'a rien à voir avec la vraie Kat.

Son expression se ferma aussitôt.

— Il est vrai que vous me connaissez si bien.

— J'en sais assez à votre sujet. Bon, on y va ?

— Je préfère retourner à mon hôtel. Je souffre encore du décalage horaire.

Il la prit par la taille et l'entraîna vers la porte.

— Manger vous fera du bien. Dennis est un excellent cuisinier. Je suis sûr que vous apprécierez un bon repas avant que je vous ramène à votre hôtel.

Elle ne protesta plus et le suivit dans une petite salle à manger confortable et intime, donnant sur une vaste pelouse qui dévalait vers le lac. Campée devant la fenêtre, elle parut se détendre.

— Cela vous plaît ? demanda Gabe.

— A qui est-ce que ça ne plairait pas ?

A Jessa, faillit-il répondre, avant de se reprendre à temps.

— Certaines personnes préfèrent la ville.

Elle haussa les épaules.

— La ville a ses avantages. Personnellement, je me lasse vite du bruit et du monde.

— Raison pour laquelle j'ai acheté cette maison l'an dernier. Ça, et la vue.

Elle lui décocha un coup d'œil par-dessus son épaule.

— Vous ne vivez ici que depuis un an ?

— Nous habitions un appartement proche de mon bureau, répondit-il à la question non formulée, puis il désigna la table. Prenons place, vous voulez bien ?

Sans un mot, ni un regard, elle s'assit. Peut-être parce qu'il avait évoqué Jessa. Le fantôme de sa femme décédée suscitait un silence inconfortable. Il aurait dû mépriser Kat pour l'épouvantable situation dans laquelle elle avait mis sa cousine, pour son mépris absolu du bien comme du mal. Pour n'en avoir fait qu'à sa tête, sans la moindre considération pour ceux qu'elle blessait au passage. Au moins sa mère avait-elle tenté d'agir correctement en quittant Dominic lorsqu'il en avait épousé une autre.

Mais tout cela ne changeait rien au fait que, quand il tenait Kat dans ses bras, plus rien ne comptait hormis le désir fulgurant de la faire sienne. Un désir bien plus fort qu'il n'en avait jamais éprouvé pour Jessa et qui prenait le pas sur toute autre considération. Il ne comprenait pas l'attirance magnétique que cette femme exerçait sur lui. Une attirance qui semblait faire fi de toutes les barrières qu'il avait fermement érigées.

Il savait qui blâmer. Son père était un Dante. Un dépravé. Un tricheur. Un menteur. Gabe luttait contre les gènes Dante depuis son premier souffle et continuerait jusqu'au dernier. Dès qu'il avait compris quels ravages son père avait provoqués dans la vie de sa mère, il avait décidé qu'il ne deviendrait jamais comme lui. Qu'il ne serait jamais semblable à l'homme qui avait causé tant de souffrance à sa famille.

Pourtant… D'une certaine manière, les gènes des Dante étaient responsables de ce qui s'était produit la première fois qu'il avait posé la main sur Kat. Il ne pouvait y avoir d'autre explication. Il avait entendu ces histoires ridicules de la bouche de sa mère, mais il n'y avait jamais accordé foi. Aujourd'hui, il se demandait pourtant si ces histoires ne recelaient pas un fond de vérité. Parce qu'à en juger par la façon dont il réagissait en présence de Kat, par l'intensité avec laquelle il ressentait sa présence, par la vibration électrique entre eux, il lui semblait bel et bien avoir été frappé par le tristement célèbre « Inferno » des Dante. On le lui avait décrit comme une sorte de brûlure qui survenait lorsque deux futurs amants se touchaient la première fois — du moins, c'est ce que prétendait sa mère. Selon Gabe, il ne s'agissait que d'un conte de fées grotesque utilisé par son père pour l'attirer dans son lit.

Il poussa un soupir agacé. Depuis toujours, il ne voulait rien avoir à faire avec la famille de son père. Il les détestait, tous autant qu'ils étaient, pour leur part dans le chagrin de sa mère. Mais cette histoire d'Inferno était trop étrange pour la balayer d'un revers de la main comme s'il ne s'était agi que de simples balivernes. Demain, il obtiendrait plus d'informations, puis couperait définitivement les liens avec les Dante. Puis il déciderait que faire de cet absurde Inferno et, surtout, comment s'y soustraire.

Dennis entra avec leurs salades puis s'éclipsa. Kat joua avec la nourriture quelques minutes avant de reposer sa fourchette. Elle leva les yeux vers Gabe.

— C'est ridicule. Pourquoi suis-je ici ? Sérieusement. Qu'est-ce qu'il nous reste à discuter ? Vous m'avez arraché toutes les concessions possibles. Cela ne vous suffit pas ?

Il but une gorgée de chablis pour se donner le temps de formuler sa réponse.

— Si nous ne sommes pas capables de partager un simple repas, ça n'augure rien de bon pour nos fiançailles.

Un sourire froid releva sa bouche appétissante, et il y arrêta son regard, tandis que sa maudite voix intérieure l'incitait à l'entraîner dans un interminable baiser.

— Ce qui n'augure rien de bon pour nos fiançailles, rétorqua-t-elle sèchement, c'est que vous me méprisez.

Gabe se força à détourner les yeux de ses lèvres pulpeuses et à se concentrer sur son assiette.

— Il vous faudra vivre avec, je le crains.

— Ou bien vous pourriez faire preuve d'un peu d'indulgence, pour changer.

Il ne put s'empêcher de rire. Elle voulait déjà qu'on lui donne l'absolution ? Aucune chance…

— Même pas en rêve, trésor.

Elle le fixa en silence quelques instants.

— Nous ne sommes pas encore fiancés, reprit-elle, ce qui signifie que j'ai encore le choix, celui de partir, notamment.

Il ne se laissa pas démonter.

— Essayez toujours, mais vous savez aussi bien que moi que vous voulez trop l'héritage de votre grand-mère pour laisser tomber.

— Je veux me réconcilier avec elle, répliqua Kat. C'est important pour moi, mais pas au point de passer des mois entiers avec quelqu'un qui vise à faire de ce temps passé ensemble un enfer. Le jeu n'en vaut pas la chandelle.

— Nous voilà de nouveau en pleine négociation, si je comprends bien ?

— Oui.

Intéressant, songea Gabe.

— Quelle offre mettez-vous sur la table ?

— J'aimerais recommencer de zéro. Tourner la page.

Il secoua la tête.

— Impossible. Vous ne pouvez pas effacer ce qui s'est passé. Ce que vous avez fait.

Elle hésita avant de répondre :

— Mais on peut choisir de le mettre derrière nous et de passer à autre chose. Il est hors de question que je joue en public le rôle de la fiancée amoureuse tout en supportant en privé d'être humiliée par vous pour des événements passés. Je ne le supporterai pas.

— Et si je ne suis pas d'accord ?

Elle jeta sa serviette sur la nappe et se leva.

— Alors, vous devrez décider à quel point vous désirez récupérer le collier de votre mère. Excusez-moi auprès de Dennis, s'il vous plaît. Je suis certaine qu'il comprendra si vous lui expliquez que le décalage horaire a eu raison de moi — ce qui est le cas.

— Je vous ramène à Seattle, déclara-t-il d'un ton sans réplique, car il la voyait prête à refuser.

D'un signe du menton, elle accepta, sans doute par lassitude.

— Je serai à l'hôtel demain toute la journée. N'hésitez pas à m'appeler et à me faire part de votre décision.

— Table rase du passé et fiançailles courtoises ?

— Ou bien je retourne en Europe, et aucun de nous n'obtient ce qu'il veut.

— Inutile d'attendre demain. J'accepte votre offre, Kat.

Elle ne manifesta pas le moindre soulagement. Elle se contenta d'acquiescer, puis se dirigea vers la porte. Il l'arrêta sur le seuil et reboutonna sa veste correctement, avant de déposer un baiser sur son front.

A ce rythme-là, songea-t-il, la prochaine fois il la borderait dans son lit.

Il serra les mâchoires. Il n'avait pas la moindre idée de ce qui se passait, mais avait la ferme intention de le découvrir le lendemain matin à la première heure.

Ensuite il réglerait le problème, et sa vie reprendrait son cours normal.

3

Tôt le lendemain matin, Gabe laissa un message à Kat pour la prévenir qu'il serait injoignable ce jour-là. Il prit son jet privé pour se rendre à San Francisco. Une voiture l'attendait à l'aéroport, et il mit à profit le trajet jusqu'au centre-ville pour finaliser le dossier Atkinson. A maintes reprises, il se surprit à se frotter la main, où persistait une brûlure apparue au moment où il avait touché Kat pour la première fois et qui, depuis, continuait à être sensible. Un phénomène des plus curieux.

Comme on était samedi, la circulation était fluide, et la voiture arriva en un temps record devant le siège de Dante, l'empire joaillier réputé pour ses incomparables diamants de feu. Ainsi qu'il l'espérait, l'endroit était désert, sans le moindre Dante en vue. Tant mieux. Il trouvait déjà pénible de devoir parler au patriarche — son grand-père Primo —, inutile qu'il tombe en plus sur un membre de la branche légitime de la famille. La plupart ignoraient d'ailleurs son existence, et Gabe préférait que cela reste le cas. Il se présenta à la réception puis, muni d'un badge visiteur, traversa le vaste hall en direction des ascenseurs menant aux bureaux de la direction. Il monta au dernier étage et s'engagea dans un vestibule où même l'air respirait le luxe et l'opulence.

Du fond d'un long couloir drapé d'ombres, une femme approcha, sans doute pour l'escorter jusqu'au bureau de Primo, même si d'après les renseignements de Gabe c'était Severo, le premier fils légitime de Dominic, qui dirigeait désormais l'entreprise. Le fondateur de la joaillerie était en semi-retraite depuis le décès du père de Gabe dans un accident de voile, dans lequel avait aussi péri sa femme, Laura, rendant Sev et ses trois frères orphelins. La mort de son fils aîné avait porté un coup à la santé de Primo, obligeant ce dernier à confier les rênes de l'entreprise à Severo. Bien entendu, les Dante prétendirent tout ignorer de l'existence de la mère de Gabe et de ses jumeaux, tout comme ils prétendirent ignorer que Dominic avait prévu de l'épouser après avoir divorcé. De toute manière, Gabe ne croyait pas un seul instant que son père l'aurait fait. Comme tous les Dante, Dominic voulait le beurre et l'argent du beurre. Sinon, pourquoi serait-il parti faire de la voile avec son épouse légitime ?

Il reporta son attention sur la femme qui s'avançait et se figea, la reconnaissant instantanément à sa chevelure, un mélange caractéristique de nuances de bruns.

— Qu'est-ce que tu fiches ici, nom d'une pipe ?

Elle jeta un coup d'œil nerveux par-dessus son épaule.

— Chut ! Je ne veux pas qu'on t'entende.

— Tu ne m'as pas répondu, Lucia.

Son instinct de protection se réveilla, et il prit sa sœur dans ses bras pour l'étreindre avec ardeur, étreinte qu'elle lui rendit avec la même force.

— Qu'est-ce que tu fais ici ? répéta-t-il.

Lucia se dégagea, puis lui adressa un sourire espiègle, mais il perçut une émotion plus profonde sous son apparence joyeuse.

— Je travaille pour Primo.

— Je rêve ! s'exclama Gabe, estomaqué. Il sait qui tu es ?

Une lueur familière flamboya dans le regard de Lucia.

— Bien sûr que non. Tu penses bien que je t'aurais prévenu.

— Pourquoi ? demanda-t-il d'une voix dure. Pourquoi, au nom du ciel, veux-tu avoir quoi que ce soit à faire avec les Dante, après ce qu'*il* a fait à maman ?

— Il ? Tu veux dire, papa ?

Ce petit mot contenait tout un monde de chagrin, et il sentit son estomac se nouer. De tous les trois, sa jumelle, Lucia, avait résisté le plus longtemps, certaine qu'un jour Dominic Dante arriverait sur son cheval blanc et les emmènerait vivre dans son palais. Même après sa mort, elle avait cru que les Dante les reconnaîtraient comme membres à part entière de la famille. Mais cela ne s'était jamais produit. Il n'y avait pas eu de fin heureuse à une histoire qui n'avait rien d'un conte de fées.

— Tu peux prononcer le mot, Gabriel. *Papa*. Je te jure que ta langue ne prendra pas feu.

— N'en sois pas si certaine, rétorqua-t-il. Et il n'était pas notre père. Mais le *leur*.

Une expression entêtée apparut sur les traits fins de Lucia.

— Il était aussi le nôtre. Ce n'est pas parce que tu refuses de connaître notre famille que moi je n'en ai pas le droit.

Il se renfrogna, comme sous le coup d'une gifle.

— Ce n'est *pas* notre famille.

— Tu ne veux peut-être pas d'eux pour famille, mais ça ne change rien au fait que…

Elle s'interrompit et, l'espace d'une seconde, son menton trembla, tandis que des larmes perlaient dans ses beaux yeux bleu-vert. Les yeux de leur mère. Ceci, plus que tout le reste, faillit avoir raison de Gabe. Sa sœur, si forte, sa jumelle résiliente, la femme qui affrontait l'adversité avec un sourire courageux, au bord des larmes… Sans un mot, il l'attira à lui.

— C'est vraiment si important pour toi ? murmura-t-il. Elle répondit d'une voix à la fois ferme et douce.

— Oui. Ils sont la seule famille qui nous reste.

Il tressaillit.

— Mais je suis là pour toi, et toi pour moi. On sera toujours là l'un pour l'autre.

S'écartant d'un pas, elle prit son visage dans la coupe de ses mains, le regard empli d'adoration.

— Evidemment ! Là n'est pas la question. Tu es mon grand frère, même si ce n'est que de quatre minutes.

— Cinq.

Elle éclata de rire à travers ses larmes.

— D'accord, cinq. Tu as toujours été là quand j'en avais besoin. Si tu n'étais pas venu à mon secours quand…

— Chut, tais-toi ! Inutile d'en reparler.

L'épisode qu'évoquait Lucia avait été violent et douloureux, et d'une certaine façon pire encore que la nouvelle de la mort de leur père. Il lissa une boucle des cheveux de sa sœur, dont la couleur — des nuances somptueuses de bruns — était si différente de la sienne. En apparence, sa jumelle et lui ne pouvaient être plus dissemblables. Mais dans l'âme…

— Tu as raison, admit-elle.

Puis elle fronça les sourcils. Au grand soulagement

de Gabe, elle avait surmonté ses larmes et retrouvé une physionomie quasi normale.

— Alors, et toi, qu'est-ce qui t'amène ici ? Étant donné que Primo ne fait pas partie de ta famille…

— J'ai une question à lui poser, et il est le seul à pouvoir y répondre.

Les yeux brillant de curiosité, Lucia pencha la tête.

— Quelle question ?

— Ça ne te regarde pas.

Elle saisit alors sa main dans la sienne. Il en avait toujours été ainsi entre eux. Peut-être parce qu'ils étaient jumeaux. Ou bien parce qu'ils avaient grandi sans père. Quoi qu'il en soit, une profonde connivence les liait depuis leur plus tendre enfance.

— Il s'est passé quelque chose. Quoi ? insista-t-elle.

— Rien qui te concerne, petite môme. J'aimerais me rendre à ce rendez-vous, maintenant, si tu permets.

Elle lui adressa une grimace moqueuse.

— Très bien. Fais ton ronchon mystérieux. Tu sais que tu finiras par me le dire. Avoue. Tu n'as jamais su me résister.

— Exact, concéda-t-il en déposant un baiser tendre sur son front.

Puis il désigna le bureau de Primo.

— Avant que je le rencontre, dis-moi à quoi m'attendre. Comment est-il ?

Sur le point de répondre, Lucia finit par secouer la tête.

— Non, ce n'est pas une bonne idée. Je crois qu'il vaut mieux que tu le découvres par toi-même.

Voilà qui ne lui ressemblait guère. Elle avait toujours été la plus spontanée d'eux trois, et sa nature généreuse et confiante l'avait peut-être conduite à tomber amoureuse de cette ordure qui lui avait brisé le cœur. Par la suite, elle était devenue plus prudente, mais jamais vis-à-vis de son frère. Ses secrets étaient les siens. Du moins, jusqu'à aujourd'hui.

— Qu'est-ce qui cloche, Lucia ? Qu'est-ce que tu me caches ?

Une lueur de détresse passa sur les traits de sa sœur.

— Je ne cache rien, répondit-elle, hormis mon identité. Je voulais connaître mon grand-père sans qu'il sache que je suis la fille de Cara Moretti. Donc, je me sers de mon nom d'épouse.

— Pour autant que je sache, ils sont uniquement au courant de mon existence, assura-t-il. Je ne pense pas qu'ils aient découvert que j'ai une jumelle.

— Non, ils l'ignorent, déclara Lucia.

— Il t'a fait de la peine. Ne le nie pas, ajouta-t-il comme elle s'apprêtait à protester. Je vois bien que tu souffres.

Elle soupira, prenant sans doute conscience qu'il serait vain de nier. Il la connaissait trop bien.

— Bon, d'accord. Mais ce n'est pas à cause de quelque chose qu'aurait fait Primo.

— De quoi s'agit-il, alors ?

Pivotant sur ses talons, elle longea le couloir pour s'arrêter devant la porte menant au bureau de Primo. Le dos raide, sans se retourner, elle répondit à voix basse :

— Je suis son employée. Il est très gentil envers son personnel.

— Mais ?

Elle le regarda par-dessus son épaule. Cette fois, elle réussit à maîtriser ses larmes, à conserver une expression calme et agréable, ce qui la rendait encore plus tragique. Elle prit un instant avant de confesser :

— Ce n'est pas ce que je suis. Je ne suis pas son

employée. Oh ! Gabe ! Je ne veux pas travailler pour lui. Je veux être sa petite-fille. Je veux ce qu'on n'a jamais eu. Une famille.

Puis, sans lui laisser le temps de répliquer, elle ouvrit la porte et entra. Traversant d'un pas vif la petite réception, elle frappa à une seconde porte et l'ouvrit.

— Monsieur Moretti est là.

— Faites-le entrer.

La voix grave et mélodieuse de l'homme révélait ses origines toscanes. Elle contenait un lyrisme irrésistible, un accent chantant qui résonnait presque de manière familière, touchait une corde sensible enfouie au plus profond de Gabe. L'attirait là où il refusait d'aller de toutes ses forces. Il hésita, tiraillé entre le désir de réconforter sa sœur et celui de rencontrer son grand-père.

Lucia décida pour lui. Elle recula sur le seuil.

— Je vais bien, assura-t-elle avec un air entendu.

Puis elle tendit son poing fermé, sauf l'index sorti en crochet. Il fit de même, joignant leurs doigts comme le leur avait appris leur mère quand ils étaient bébés. C'était leur jeu à tous les trois, une manifestation d'unité. Leur façon de se dire « je t'aime ». Un code muet pour offrir force et soutien.

— Vas-y, souffla-t-elle, rompant le contact.

S'il s'attardait, il risquait de compromettre sa couverture. Or, il ne pouvait pas lui faire ça.

— On n'en a pas terminé, toi et moi, prévint-il à mi-voix.

Puis il pénétra dans la pièce et se trouva face à face avec un homme qui lui révélait celui qu'il serait dans une cinquantaine d'années.

Primo se leva lentement tout en le scrutant de son regard intense.

— Tu ressembles tellement à ton frère Severo que vous pourriez être jumeaux ! s'exclama-t-il.

Gabe lutta pour rester impassible.

— Je ne le considère pas comme mon frère.

— Cela ne me surprend guère. Tes sentiments à notre égard sont tout à fait compréhensibles. Ce que ton père a fait est mal.

Gabe n'en croyait pas ses oreilles.

— Je suis d'accord, répliqua-t-il.

Son grand-père eut un petit rire rauque.

— Tu ne t'attendais pas à ce que je dise cela de mon propre fils, n'est-ce pas ?

Il ouvrit un coffret à cigares finement ciselé, posé sur son bureau, et choisit un Havane.

— Tu en veux un ? proposa-t-il.

— Je crois qu'il est interdit de fumer dans les bureaux.

— Et alors ? railla Primo. Tu comptes me dénoncer ?

— Cela dépend de la façon dont se déroulera notre entretien.

Pendant un instant, les deux hommes se dévisagèrent. Puis Primo brisa le silence de son rire sonore. Contournant le bureau, il s'approcha de Gabe, le prit dans ses bras et lui donna une longue et solide accolade, accompagnée de claques dans le dos prodiguées d'une main d'acier.

— Je n'aurais jamais cru connaître ce jour, Gabriel, affirma-t-il, prononçant son nom à l'italienne.

Complètement pris au dépourvu par cette étreinte et ne sachant comment y répondre, Gabe se raidit. Il finit par frapper l'épaule du vieil homme d'un léger coup de poing. A en croire le soupir d'aise de Primo, cela sembla le satisfaire. Il lâcha Gabe et fit un pas en arrière.

— A mon avis, vous ne comprenez pas pourquoi je suis ici, dit Gabe.

Des yeux dorés, identiques aux siens, l'étudiaient avec attention. Des yeux anciens, sages, emplis de bienveillance, de tristesse, de joie et de résignation.

— En tout cas, je te remercie de m'avoir contacté, même si ce n'était pas dans le but de rencontrer ton *nonno*.

Gabriel baissa la tête. Les choses ne se passaient pas du tout comme prévu.

— Euh, eh bien…

— Ça ne se passe pas comme tu l'avais imaginé, n'est-ce pas ?

Misère. Le patriarche lisait même dans ses pensées. Gabe releva la tête, décidant d'être direct. Après tout, c'était ce qu'il était, pour le meilleur et pour le pire.

— Non, en effet.

— Tu pensais… « J'y vais, je me force à être poli avec le vieux, je pose ma question. Et je repars avant qu'il puisse atteindre mon âme ou infecter mon esprit », récita Primo en lui touchant d'abord la poitrine, puis la tempe. Mais c'est trop tard. Maintenant tu te dis : « Me voilà pris au piège comme un… » Quel animal fouille les terriers qui ne lui appartiennent pas ? demanda-t-il, sourcils froncés.

— Vous, apparemment.

Primo lâcha un nouveau rire. D'un geste habile, il trancha l'extrémité de son cigare et l'alluma.

— On fait du cigare un secret entre nous, d'accord ? Nonna me découperait en petits morceaux si elle l'apprenait. Puis elle les apporterait à mon *dottore*.

Comment était-ce arrivé ? Comment ce vieil homme rusé avait-il réussi à le déstabiliser de la sorte ? Car il avait raison. Gabe avait projeté de venir, de se maintenir à prudente distance, de poser sa fichue question et de s'en aller au plus vite. Au lieu de quoi, il se trouvait là, fasciné par le personnage. Etait-ce ainsi que les choses s'étaient passées pour sa mère ? Dominic s'était-il montré charmant au point de faire tomber ses défenses jusqu'à ce qu'elle se donne cœur et âme à l'homme qui lui avait fait ses deux enfants ?

— Je ne suis pas comme lui.

Il ignorait d'où venaient ces mots. Ils étaient sortis avant même qu'il ait l'intention de les prononcer.

Une profonde tristesse voila le visage expressif de Primo.

— Non, tu ne l'es pas, acquiesça-t-il doucement. Pas plus que Severo, Marco, Lazzaro ou Nicolo ne sont comme lui non plus. Vous possédez tous un sens moral qui manquait à Dominic. Je suis désolé de ce qu'il t'a fait. Et désolé de ne pas t'avoir trouvé plus tôt.

« Trouvé plus tôt » ? Serait-il possible que le reste des Dante *ignore* son existence et celle de Lucia ? Non. Sûrement pas. Même s'il ne comptait pas soulever le problème avec Primo.

— Ça n'a pas d'importance. Je n'étais pas curieux de vous connaître, ni aucun autre membre de la famille.

Primo balaya la remarque d'un geste.

— Mais aujourd'hui tu es ici, n'est-ce pas ?

Gabe se surprit à frotter la brûlure au creux de sa paume, geste qui attira l'attention de son grand-père, et un étrange sourire naquit sur ses lèvres.

— Je suis ici uniquement parce que j'ai une question.

Primo s'appuya au bureau et aspira une bouffée de son cigare, étudiant son petit-fils à travers le nuage de fumée odorante. Le Chat du Cheshire, avec son sourire énigmatique et ses yeux clairvoyants.

— Plusieurs questions, à mon avis.

— Une seule, lâcha Gabe.

— Parfait. Pose-la, et j'essaierai d'y répondre.

Maintenant que le moment était venu, Gabe se rendait compte qu'il ne savait pas comment formuler sa question sans qu'elle paraisse stupide ou incroyable.

— Il s'est produit quelque chose récemment. Quelque chose… de bizarre.

Le rire creusa les rides du vieil homme, tandis qu'une lueur compréhensive apparaissait sur son visage.

— Vraiment ? Intéressant. Cette chose bizarre qui s'est produite récemment, je me trompe en supposant que c'est avec une femme ? demanda-t-il en examinant le bout incandescent de son cigare.

— Espèce de salaud, grommela Gabe. Vous êtes au courant, n'est-ce pas ?

— Au courant de quoi ?

Pivotant sur ses talons, Gabe se mit à arpenter la pièce, luttant pour contenir sa colère. Comment était-ce possible ? Durant des années, il s'était employé à perfectionner sa maîtrise de soi, jusqu'à acquérir le surnom implacable de « Tueur ». Mais en une fraction de seconde, quand elle avait franchi le seuil de son bureau, Kat avait fait tomber toutes ses barrières. Voilà maintenant que c'était au tour de son grand-père… Il n'avait qu'une envie, fuir et ne jamais revenir. Mais il ne le pouvait pas. Pas avant d'avoir découvert la vérité.

Il se retourna vers Primo, afin d'en avoir enfin le cœur net.

— D'accord. Qu'est-ce que c'était, ce truc ? Je n'ai fait que la toucher et…

— Et tu as brûlé pour elle. Ta paume, fit Primo en la désignant de son cigare. Elle te démange, une démangeaison qui ne cesse jamais.

— Oui ! C'est exactement ça. Qu'est-ce que c'est ?

— L'Inferno. Dominic n'en a jamais parlé à ta mère ?

Gabe hésita avant de répondre :

— Il lui a raconté une sorte de conte à propos de la capacité des Dante à reconnaître leur âme sœur d'un simple toucher.

— Eh bien, tu as la réponse à ta question. Autre chose ?

— Comment ça, autre chose ? fulmina Gabe, perdant ce qui lui restait de calme. L'Inferno ? Vous êtes sérieux ? Ça n'existe pas. C'est un conte, une parabole montée en épingle dans les journaux people après le canular médiatique de Marco. Mais rien de tout cela n'est vrai.

— Je t'assure que si, *nipote*, que l'Inferno n'a rien d'un conte ou d'une parabole. C'est une réalité. Et, si tu choisis de l'ignorer, sache que c'est à tes risques et périls.

— Expliquez-moi ça. Quels risques et périls ?

La voix de Primo s'adoucit, se faisant plus intense, tissant comme une toile sonore, une enveloppe chantante qui s'immisçait en Gabe et devenait partie intégrante de lui, de ce qu'il était au plus profond de lui.

— Tu as senti le feu de l'Inferno. Senti cette démangeaison, cette brûlure qui ne cessera jamais. C'est parce que cette femme est ton âme sœur. Maintenant, tu dois l'épouser ou en souffrir les conséquences, comme ton père a souffert quand il a refusé d'épouser son âme sœur.

— Quelles conséquences ? demanda Gabe.

Les doigts de Primo se resserrèrent sur son cigare.

Une émotion authentique intensifiait son accent, et ses mains dansaient dans l'air, semant de gracieuses volutes de fumée dans leur sillage.

— J'ai dit à Dominic d'épouser ta mère. Je l'ai mis en garde, prévenu de ne pas tourner le dos à cette femme. Mais il croyait pouvoir tout avoir — ta mère, son âme sœur désignée par l'Inferno, et la richesse que Laura apporterait avec leur mariage.

Primo avait encouragé le mariage de ses parents ? Non, c'était impossible. Dominic avait affirmé le contraire, prétendant que Primo l'avait empêché. L'avait interdit.

— Je ne vous crois pas.

— Crois ce que tu veux, *nipote*. Cela ne change rien aux faits. Regarde comme le mariage de Dominic a tourné. Il en a toujours été ainsi avec l'Inferno.

Son grand-père le fixait sans ciller, et son regard calme et sincère donnait du poids à ses propos.

— Nous sommes différents, Gabriel. Les Dante n'aiment qu'une seule femme de toute leur vie. Nous devons suivre l'Inferno où il nous mène, prendre la femme qu'il nous choisit, ou en souffrir les conséquences. Et il y a toujours des conséquences. Ton père l'a appris à ses dépens.

Soudain, Gabe eut l'impression qu'un déclic se faisait dans sa tête. Kat Malloy. Si Primo disait vrai, *elle* était son âme sœur désignée par l'Inferno. Non, pas question !

— Je ne suis pas un Dante, déclara-t-il d'un ton insistant. Cela n'a rien à voir avec moi. C'est impossible. Je ne veux pas. Je ne le permettrai pas.

Une lueur de chagrin assombrit le regard de Primo.

— Tu as toujours été un Dante, Gabriel. Tu seras toujours un Dante.

— Vous vous trompez. Je ne suis pas du tout comme Dominic. Je refuse d'être comme lui. Comme n'importe lequel d'entre vous. Je suis un Moretti.

— Si tu l'étais, tu ne ferais pas l'expérience de l'Inferno. Or, c'est bien ce qui t'est arrivé.

Primo tapota son cigare pour en faire tomber la cendre dans un cendrier, puis s'approcha et serra fort l'épaule de son petit-fils.

— Je comprends ton ressentiment à notre égard, poursuivit-il. Combien tu dois nous mépriser. Mais ne pense pas une seconde que Dominic représente les Dante. Il est un Dante malgré ce qu'il a fait à Cara, à Laura et à tous ses enfants. Ce n'est pas ainsi que nous l'avons élevé. Les choix qu'il a faits étaient les siens, tout comme tes choix sont les tiens. Tu peux choisir d'écouter ce que je t'ai dit, ou tu peux suivre les traces malheureuses de ton père et ignorer mes paroles. L'Inferno aura le dernier mot, peu importe quelle voie tu prends.

D'accord. De toute façon, il saurait gérer les choses. Et puis Kat et lui prévoyaient de se fiancer. N'était-ce pas se soumettre à l'Inferno ?

— J'envisage de me fiancer avec elle. Cela règle le problème Inferno, j'imagine ?

— Si tu l'épouses, oui.

— Et si on ne se marie pas ?

Primo répondit par un haussement d'épaules silencieux qui ressemblait à un mauvais présage.

— Qu'est-ce que ça peut faire, qu'on se marie ou non ? Qu'on soit mariés ou fiancés, de toute façon, j'ai l'intention d'arrêter notre relation dès que cet Inferno aura pris fin, annonça Gabe.

A moins qu'il s'agisse plutôt d'un avertissement ?

— Parfait.

Gabe leva les sourcils.

— Vraiment ? Je suis surpris que vous soyez d'accord.

— Si tu attends que l'Inferno prenne fin, répliqua Primo d'un ton léger, tu risques d'attendre très longtemps. Nonna et moi, ça fait soixante ans qu'on est mariés, et j'attends toujours que l'Inferno prenne fin. Je suis sûr qu'il ne durera plus très longtemps. L'année prochaine, peut-être que ma paume cessera de me brûler, hein ? Ou peut-être pas, ajouta-t-il en adressant à Gabe un sourire malicieux.

Kat détestait ses sorties publiques avec Gabe, même si elle faisait de son mieux pour paraître calme et distante. L'atmosphère était à Noël, deux petites semaines plus tard. Tout sentait le cèdre et la cannelle, et les vitrines étaient illuminées de couleurs joyeuses. Saint Nicolas et ses rennes, des arbres de Noël stylisés, de jolies scènes hivernales décoraient les paquets suspendus au bras des acheteurs, preuve de la folie dépensière du moment. Mais elle n'avait pas l'esprit à la fête. Peut-être parce que les rencontres avec Gabe lui étaient devenues très pénibles.

Même après plus de trois semaines et une bonne dizaine d'obligations de ce genre, leur arrivée dans un lieu public ne manquait jamais de déclencher une vague d'intérêt. Kat espérait que cette curiosité susciterait une réponse de la part de sa grand-mère. Approbation. Désapprobation. Mais jusque-là Matilda était restée ostensiblement silencieuse, n'appelant pas plus qu'elle ne répondait au téléphone. Au moins Kat avait-elle pu vérifier que son silence n'était pas dû à sa maladie.

Des murmures passionnés les suivirent tandis qu'ils gagnaient leur table bien en vue. Ils auraient tout aussi bien pu être installés sur une estrade éclairée de mille spots. Elle avait déjà connu ce type de situation après le scandale avec Benson Winters. L'attention avide. Les commentaires méchants, énoncés juste assez fort pour qu'elle les entende. La presse qui la harcelait. La honte et l'embarras. Elle en avait été marquée, en avait gardé des cicatrices douloureuses, même cinq ans après, tout comme Benson avait vu ses chances ruinées d'obtenir un siège au Sénat. Bien sûr, le scandale n'avait constitué qu'un élément de l'affaire, l'autre étant le livre de révélations que son ex-femme avait publié dans la foulée.

Gabe lui adressa une parodie de sourire.

— Si vous n'arrêtez pas de me regarder comme si j'étais un plat que vous regrettez d'avoir commandé, les gens ne croiront jamais que nous sommes en train de tomber amoureux.

— Nous ne sommes pas en train de tomber amoureux.

— C'est exact.

Pour une raison obscure, la promptitude de sa réponse la blessa.

— Mais nous essayons de convaincre les autres non seulement que nous tombons amoureux, mais que nous tombons follement et passionnément amoureux l'un de l'autre. Alors, au minimum, un sourire serait le bienvenu.

Elle fit un effort pour se détendre et afficher une mine réjouie.

— D'accord. Peut-être que cela m'aiderait si on avait une conversation normale et banale.

— N'importe quoi du moment que vous ne me regardez plus comme si vous étiez sur le point de vous enfuir en courant. Voyons, que diriez-vous de me raconter votre séjour en Europe ? Où viviez-vous ? Qu'est-ce que vous faisiez ?

C'était un terrain plus confortable, du moins pour l'essentiel.

— Je vivais en Italie, à Florence plus précisément. Je travaillais comme serveuse dans un bar, entre autres, tout en suivant des études.

— Des études de quoi ?

— De création de bijoux.

Au temps pour le terrain confortable. Lorsqu'il entendit sa réponse, le visage de Gabe se ferma. Décidément, se dit-il, ils ne pouvaient même pas avoir une conversation banale. Le seul moment où ils trouvaient une sorte d'accord, c'était quand ils étaient dans les bras l'un de l'autre.

— La création de bijoux, répéta-t-il.

— Pendant deux ans.

Sa réaction l'incitait à la prudence. Elle poursuivit avec le sentiment de marcher sur des œufs :

— Ensuite, j'ai travaillé trois ans en apprentissage, déterminée à apprendre autant que je pouvais afin de tenter ma chance chez les meilleurs joailliers.

— Et qui considérez-vous comme les meilleurs joailliers ? demanda Gabe d'une voix douce.

Aussitôt, elle se sentit en alerte. Elle était incapable d'expliquer sa réaction, mais celle-ci fut immédiate et viscérale. L'homme normal et rationnel assis devant elle s'était soudain mué en prédateur féroce, prêt à la déchiqueter en lambeaux au premier mot incorrect.

— Dante.

Voilà. Elle venait de prononcer le mot incorrect. Paniquée, elle se lança dans un discours précipité.

— Je suis tombée amoureuse du Heart's Desire il y a des siècles, je suppliais tout le temps Gam de me le montrer. Je voulais apprendre à créer des bijoux comme celui-là. Des bijoux magnifiques. Qu'est-ce qui ne va pas, Gabe ?

Car quelque chose n'allait pas. Les yeux plissés, il l'examinait avec attention, comme s'il cherchait à deviner ce qu'elle lui cachait.

— Intéressante coïncidence, voilà tout.

— Qu'est-ce qui est une intéressante coïncidence ? répéta-t-elle. Est-ce que... ça a quelque chose à voir avec votre collier ?

Au lieu de lui répondre, il changea de sujet.

— Que diriez-vous de quitter le restaurant, de trouver le lit le plus proche et de se déshabiller ? On pourrait peut-être établir une connexion valable.

Le coq-à-l'âne la désarçonna au point qu'il lui fallut une bonne seconde pour recouvrer ses esprits. Une chaleur irradia dans tout son corps, ainsi qu'un désir intense.

— Je n'ai aucune intention de quitter le restaurant, de trouver le lit le plus proche et encore moins de me déshabiller, rétorqua-t-elle, assez contente, pour une fois, de son ton tranchant.

Certes, sa voix avait un peu dérapé sur le dernier mot, assez pour qu'elle tende la main vers sa tasse de café, geste qu'elle regretta aussitôt en constatant le tremblement révélateur de ses doigts. Aussi, elle se ravisa, croisa les mains sur ses genoux et se frotta le creux de la paume, où une irritation la rendait folle depuis ces dernières semaines.

Gabe haussa les épaules.

— Si vous n'avez pas faim, rien ne nous empêche

de partir d'ici et d'honorer notre contrat sur l'heure du déjeuner.

En réalité, elle ne demandait que ça. Elle désirait cet homme de chaque fibre de son être. Rien que d'y penser, ses orteils se crispaient au fond de ses escarpins. Simplement, elle ne prévoyait nullement de passer à l'acte. Si seulement il n'avait pas employé ce mot… Non, pas *honorer*, même si celui-ci accélérait son rythme cardiaque. L'autre. *Déshabiller*.

Il suscitait des images affolantes dans sa tête. Des images troublantes de nudité. Des images qu'elle n'avait pas le droit de visualiser, surtout dans des couleurs si vibrantes, si magnifiques. C'était mal, très mal. Mais rien n'y faisait. Plus que tout au monde, elle voulait voir Gabriel Moretti nu. Ensuite, elle voulait que sa nudité sublime l'enveloppe et la pénètre. Elle saisit sa tasse — au diable ses tremblements ! — et enfouit son nez dans le breuvage fumant, priant pour qu'il attribue la rougeur qui avait gagné son visage au liquide brûlant et non à un désir ardent.

Raté.

Le rire de Gabe, dense, riche, spontané, la troubla au plus haut point.

— A quoi pensez-vous, mademoiselle Malloy ? En tout cas, cela semble vous mettre dans tous vos états.

Elle garda le nez dans son café.

— Je suis agacée. D'avoir à prétendre avoir envie de vous.

Le rire s'intensifia.

— Menteuse. Vous n'êtes même pas capable de me regarder. Je me demande bien pourquoi ? Serait-ce en fait parce que vous avez véritablement envie de moi ?

Il se pencha en avant, lui prit la tasse des mains,

l'écarta. Puis il mêla leurs doigts de manière que leurs paumes se touchent. L'effervescence entre eux s'intensifia.

— Je n'ai aucune objection à sauter les préliminaires, si vous préférez.

4

Kat croisa le regard de Gabe. Grave erreur. Le désir déferla en elle, la submergeant, rendant impossible toute tentative de dérision, à laquelle elle se livra pourtant.

— Quitter le restaurant, trouver un lit et nous débarrasser de nos vêtements, c'est ce que vous appelez des préliminaires ?

Face à son sourire, elle se sentait fondre littéralement. Où étaient passés son calme et son sang-froid ? Manifestement, dans un torrent de lave en fusion. Le serveur surgit à cet instant et déposa leurs assiettes devant eux. A sa grande déception, Gabe lâcha sa main. Comment était-ce possible d'éprouver un tel sentiment d'abandon du simple fait qu'il rompe le contact physique avec elle ? Ridicule. Décidément, elle avait à craindre pour sa santé mentale.

Il attendit qu'ils soient de nouveau seuls pour répondre :

— Oui. Partir d'ici, vous emmener dans l'appartement au-dessus de mon bureau, lequel, c'est fort commode, a un lit, et vous ôter cette robe élégante mais superflue, voilà mon idée des préliminaires. Laissez-moi vous expliquer.

Kat expira profondément. *Concentre-toi. Et surtout pas sur le sexe !*

— J'imagine qu'il va me falloir entendre ça.

Baissant la voix, il se pencha en avant.

— Une fois qu'on aura terminé de picorer notre nourriture, car qui peut manger quand la seule chose qui occupe notre esprit, c'est…

— Honorer notre engagement, coupa-t-elle sèchement.

— Exact. On attend l'addition. Tous ceux qui nous regardent constatent notre impatience à quitter le restaurant. On ne peut pas empêcher nos mains de se poser sur l'autre. Rien d'indécent, évidemment. Juste des regards entendus. De petites caresses furtives.

Des paumes en fusion.

Kat reposa sa tasse et croisa délibérément les mains sur ses genoux.

— Très drôle. Mes mains m'informent qu'elles sont très bien là où elles se trouvent.

— Elles mentent, rétorqua Gabe. Je peux le prouver, si vous y tenez.

— Rien ne dit que vous réussirez.

Cette dernière remarque était sans doute une nouvelle erreur. Une lueur narquoise étincela dans les yeux de Gabe.

— Ah, un défi !

— Ce n'est pas ce que…

— Trop tard. Je le relève.

— Mais…

Après tout, qu'est-ce qu'elle risquait ? Ils étaient dans un lieu public, sous l'œil d'innombrables convives et d'un bataillon de serveurs. Tous deux correctement habillés. A moins qu'il projette de la renverser sur la table, par-dessus ses moules marinières, pour lui faire subir les derniers outrages, elle serait à peu près sauve. Lui résister ne devrait pas être trop difficile.

— D'accord. Essayez toujours.

Le sourire de Gabe revint, lent et séducteur.

Peut-être aurait-elle été mieux inspirée de se taire. Il prit sa fourchette, cueillit une moule dans sa coquille et la lui offrit. Impossible de la refuser, pas devant une salle de restaurant bondée. Déterminée à ne pas se laisser séduire, elle accepta la bouchée. La saveur du mollusque se développa sur sa langue tandis qu'il fixait ses lèvres avec une intensité telle qu'elle sentait presque sa bouche sur la sienne. Etrangement, la crème parfumée d'ail et de persil pimenta le souvenir de ses baisers.

— C'est malhonnête, protesta-t-elle.

— Tentée, trésor ?

— Juste par les moules, riposta-t-elle.

— Menteuse ! Vous refusez tout simplement d'admettre que je suis en train de vous séduire en plein restaurant. Que tous ceux qui observent savent précisément ce que j'ai envie de vous faire. Ce que vous espérez que je vous fasse.

Elle sentit le rouge lui monter au front.

— Je ne vois pas du tout de quoi vous parlez.

Plutôt que de discuter, il décida de le démontrer. Saisissant de nouveau sa main, il traça un cercle très excitant au creux de sa paume. Une paume traversée par une douleur cuisante depuis la première fois qu'il l'avait touchée. Comment le savait-il ? Sa main n'avait jamais été particulièrement sensible auparavant. Mais depuis qu'elle avait rencontré Gabe… Plus il caressait sa paume, plus elle se sentait se liquéfier à l'intérieur. S'il ne cessait pas, elle finirait par glisser sous la table où elle le laisserait honorer leur contrat tant qu'il lui plairait. Et autant de fois qu'il lui plairait.

Elle frissonna, consciente que l'expression de son

visage devait révéler l'immoralité de ses moindres pensées et désirs.

— Je n'y crois pas, lâcha-t-elle. Pourquoi vous ? Pourquoi maintenant ? Enfin, tout cela est aberrant !

— Tout à fait d'accord. Non que ça change quoi que ce soit. Alors, vous êtes prête à me concéder la première manche ?

— Uniquement si vous acceptez qu'on arrête là.

— Expliquez-moi pourquoi.

Elle le désirait plus qu'elle n'avait jamais désiré personne. Mais il y avait des lignes qu'elle refusait de franchir. Des lignes qu'elle avait établies pour se protéger du genre de souffrance qu'elle avait traversée cinq ans plus tôt. Des lignes qui composaient une part indélébile de la personne qu'elle était devenue ensuite.

— Je ne veux pas coucher avec vous, soupira-t-elle. Je ne coucherai avec aucun homme avant de me marier.

— C'est si important que ça pour vous ?

Elle acquiesça, picorant dans son assiette, tout comme il l'avait prédit. Son appétit avait disparu.

— Oui, ça l'est.

— Pour quelle raison ? demanda-t-il d'un ton frustré.

Elle hésita, puis haussa les épaules.

— Je ne coucherai pas avec vous car, que vous me croyiez ou non, je ne suis pas comme ça.

— Et vous pensez qu'on peut ignorer ceci… ? répliqua-t-il en prenant sa main pour la troisième fois.

Il mêla leurs doigts, et leurs paumes se collèrent l'une à l'autre. Le brasier entre eux s'alluma, passant de sa main à la sienne, et elle eut toutes les peines du monde à maîtriser l'onde de choc qui la parcourut. Seigneur, mais de quoi s'agissait-il ? Pourquoi Gabriel Moretti ? Par quelle sinistre ironie du sort fallait-il que cela tombe sur lui, alors qu'il était la dernière personne au monde avec qui elle devrait coucher ?

Elle tenta de dégager sa main, d'échapper au lien, quel qu'il soit, qui les unissait. Mais Gabe refusa de la lâcher. Les paupières closes, luttant contre le flot d'émotions qui la submergeait, elle demanda d'une voix faible :

— Qu'est-ce que c'est ?

— L'Inferno. Du moins, à ce qu'on m'a dit.

— Je n'y comprends rien. L'Inferno ? Qu'est-ce que c'est ?

— Du désir. Un désir fou, passionné, irrépressible.

Tout en sachant que son regard en disait bien trop long, elle leva les yeux vers lui.

— Je vous en prie, murmura-t-elle d'un ton presque suppliant. Lâchez-moi.

A son grand soulagement, il obtempéra. Inspirant à fond, elle se redressa sur sa chaise, le dos raide. Au moins pouvait-elle de nouveau assembler deux pensées cohérentes. Enfin, à peu près.

— Je ne comprends toujours pas.

Il sortit quelques billets de banque de son portefeuille et les déposa sur la nappe.

— Un restaurant n'est pas le meilleur endroit pour cette conversation. Allons-y.

— Où ?

Question stupide. Elle savait pertinemment où il comptait l'emmener.

— N'importe où avec un lit, répondit-il, confirmant ses soupçons.

Oh ! misère… s'il essayait de l'entraîner dans un lit, contrat ou non, elle céderait à ses avances. Et il le savait. Au diable les convenances. Ce désir tumultueux, insistant, incontrôlable, les liait tous deux, les condamnait… à l'enfer. Il suffisait à Gabe de la toucher, et elle perdait toute capacité de raisonnement. Il lui suffisait de l'embrasser, et elle se retrouvait à moitié dénudée sur un canapé, offerte comme le genre de femme pour qui il la prenait.

— Gabe, vous avez promis.

— Non. Je ne crois pas être capable d'une telle promesse. J'ai toujours pensé que je pourrais maîtriser cet élément. Maintenant, j'en suis moins sûr, ajouta-t-il, la mâchoire crispée. Mais je promets d'essayer.

Il lui tendit la main. Consciente des regards braqués sur eux, elle la prit et se laissa entraîner loin de la table. Il l'aida à passer son manteau. Autour d'eux, tout le monde imaginait la suite. Des murmures amusés les escortèrent jusqu'à la sortie. Ils l'avaient presque atteinte quand le désastre se produisit. L'hôtesse guidait deux couples dans la salle à manger. Un des hommes s'arrêta et saisit la main de Kat, la forçant à se retourner.

— Kat ? Kat Malloy ? C'est toi ?

Stupéfaite, elle s'immobilisa.

— Benson ?

Oh ! non ! Il était vraiment la dernière personne au monde sur qui il fallait qu'elle tombe aujourd'hui ! Et devant tant de témoins, qui observaient la scène avec un intérêt marqué. Elle dévisagea Benson avec méfiance, ne sachant comment réagir. Lorsque le scandale avait éclaté, il avait clamé son innocence, prétendu qu'elle l'avait piégé, qu'il s'attendait à trouver Jessa dans la suite, et non Kat. Qu'elle avait tenté de séduire le fiancé de sa cousine par la ruse. Cela dit, personne ne l'avait cru, pas plus qu'on n'avait cru Kat, surtout une fois le récit des révélations de son ex-femme publié.

— Comment ça va ? fut la réplique qui lui sembla la moins risquée.

Benson Winters parut ne rien remarquer d'anormal. C'était un grand et très bel homme frisant la quarantaine, dont les cheveux blonds, les yeux bleus et la robuste charpente trahissaient les origines norvégiennes. Il lui adressa un sourire aussi charmant que sincère.

— J'ignorais que tu étais rentrée, déclara-t-il en lui pressant la main. Sinon je t'aurais appelée. Il faut que je te parle quand tu auras un moment. Il y a quelque chose que j'aimerais te dire. Tu veux bien téléphoner à mon bureau pour qu'on convienne d'un rendez-vous ?

Gabe vint se placer derrière Kat, une main possessive posée sur son épaule.

— Winters, lâcha-t-il d'une voix glaciale.

Benson lui jeta un coup d'œil perplexe, puis son visage s'éclaira, et son sourire disparut.

— Moretti, c'est ça ?

— Oui.

Le regard de Gabe se fixa sur la main de Kat, toujours dans celle de Winters.

— Je vous conseille de lâcher ma fiancée.

Le silence tomba sur la salle à manger. Manifestement, le propos n'avait échappé à personne.

Benson libéra aussitôt Kat.

— Pardon, je n'avais pas saisi... Vous avez dit *fiancée* ?

Kat se dégagea de la prise de Gabe et se tourna vers lui.

— Vous parlez de quoi, là ?

— De nos fiançailles.

— Il n'y a pas de fiançailles.

— Pas encore, dit-il. C'est précisément ce que nous

allions faire. Discuter de nos fiançailles avant que je vous entraîne dans mon lit.

Il s'adressait à elle, mais toute l'intensité de son regard d'or sombre restait fixée sur Winters.

La phrase sembla résonner dans tout le restaurant. Elle ferma les yeux, priant pour que la Terre s'ouvre sous ses pieds et l'engloutisse tout entière. Elle n'eut pas cette chance. Le silence s'étira, que Benson finit par briser d'un rire bref.

— Eh bien, félicitations, Moretti ! Vous avez raflé la mise, cette fois.

Elle retint son souffle. Ils devaient partir sur-le-champ, avant que le coup n'atteigne son but. Elle adressa à Benson un sourire éclatant, glissa son bras sous celui de Gabe et l'entraîna vivement vers la sortie. Ils venaient de passer la lourde porte quand les paroles de Benson l'atteignirent. Une gifle aussi rude que le vent hivernal qui soufflait entre les canyons de ciment de la ville.

— Cette fois ?

S'immobilisant, les yeux brillant de colère, il entreprit de faire demi-tour. Elle s'agrippa à lui et l'éloigna de force du restaurant.

— Qu'est-ce que ce fumier voulait dire par « cette fois » ? répéta-t-il.

Misère…

— Rien. Rien de particulier, j'en suis sûre.

— Vous mentez.

— Simple figure de style, j'en suis certaine.

— Ce n'est pas à cause de Jessa que leurs fiançailles ont été rompues.

Non. L'entière faute incombait à Kat et à Benson, du moins Gabe le croyait-il, surtout après avoir assisté à l'échange affectueux entre les deux coupables. Sa Jessa adorée était la victime innocente, dont il devait protéger le nom et la réputation à tout prix. Une bataille que Kat ne pouvait pas gagner, pas ici ni maintenant — ni jamais, d'ailleurs. Aussi tira-t-elle Gabe sans un mot le long du trottoir et des vitrines illuminées. Elle espérait de toutes ses forces qu'il renoncerait à retourner au restaurant pour obliger Benson à s'expliquer sur sa mauvaise blague. Les accords de *Silver Bells* s'échappèrent d'un grand magasin, en même temps qu'une foule de clients rieurs. Peut-être cette atmosphère enjouée l'apaiserait-elle.

— Fumier, marmonna-t-il de nouveau.

Raté, pour l'influence apaisante. Elle chercha un moyen de changer de sujet.

— Laissez tomber. On allait dans un endroit privé pour que vous m'expliquiez ce qu'est l'Inferno, vous vous rappelez ?

A son grand soulagement, son stratagème réussit.

— Non, on allait dans un endroit privé pour que je vous séduise. Ou que je tente de vous séduire.

— Non, merci, répliqua-t-elle poliment.

Il lui adressa un sourire carnassier.

— Essayez de dire non si ça vous chante, mais je doute qu'aucun de nous deux n'ait beaucoup de chance d'y parvenir.

— Je ne veux pas que vous me séduisiez.

Si, séduisez-moi. Mais que lui arrivait-il ? Elle ne se reconnaissait plus. Ne reconnaissait plus ses pensées.

— Nous devrions plutôt discuter de ces fiançailles que vous venez d'annoncer à la Terre entière, vous ne croyez pas ? reprit-elle.

— Ce sera en effet un des points que nous aborderons ensuite.

— Ensuite ?

Dans son esprit surgit une image plein écran d'eux enlacés, si étroitement qu'il était presque impossible de les distinguer, haletants après l'orgasme. Entre son imagination débridée et sa main agrippée au bras de Gabe, un désir intense se diffusa dans toutes les zones érogènes de son corps. Elle s'empressa de s'écarter de lui, ressentant aussitôt un froid glacé occuper l'espace entre eux.

— Il n'y aura pas d'*ensuite*, car il n'y aura pas d'*avant*. Juste une discussion, à bonne distance. Une distance de sécurité.

Il gratta le centre de sa main droite comme pour tenter d'apaiser une démangeaison.

— Encore une fois, on peut essayer. Je ne suis pas certain que cela marche étant donné que le périmètre de « non-sécurité » de l'Inferno s'étend au moins jusqu'à San Francisco sans la moindre perte d'intensité.

Elle ne comprit pas l'allusion à San Francisco, mais sa façon de gratter sa paume de main lui était bien trop familière. Elle-même ne cessait de faire la même chose. Aussi loin qu'elle se souvenait, la démangeaison avait commencé chez lui, à Medina, quand il avait pris sa main pour la première fois et déclenché cette étrange brûlure qui irradiait de sa paume jusqu'au centre le plus intime d'elle-même.

Que se passait-il donc ? C'était comme s'il l'avait contaminée avec cette bizarrerie qui l'infectait. Non sans peine, elle lutta pour ne pas se gratter. Quoi qu'il en soit, elle avait l'intention d'obtenir des réponses, mais pas forcément sur ce trottoir encombré de la foule fébrile de Noël.

— Vous êtes conscient d'avoir informé une part

non négligeable de la population de Seattle que nous sommes fiancés au bout de trois semaines à peine ? déclara-t-elle.

S'arrêtant net, il se frotta le visage.

— Je viens de le faire ? Mais qu'est-ce qui m'a pris, au juste ?

— Aucune idée.

Elle s'apprêtait à lui reprendre le bras mais se ravisa. Il valait mieux ne pas toucher ce bel homme ni se laisser toucher par lui. La dernière fois que c'était arrivé, elle s'était retrouvée dans une position indécente, à moitié dénudée et offerte, transformée en appétissant amuse-bouche.

— Gabe, personne ne croira que nous avons décidé de nous marier dans un délai aussi court.

Il continua de marcher à grands pas, l'obligeant à suivre son allure sous peine de rester seule au beau milieu du trottoir. Il haussa les épaules.

— On voulait que les gens parlent. Nous venons de leur donner une belle occasion de le faire.

— C'est vrai, mais je crains que le type de propos qu'ils échangeront ne joue pas en notre faveur.

Une fois devant le bâtiment abritant son bureau, il la poussa à l'intérieur. Il adressa au passage un signe de tête à la réceptionniste et se dirigea vers les ascenseurs.

— Montons discuter de la manière dont nous souhaitons gérer cette affaire. Etablir une stratégie.

Elle le précéda dans l'ascenseur.

— Concernant la stratégie, si vous commenciez par arrêter de clamer partout que nous sommes fiancés avant que nous le soyons réellement ?

— Et si vous, pour commencer, vous restiez à

distance de Benson Winters ? répliqua-t-il en appuyant sur le bouton de l'étage.

— Ah oui ? lâcha-t-elle, désarçonnée.

Décidément, quel sens de la repartie !

— Cet homme qui vous a accablée dans les médias, prétendant que vous l'aviez attiré par la ruse dans cette chambre d'hôtel, avait l'air sacrément amical tout à l'heure. Je me demande bien pourquoi. Encore que ce soit facile à imaginer. Pour moi, il est évident qu'il mentait en se prétendant innocent et qu'il vous a livrée en pâture pour sauver sa course au Sénat. Personne ne se montrerait aussi charmant envers la femme qui a totalement ruiné sa carrière. Je parie qu'il ne salue pas son ex-femme comme il vous a saluée.

— Peut-être à cause du livre qu'elle a écrit, répliqua-t-elle. Cela aurait suffi à anéantir sa candidature au Sénat, même si on ne nous avait pas accusés d'avoir une liaison.

Il se tourna vers elle, prenant soudain bien trop de place dans la cabine, laquelle sembla rétrécir considérablement. Elle avait l'impression qu'il prenait aussi trop d'air, bien plus que sa part, en tout cas.

— Donc, au risque de me répéter, restez à l'écart de ce type. Je n'ai pas envie que vos anciens amants mettent un terme à nos fiançailles avant même qu'elles aient commencé.

— Dites-moi en quoi cette rencontre est ma faute, voulez-vous ? fulmina-t-elle. C'était par pur hasard qu'on est tombés sur lui. Et sachez qu'il n'est *pas* mon ancien amant.

— Foutaises. Je connais la vérité, Kat. J'ai été marié à Jessa, souvenez-vous. Elle m'a raconté en détail votre liaison avec Winters. Sans compter ce que j'ai vu de mes propres yeux. Et je ne crois pas aux coïncidences, pas quand il s'agit de vous deux.

Lui aussi fulminait de colère, et dans l'espace confiné de l'ascenseur la température était soudain bien trop élevée.

— Eh bien, vous devriez peut-être commencer à y croire, parce qu'il s'agissait bien de cela. D'une coïncidence, et rien d'autre.

Elle ne prit pas la peine de relever son commentaire sur Jessa. Quel intérêt ? Il ne la croirait jamais. Les poings sur les hanches, s'efforçant de rester calme, elle poursuivit :

— Sachez que nous risquons de retomber sur lui à l'avenir. Il a beau ne pas être sénateur, c'est un homme d'affaires reconnu qui reçoit à coup sûr des invitations à ces réceptions chic où vous tenez tant à vous rendre avec moi. En fait, je suis étonnée que ce ne soit pas arrivé plus tôt.

Il fit un pas en avant. Il la dominait de toute sa haute stature, malgré les centimètres supplémentaires que lui conféraient ses talons hauts. Un bloc de puissance virile, doté d'une capacité redoutable à briser chacune de ses défenses. Sous sa colère, elle discerna un désir sombre, impérieux, qui exigeait en réponse un désir similaire.

— Je ne veux pas que vous lui parliez, déclara-t-il. Ce serait contraire à l'objectif de nos fiançailles.

— Vous croyez que je ne le comprends pas ? Je ne suis pas idiote. Je vois très bien quelle sorte de menace constitue Benson. Tout comme votre besoin de revendiquer votre statut, de prévenir les autres mâles de se tenir à l'écart de ce que vous considérez comme votre propriété. Eh bien, je vous offre un scoop, Moretti : je ne suis pas votre propriété.

— Pas encore, riposta-t-il aussi sec. Vous n'êtes pas *encore* ma propriété. Je suis certain que vous saisissez combien il est important de changer cet état de fait, de passer du concept au concret. Raison pour laquelle je dois faire ceci…

Il glissa les mains dans l'encolure de son manteau et la hissa sur la pointe des pieds. Puis il s'empara de sa bouche, l'entraînant dans un baiser aussi grisant que ravageur. Toutes les sensations qu'elle tentait de contrôler la submergèrent, balayant pensée, raison et volonté. Elle noua ses bras autour de la nuque de Gabe, glissa ses doigts dans sa chevelure épaisse, l'attirant au plus près d'elle. Elle s'ouvrit à lui, lui offrit tout ce qu'elle possédait avant d'en réclamer autant avec une gourmandise avide qui arracha à Gabe un grognement de plaisir.

Lâchant son manteau, il prit son visage entre ses mains pour incliner sa tête afin de faciliter leur baiser. Aussi onctueux que du miel, qui coulait sur elle et en elle. Elle sentit sa tresse se dénouer sur sa nuque et ses cheveux tomber dans son dos, et ne put retenir un rire. Elle ne comprenait pas pourquoi il s'obstinait à détacher sans cesse ses cheveux. Il ne semblait pas les aimer attachés. Il fit glisser le manteau de ses épaules jusqu'à ses pieds. Puis il recommença à l'embrasser, alors que le désir se faisait plus pressant à chaque seconde, embrasant tout son corps.

Elle ignorait comment les choses se seraient terminées — même si elle le soupçonnait vaguement — si un *ding* aigu n'avait signalé l'ouverture prochaine des portes, la ramenant brutalement au présent. Avec un léger sursaut, elle se dégagea des bras de Gabe juste au moment où les portes s'écartaient, la laissant avec une sensation de vulnérabilité plus forte que celle qu'elle avait ressentie depuis qu'elle avait été découverte nue dans la chambre d'hôtel de Benson Winters.

Jurant entre ses dents, Gabe se plaça vivement devant Kat pour la dissimuler au regard inquisiteur de la dame âgée debout près de l'ascenseur et sur le point d'y entrer. Aucune des deux femmes n'avait reconnu l'autre. Avec un peu de chance, les quelques secondes qu'il procurait à Kat lui permettraient de retrouver une contenance.

— Matilda, en voilà une surprise !

Il s'adossa aux portes pour les bloquer, masquant de ses larges épaules l'intérieur de la cabine. Dans son dos, il perçut un petit cri horrifié.

— Si vous êtes venue pour me voir, vous tombez à pic, ajouta-t-il.

Comme toujours, Matilda était d'une élégance parfaite. Son écharpe de soie au bleu intense accentuait la nuance turquoise de ses yeux, cependant que son tailleur en laine blanche mettait en valeur une chevelure de la même teinte.

— Je suis ici pour vérifier si les rumeurs qui me sont parvenues sont vraies. J'ai peine à croire que oui.

— Tout dépend de ce que vous avez entendu.

Il avait donné à Kat autant de temps qu'il le pouvait. Pivotant sur ses talons, il ramassa son manteau sur le sol de l'ascenseur, posa une main dans le creux de son dos puis la fit sortir, prenant soin de constituer un solide rempart entre les deux femmes.

— Katerina !

A en juger par le regard stupéfait de Matilda, elle n'avait pas remarqué la présence de sa petite-fille jusqu'à cet instant. Simultanément, elle venait de prendre conscience de ce qu'ils faisaient dans l'ascenseur. Elle fit un pas chancelant en arrière, et Gabe la saisit par le bras pour l'aider à garder son équilibre. Elle les observa tour à tour, avec une expression intense, quasi désespérée.

— Alors c'est vrai ? Tous deux, vous vous fréquentez ?

Plus poignante encore que la réaction de Matilda fut celle qu'il lut sur le visage de Kat. La peine avec laquelle elle regardait sa grand-mère le bouleversa.

— Gam, murmura-t-elle, et il entendit presque son cœur se briser tandis qu'elle prononçait ce simple mot.

Une fois de plus, ils se trouvaient au centre de l'attention. Son personnel n'en perdait pas une miette.

— Et si nous poursuivions cette discussion dans mon bureau ? suggéra-t-il.

Dès qu'ils furent réfugiés derrière la lourde porte de chêne, il aida Matilda à s'asseoir dans un fauteuil du coin salon.

— J'ai du cognac, annonça-t-il, indiquant le bar d'un discret signe de tête à Kat. Dans la carafe sur la gauche. Vous voulez bien servir un petit verre à votre grand-mère ?

— Merci, souffla Matilda. Volontiers.

Kat hésita.

— Ton médecin serait d'accord ? C'est prudent que tu boives de l'alcool ?

Matilda se raidit et, à la surprise de Gabe, elle aussi hésita. Son regard dévia vers la fenêtre, se fixa sur le ciel hivernal, chargé de lourds et sombres nuages de pluie.

— A ce stade, ça n'a guère d'importance, répondit-elle avec un frisson. Je sens le froid jusque dans mes os.

Pour être honnête, une gorgée de cognac me fera le plus grand bien.

Gabe s'assit en face d'elle et l'examina attentivement, en quête de changements survenus depuis la dernière fois où il l'avait croisée, six mois plus tôt, lors d'une exposition d'art. Elle paraissait plus fatiguée que ce jour-là, un peu plus fragile peut-être. Néanmoins, son regard brillait toujours d'une intensité qui défiait les faiblesses de la vieillesse. Elle pétillait d'intelligence, tandis que force et expérience de la vie mettaient en valeur un visage plus joli que beau. Pourtant, il y discernait une certaine vulnérabilité, semblable à celle qu'il voyait chez sa petite-fille.

— Je suis navré d'apprendre que vous avez eu quelques soucis de santé, assura-t-il.

— Quelle façon polie d'exprimer les choses !

— C'est sérieux, alors.

Elle haussa une épaule désinvolte et lui adressa un sourire tranquille.

— Quelle importance ? Après tout, la vie n'est qu'une maladie incurable, n'est-ce pas ? Dès l'instant de notre naissance, on marche inexorablement vers la mort. Toute la question est le moment auquel celle-ci survient.

Des bruits de cristal entrechoqué se firent entendre.

— Pardon, murmura Kat. Je suis d'une maladresse aujourd'hui ! Ça doit être le froid.

Elle s'approcha et tendit à sa grand-mère un verre ballon empli de liqueur ambrée.

L'espace d'un instant, leurs regards se croisèrent, et Gabe perçut la tension entre elles. Il perçut les mots réprimés, refoulés, des mots qui n'osaient pas être prononcés, de crainte de ce qui pourrait en advenir. Le risque de ce qui pourrait être dit, ou le risque plus grand encore de ce qui resterait non dit. Pourtant, ces mots planaient entre elles, assombrissant l'air de sentiments douloureux, de malentendus non résolus. D'accusations et de déclarations. De regrets et de reproches.

Mais ce qui prédominait était l'attente impuissante, désespérée de Kat. Sa façon d'offrir le cognac à sa grand-mère était un geste aussi intime qu'une caresse. Et il vit quelque chose de similaire dans l'expression de Matilda, dans la manière douce dont elle saisit le verre, le frôlement de leurs mains durant l'échange. Leur tentative à toutes les deux de donner une allure pragmatique et détachée au contact persistant de leurs doigts, alors que tout en elles exprimait l'émotion et la tendresse.

Puis cet instant passa, et les mots restèrent tus, les sentiments, bridés. Matilda sirota son cognac, Kat retourna au bar remplir deux autres verres. Il remarqua qu'elle se servait une double dose. Elle lui tendit le sien. Pas de frôlement de doigts avec lui. Ni de regard chargé d'émotions. Délibérément, il la saisit par la main, la fit asseoir près de lui avant de reporter son attention sur la vieille dame.

— Alors, Matilda, qu'est-ce qui vous amène ici par un jour aussi glacial et venteux ?

Elle ne répondit pas tout de suite, se contenta de les observer par-dessus le bord de son verre ballon, assimilant la façon dont il tenait la main de Kat.

— Je vous l'ai dit, je suis venue découvrir la vérité. A présent, je vois de mes propres yeux que vous sortez ensemble.

— Gam, s'il te plaît, murmura Kat.

Il ne savait pas très bien si elle quémandait sa

permission ou son approbation, à moins qu'elle ne lui présente des excuses. Mais Matilda l'ignora, gardant les yeux fixés sur lui.

— C'est sérieux ? demanda-t-elle.

— Nous sommes fiancés, répondit-il doucement.

— Voilà qui semble plutôt soudain.

— En effet. Mais on le sait, quand on a trouvé la bonne personne.

Elle jeta un regard à Kat, et il comprit pourquoi elle l'avait ignorée jusqu'alors. Elle avait peur. Peur de craquer si elle s'adressait directement à elle. C'est un regard vacillant qu'elle reposa ensuite sur lui.

— Fiancés, malgré ce qui s'est passé il y a cinq ans ? Malgré ce qu'elle a fait à Jessa ?

— Jessa et moi ne nous serions jamais mariés si ce n'était pas arrivé, répliqua Gabe après une pause. Elle aurait épousé Benson Winters.

— Peut-être.

Matilda le surprit avec ce mot prononcé d'une voix très basse, empreinte d'un doute profond. Ses doigts se raidirent autour du verre ballon.

— Je dois vous dire que j'ai toujours espéré que vous épouseriez ma petite-fille. J'ai même envisagé de jouer les marieuses. Cela aurait constitué un pendant si harmonieux au Heart's Desire. Mais… le destin en a décidé autrement.

Gabe était intrigué.

— Vous envisagiez de jouer les marieuses entre Jessa et moi ?

— Non, pas Jessa. Kat. C'est à elle que j'ai toujours eu l'intention d'offrir le collier.

Kat sursauta de surprise, tandis que Gabe choisissait sa réponse avec soin.

— Eh bien, il se trouve que vous aviez raison, sans avoir besoin de jouer les marieuses.

Une ombre de sourire se dessina sur les lèvres de Matilda.

— Oui, je vois ça. En définitive, tout s'est arrangé tout seul. Je suis soulagée, car Kat a adoré le Heart's Desire dès le jour où elle a posé les yeux dessus.

Son regard s'arrêta sur sa petite-fille, se riva à elle un instant, puis revint à Gabe.

— Je pense qu'il constitue une part intrinsèque de qui elle est, et aussi une part intrinsèque de qui elle est devenue.

La remarque de Matilda le fit tressaillir. Le collier constituait également une part intrinsèque de qui il était et de qui il était devenu, et il ne put s'empêcher de se demander en quoi l'essence de sa vie était comparable à celle de Kat.

— Pourquoi ne pas tout simplement me vendre le Heart's Desire ?

Elle sembla sur la défensive.

— J'ai mes raisons. De plus, maintenant que vous êtes fiancés, la question ne se pose plus. Vous aurez le collier bien assez tôt. Du moins, votre femme l'aura.

— Gam, le collier appartient à Gabe, intervint Kat. Je n'ai aucune objection à ce que tu le lui vendes. Comme tu dis, une fois que nous serons mariés, ça n'aura pas d'importance, n'est-ce pas ?

— Je ne vendrai pas le Heart's Desire, rétorqua Matilda. Je ne veux ni n'ai besoin d'argent. J'ai promis de te le léguer après ma mort, Katerina, et je le ferai. J'honore mes promesses, comme je t'ai enseigné à le faire. Ce que tu choisiras ensuite de faire du collier te regarde.

Kat se jeta à genoux devant sa grand-mère et osa prendre une de ses vieilles mains noueuses dans les siennes.

— Oh ! Gam ! Je ne veux pas ce collier. C'est toi que je veux. Je n'ai jamais rien voulu d'autre.

Des larmes brillèrent dans les yeux de Matilda.

— J'ai mes raisons pour faire ce que je fais, répéta-t-elle, caressant tendrement la joue de sa petite-fille avant de laisser retomber sa main. Mais peut-être… Oui, il y a peut-être un meilleur moyen. Au lieu de te léguer le collier par testament, pourquoi ne pas te l'offrir comme cadeau de mariage ?

Gabe dut faire appel à tout son sang-froid pour ne pas jurer tout haut, tandis que Kat lui jetait un coup d'œil paniqué par-dessus son épaule.

— Matilda…, souffla-t-il, soupçonnant néanmoins qu'il était trop tard.

De fait, sans lui laisser le temps de dire un mot de plus, elle posa son verre de cognac sur la table avec une détermination qui fit tinter le cristal.

— Oui, c'est une solution alternative parfaite. Et bien plus joyeuse qu'un legs post mortem.

Puis elle se leva, cala son sac sous un bras et ajusta son écharpe de soie.

— Quand aura lieu le mariage ?

Kat se leva à son tour.

— Nous n'avons pas…

— Bientôt, la coupa Gabe. Très bientôt.

— Formidable. Le plus tôt sera le mieux, tout bien considéré.

Matilda s'interrompit, et pour la seconde fois une vulnérabilité bouleversante émana d'elle.

— Vous… m'inviterez, la date une fois fixée ?

Kat décocha un regard désespéré à Gabe avant d'acquiescer.

— Bien sûr. Je n'imaginerais jamais me marier sans toi à mes côtés, Gam.

Matilda hocha la tête. Elle fit un pas en direction de Kat, puis se ravisa, mais Gabe vit qu'elle se faisait violence, luttant contre une envie folle de se réconcilier avec sa seule petite-fille encore vivante. Le menton de Kat trembla, puis prit un angle extraordinairement similaire à celui de sa grand-mère. D'un pas déterminé, elle s'avança vers Matilda et l'enlaça étroitement. Gabe vit la même angoisse reflétée sur le visage des deux femmes. Puis l'étreinte prit fin, et Matilda quitta le bureau, le dos raide.

Kat se tourna vers lui. Elle mit un moment à assimiler ce qui venait de se dire et prit une profonde inspiration.

— Oh ! Gabe ! Si elle ne nous offre pas le collier avant notre mariage, qu'est-ce qu'on va faire ?

Il éclata de rire, mais un rire sans joie.

— Vous le savez fort bien. On va se marier.

Affolée, Kat secoua la tête.

— Non, c'est… impossible, balbutia-t-elle. On ne peut pas se marier. Je vais parler à Gam. La convaincre plutôt de nous offrir le collier comme cadeau de fiançailles.

— Vous croyez qu'elle acceptera ? demanda Gabe, sceptique.

Elle hésita avant de répondre :

— Probablement pas, admit-elle enfin. Mais ça vaut le coup d'essayer. Je ne comprends pas du tout pourquoi elle tient tant à l'offrir au lieu de le vendre.

— Un autre point sur lequel l'interroger. Et qu'elle pourra refuser d'expliquer.

— Je suis désolée, Gabe. Vous savez que je n'ai jamais eu l'intention que les choses nous échappent à ce point. On n'a pas besoin de se marier. On peut faire traîner nos fiançailles jusqu'à… — sa voix se brisa, sa respiration s'accéléra — jusqu'à la mort de Gam.

— Elle paraît singulièrement vive pour une mourante.

Kat tressaillit.

— Je vous en prie…

Il l'examina, pensif, pendant un instant.

— Vous étiez sérieuse sur la raison pour laquelle vous m'avez proposé ce marché grotesque. Il s'agit vraiment de Matilda, n'est-ce pas ?

Une lueur flamboya dans ses beaux yeux vert pâle.

— Oui. Je vous l'ai dit je ferais n'importe quoi pour me réconcilier avec elle et je suis sincère.

— Même aller jusqu'à m'épouser ?

— S'il n'y a pas d'autre solution, oui. J'en déduis que vous êtes tout aussi déterminé à récupérer le Heart's Desire ?

— Je ferai tout ce qu'il faudra, en effet.

Puis il s'avança pour la prendre dans ses bras, savourant la chaleur désarmée de son corps contre le sien.

— Kat, il symbolise l'amour, un amour qui s'est épouvantablement trompé. Un amour déclenché par un seul contact.

— L'Inferno ?

— L'Inferno !

Elle fronça les sourcils, posa les mains à plat sur son torse.

— Vous deviez me l'expliquer. Allez-y, dites-moi ce qu'est l'Inferno, et comment ça marche.

— Ce sera plus clair si je le démontre.

Il s'exécuta.

Les lèvres de Kat étaient aussi douces que de la soie, légèrement hésitantes. Pour une raison obscure, cette indécision le grisa, lui donna envie de briser sa réserve et de la faire abdiquer. Qu'elle se donne à lui sans retenue, tout entière. Il ne voulait pas bousculer ses défenses comme il l'avait fait dans l'ascenseur. Non, cette fois, il voulait qu'elle choisisse, qu'elle accepte le désir irrépressible qui les liait l'un à l'autre dans le tourbillon incendiaire de l'Inferno. C'était la seule façon de lui faire comprendre ce qui se passait entre eux.

Il la sentit chanceler, trembler, sur le point de tout lâcher. Il suffisait d'un rien pour qu'elle bascule. Il mordilla ses lèvres pulpeuses, les écarta délicatement. Elle poussa un petit gémissement, s'abandonna. Pourtant, il se contint, exigeant en silence qu'elle décide. Elle pouvait admettre qu'elle le désirait, ou faire marche arrière. Mais il refusait de la forcer, refusait qu'elle lui reproche plus tard d'avoir profité de la passion qui embrasait leurs sens et réduisait à néant toute prudence.

Il l'entourait de ses bras, mais sans la serrer, afin qu'elle soit libre de battre en retraite. Au lieu de s'écarter, elle se blottit plus près, pressant ses courbes affolantes contre lui. Ses mains glissèrent de son torse à son cou, fourragèrent dans ses cheveux. Il ne savait pas s'il tiendrait encore longtemps, tant l'intensité de son désir devenait douloureuse.

— Gabe, s'il vous plaît.

Trois petits mots, à peine audibles, et cependant emplis de convoitise. Puis il sentit l'abandon de son corps, la douce reddition d'années de défenses. Il la plaqua contre lui, comme pour la fondre en lui, et s'empara de sa bouche. Ils ne précipitèrent rien. Au contraire, ils savourèrent l'instant, cette promesse de fusion. Cédèrent lentement à ce délice sensuel, au lieu de s'y jeter à corps perdu.

Non que cela fasse la moindre différence. Le désir s'intensifia, comme chaque fois depuis leur premier contact. Bientôt, il les submergerait.

Or, cette fois, ce n'était pas ce qu'il voulait. Il voulait simplement se laisser porter avec elle par le courant, découvrir ce qui la rendait si exquise, si différente, si unique. Si particulière.

Faite pour lui.

L'expression le heurta de plein fouet, lourde de signification, aussi puissante que la pulsion qui lui intimait de la faire sienne, de toutes les manières possibles. Il adoucit leur baiser, y mit fin avec une tendresse infinie avant de poser son front sur le sien.

Pourquoi elle ? Parmi toutes les femmes avec qui il aurait pu partager ce lien immédiat, pourquoi fallait-il que cela tombe sur Katerina Malloy ? C'était comme trahir tout ce à quoi croyait. Tout ce qu'il chérissait. Trahir la mémoire de Jessa. Trahir les lignes claires et nettes qu'il avait établies pour surmonter son passé et se couper de son géniteur, afin de ne pas être contaminé par l'hérédité des Dante. Or, cette hérédité le liait justement à la dernière femme qu'il aurait choisie et déchaînait en lui des émotions inédites.

Elle n'était pas son âme sœur. Il ne voulait pas qu'elle le soit. Quant à l'Inferno… Il refusait d'admettre les propos de son grand-père et, se trouver uni à cette femme, corps et âme, pour le restant de ses jours. Il contrôlait son destin, décidait quelle direction prendre. Choisissait comment mener ses affaires, tant personnelles que professionnelles. Qui il laissait entrer dans sa vie et combien de temps. Et, même s'il avait permis à Kat d'y entrer, ce n'était certainement pas pour toujours ! Pas après la façon dont elle avait trahi Jessa. Le simple fait de la tenir dans ses bras, de la désirer, ce besoin irrépressible de la posséder ressemblait à une trahison supplémentaire, de la pire sorte. Pourtant…

Il était incapable de résister à cette femme.

Elle leva vers lui un regard perplexe.

— Vous avez arrêté. Comment avez-vous pu arrêter quand moi je…

Ne le pouvais pas ? Etait-ce ce qu'elle essayait de dire ? Elle avait le souffle un peu trop rapide et les joues un peu trop empourprées. Il lui fallut quelques secondes pour recouvrer ses esprits.

— Vous m'embrouillez complètement.

— Vous m'avez demandé de vous expliquer l'Inferno. J'ai pensé qu'une démonstration serait plus éloquente que tous les longs discours.

Il la lâcha et recula d'un pas, profitant de ce répit pour apaiser le feu primaire qui couvait entre eux. Il n'y parvint qu'à moitié. Ce fut plus fort que lui, il la toucha de nouveau, effleurant du dos de la main la courbe douce de sa joue. Elle frissonna. Et il la désira. Non. Le mot était trop faible. Il ne la désirait pas, il brûlait d'envie de la posséder. Chaque fibre de son être exigeait qu'il la prenne afin d'assouvir ce désir irrépressible qui ne lui laissait pas le moindre répit. Il tentait pourtant d'y résister de toutes les fibres de son être, tout en sachant que c'était peine perdue. Cette femme serait sienne. Ce n'était qu'une question de temps.

Sa main s'attarda sur sa peau veloutée, traça une ligne brûlante le long de sa joue.

— Ça… ça, c'est l'Inferno, murmura-t-il. Du moins, je présume.

Elle appuya sa joue contre sa paume, comme si ce contact la réconfortait.

— J'ai entendu bien des termes pour le qualifier, mais *Inferno*, c'est la première fois.

Gabe continua de peindre son visage du bout des doigts, gravant dans sa mémoire chacune de ses courbes.

— C'est ainsi que l'appellent les Dante.

Elle se figea, et son expression se ferma. Cette fois, elle s'écarta de lui.

— Les Dante. Vous les avez déjà mentionnés. Vous

parlez des Dante qui ont créé le collier de votre mère ? Les joailliers pour qui j'espère travailler un jour ?

— Oui. J'ai des liens avec eux.

Il ne voyait pas comment continuer à lui cacher cet élément.

Elle se détourna. Aussitôt, elle lui manqua, et il faillit tendre le bras vers elle.

— Je n'avais pas fait le rapprochement, murmura-t-elle.

— Très peu de gens sont au courant. Ce n'est pas quelque chose que j'évoque souvent.

Elle noua ses bras autour de sa taille.

— Je suis perdue. Pourquoi garder ce lien secret ?

— Parce que ça ne m'intéresse pas de le reconnaître.

Comme elle restait silencieuse, il devina qu'elle attendait qu'il décide d'en dire davantage. Curieusement, il éprouva le besoin de s'en expliquer.

— Ma mère a eu une liaison avec Dominic Dante. Au moment de ma conception. Un Dominic Dante marié.

Elle fronça les sourcils. Il se demanda si son statut d'enfant illégitime la gênait et la ferait changer d'avis au sujet du mariage. Mais elle s'adoucit et fit un pas dans sa direction.

— La famille ne vous a jamais accepté ? Gabe, j'en suis navrée. C'est honteux, tout simplement, honteux.

Une fois de plus, il l'avait mal jugée. Sa compassion était évidente. Il la lisait dans ses yeux, l'entendait dans sa voix, la sentait dans la pression spontanée de sa main sur son bras.

— Jusqu'à récemment, les Dante ignoraient notre existence, à ma sœur et à moi. Pour être honnête, ils ne savent toujours rien de ma sœur.

Elle leva vers lui un regard confus.

— Votre sœur ? Vous avez une sœur ?

— Lucia. Ma sœur jumelle.

Etait-ce de la peine qu'il surprit dans son expression ? Pourquoi ? Parce qu'il ne lui avait jamais parlé de Lucia ? Après tout, ils n'étaient pas si proches que ça. Il n'y avait que dans les bras l'un de l'autre qu'ils connaissaient une sorte de proximité.

— Il n'y a aucune raison pour que vous le sachiez, Kat, poursuivit-il. Vous étiez à l'étranger quand Jessa et moi nous sommes mariés, ce qui était la seule occasion où vous auriez pu rencontrer Lucia. Et, ces trois dernières semaines, vous et moi avons pris soin d'éviter toute conversation intime, au cas où elle nous conduirait vers une autre forme d'intimité. Même si j'espère que cela changera dans un avenir proche.

Avec un léger soupir, elle écarta des mèches de son visage, et il réprima un sourire devant sa mine agacée. Elle se composait toujours une façade de sang-froid et de calme, qu'elle arborait comme une armure. Il aimait l'idée de la débarrasser de cette armure, pièce après pièce, pour découvrir ce qu'il y avait en dessous.

— Et moi qui croyais garder mon jardin secret. Si vous commenciez par le début ?

— Ma mère était créatrice de bijoux chez Dante. Elle a eu une histoire d'amour avec Dominic. Quand il a épousé une autre femme, elle est partie travailler dans la filiale de New York. Ils se sont retrouvés des années plus tard et ont passé une nuit ensemble, au cours de laquelle Lucia et moi avons été conçus. En découvrant qu'elle était enceinte, elle a quitté Dante pour Charleston, un concurrent, avant de s'installer à Seattle à notre naissance.

— Dominic savait que votre mère était enceinte ?

— Non, pas à l'époque. Il a fini par retrouver sa trace et apprendre notre existence, à Lucia et moi. C'était juste avant notre seizième anniversaire.

Le souvenir de son père envahit son esprit, une version plus âgée de lui-même, doté d'un charme qui le rendait irrésistible. Du moins, irrésistible aux yeux de deux membres de la famille. Après avoir vu sa mère se languir de Dominic pendant tant d'années, Gabe n'était guère enchanté de l'arrivée du « prince » Dante. Mais sa sœur…

— Lucia était folle de joie, reprit-il. Elle avait l'impression d'assister à un conte de fées. Le prince allait épouser la princesse et nous emmener dans son château de San Francisco où nous formerions une seule et grande famille heureuse.

— Puisque vous portez le nom de Moretti, je suppose que ce n'est jamais arrivé.

Il acquiesça.

— Qui sait si ça aurait pu. Quelques mois plus tard, mon père est décédé dans un accident de voile, avec sa femme. Sa mort a détruit ma mère.

— Et Lucia ?

Une réelle compassion perçait dans la question de Kat, compassion qu'il avait très envie de rejeter.

— Ça a laissé des cicatrices. Certaines ne sont pas encore refermées.

Il repensa au travail actuel de sa jumelle auprès de Primo, son envie désespérée de nouer un lien avec lui.

— Mais vous, vous n'avez jamais cru au conte de fées, n'est-ce pas ?

Astucieuse, elle avait deviné juste.

— Non. Je ne suis pas un Dante. Je ne serai jamais un Dante.

— Sauf pour un petit détail.

— Lequel ?

— L'Inferno. Vous ne cessez de dire que cette histoire d'Inferno vient des Dante. Alors de quoi s'agit-il, exactement ?

Une pointe d'exaspération était perceptible dans ses paroles.

Les voilà revenus à la case départ, constata-t-il, non sans ironie. Il contempla sa paume, la frotta avec le pouce. Le picotement était toujours là, cette démangeaison qui n'avait cessé depuis la première fois qu'il avait touché Kat. Curieusement, il avait l'impression qu'elle exacerbait le désir qui le taraudait sans relâche, tenace, implacable, exigeant d'être assouvi.

— L'Inferno est une infection. Ou une malédiction, allez savoir. Ou encore, un conte de fées de plus.

— Dois-je vraiment vous en débarrasser ? grommela Kat.

Il inspira à fond et décida d'aller droit au but.

— D'après mon grand-père…

Soudain, il se rendit compte du mot qu'il venait de prononcer et du haussement de sourcil qu'il provoqua chez Kat.

— Techniquement parlant, précisa-t-il, il est mon grand-père.

— Je n'ai rien dit.

— Vous n'en pensez pas moins. Bref, d'après Primo, les Dante peuvent reconnaître leur âme sœur d'un seul toucher.

Elle leva la main, paume en avant.

— Avec ça ? Ce qui brûle ma paume ?

— Oui. Ils l'appellent l'Inferno.

Elle plissa le front. Comment lui en vouloir ?

— Et ça dure longtemps ? demanda-t-elle.

Il la regarda un instant, puis formula la terrible réponse.

— L'éternité.

— L'éternité ? répéta Kat en s'effondrant sur un siège. Vous plaisantez, j'espère.

— Je n'ai pas dit que c'était réel. Je vous rapporte juste les propos de mon grand-p... de Primo. Une simple légende familiale. Et, comme je ne suis pas un Dante, elle ne s'applique pas. D'ailleurs, même si j'étais un Dante, elle ne s'appliquerait pas non plus. Bon sang, Kat, rien de tout cela n'est réel, d'accord ? insista-t-il, frustré.

Elle lui jeta un regard enflammé.

— Une légende ? Une histoire transmise de génération en génération ? En général, les légendes qui perdurent ont un fond de réalité.

— Exact, un fond de réalité, riposta-t-il avec un cynisme non dissimulé. Alors examinons la réalité de cette légende particulière. Deux inconnus se touchent pour la première fois et ils savent instantanément qu'ils s'appartiennent pour le restant de leurs vies. Est-ce la réalité que vous avez envie que j'accepte ?

— Cette réalité ou une version approchante, dit-elle. Plutôt une version, d'ailleurs. Il pourrait s'agir d'une réaction chimique qui se produit quand un Dante touche une femme qui l'attire. Peut-être que les Dante ont une peau plus acide, ou plus basique, ou que leur peau contient trop de je ne sais quel élément que les autres gens n'ont pas d'ordinaire. Comment voulez-vous que je sache ? Bon, sérieusement. Combien de temps dure cette chose ?

— Je vous l'ai dit. Selon Primo, toute l'éternité.

— Et selon vous ?

— Quelques mois, le temps que notre système nerveux l'évacue, j'imagine.

Il lui adressa un sourire détaché, à l'opposé de son bouillonnement intérieur.

— Mettons, la longueur de notre mariage, ajouta-t-il. A supposer que nous poursuivions avec ce pacte du diable.

Il surprit de nouveau en elle cette vulnérabilité qu'il avait déjà perçue lors de leur première rencontre. Aujourd'hui comme ce jour-là, il en fut profondément ébranlé. Il doutait de son authenticité. Kat avait eu une liaison avec le fiancé de sa cousine, et sa mère avait couché avec un homme marié. Pourtant, il n'avait jamais blâmé sa mère pour cela, comprenant qu'elle avait été incapable de résister à Dominic. Kat avait-elle éprouvé le même genre de sentiments pour Benson Winters ? Alors, pourquoi condamnait-il l'une et pas l'autre ?

— Vous croyez que, si on couche ensemble, cet Inferno se consumera de lui-même ? demanda-t-elle, la pointe de vulnérabilité continuant de vriller quelque chose d'enfoui en lui.

— Oui.

— Et si cela ne marche pas ? insista-t-elle, ses longs cils baissés sur ses joues soyeuses.

— Cela marchera. Ne pensez pas un instant que cette chose qui nous arrive, Inferno ou réaction chimique, nous mène quelque part. C'est du désir, Kat. De la pure concupiscence. Une histoire d'hormones et de phéromones. Vous avez envie de moi, et j'ai envie de vous. Point final.

Puis il la souleva de son siège et la prit dans ses bras. A ce moment, il comprit qu'il se fichait comme d'une guigne de son passé. Seul l'intéressait son futur immédiat. Qui lui apprenait qu'il était le fils de son père bien plus qu'il ne voulait bien l'admettre.

— Une démangeaison ? lança-t-elle.

— Exactement. On la gratte, et au bout d'un moment elle disparaît.

— Comme ça, tout simplement.

Il ne put s'empêcher de sourire en remarquant la sécheresse de son ton.

— Vous êtes vexée.

— Sans doute un peu, admit-elle en levant vers lui un regard déterminé. Etre comparée à une démangeaison n'est pas très flatteur. Ni à une plaie venimeuse. Mais surtout, mettez-vous en tête que je n'ai aucune intention de coucher avec vous pour régler votre petit problème.

— Vous avez envie de moi.

A sa grande surprise, elle acquiesça, ne reculant pas devant la vérité.

— Je mentirais en disant le contraire. Mais ça ne suffit pas. Cela n'a jamais suffi. Je ne suis pas comme ça.

— Alors, vous étiez amoureuse de Benson Winters ? L'idée le révulsait.

— Pas du tout, répondit-elle.

Il la fixa, les yeux plissés.

— C'était un moment d'égarement ? Ou êtes-vous en train de m'expliquer que votre liaison vous a changée ? Que vous avez compris la leçon et que vous ne vous laisserez plus embarquer dans une histoire pour assouvir une simple envie ?

Un éclat de colère illumina son visage.

— Je ne vous dois aucune explication à propos de ce qui s'est passé avec Benson. Ça ne vous regarde pas.

— Ça me regarde si on se marie.

Le dos très droit, elle s'écarta de lui.

— Non, Gabe. Vous et moi avons passé un simple marché, rien d'autre. Pour une raison obscure, nous avons permis au désir physique de nous en dévier. Or, pour commencer, je n'ai pas l'intention de refaire cette bêtise. Il ne s'agit pas de concupiscence, ni de sexe ni même d'Inferno. Notre relation concerne le Heart's Desire et ma réconciliation avec ma grand-mère. Point final.

— Et comment comptez-vous empêcher que cela se reproduise ?

— Je ne compte pas l'empêcher, je compte l'ignorer, répondit-elle d'un ton tranquille.

Jusqu'ici, sa stratégie n'avait pas très bien fonctionné.

— Et je vous ai déjà expliqué pourquoi c'est impossible, rétorqua-t-il. Vous voulez rétablir votre réputation afin que votre grand-mère vous accepte. Je veux le Heart's Desire. Pour que chacun de nous obtienne ce qu'il veut, nous allons devoir nous faire à l'idée de fiançailles à long terme, voire d'un mariage. Il paraît déjà étrange que je veuille vous épouser, vous et pas une autre, après ce qui s'est passé entre vous, Winters et Jessa. Autant éviter de donner à quiconque des raisons supplémentaires de soulever le tapis et de regarder ce qu'il y a dessous, surtout à votre grand-mère.

— Vous souhaitez que tout le monde nous croie amants ? Parfait. Alors on fera de notre mieux pour faire semblant. Merci pour le déjeuner, poursuivit-elle en prenant son sac. C'était... intéressant. Je vous contacte demain. On essaiera de coordonner nos agendas pour d'autres déjeuners, dîners et ce genre de choses. Des rendez-vous. Des rendez-vous publics, donc, dans des endroits publics. Là où il ne sera pas nécessaire de se retrouver seuls. Jamais.

Elle se dirigea vers la sortie, mais il la retint.

— Attendez. Une dernière chose avant que vous ne partiez, vous voulez bien ?

Elle s'immobilisa, haussant ses élégants sourcils.

— Oui ?

— Juste ça…

Sans la prévenir, il l'attira à lui. Attendit qu'elle ouvre la bouche pour protester et s'empara aussitôt de ses lèvres. Avec passion, il mêla leurs langues, lui prouvant que son projet de mariage chaste n'avait aucune chance de réussir. Elle objecta en silence durant une bonne dizaine de secondes avant d'accepter sa défaite.

Elle s'abandonna à son étreinte. Ou plutôt, elle passa à l'offensive, donna autant qu'elle prenait. Sa langue s'enroula autour de la sienne, la défia, l'affronta. Il se délecta de sa saveur, tout aussi délicieuse qu'auparavant. Elle mordilla sa lèvre inférieure puis l'apaisa d'une caresse.

Pendant ce temps, ses mains l'exploraient avec gourmandise, parcouraient son torse, son dos. Elle l'enveloppait de son corps, ses seins ronds plaqués contre lui, son bassin dessinant de petits cercles pressés, qui le rendaient fou de désir. Ses mains impatientes continuaient de voltiger, de palper, finissant par revenir à son torse, avant de descendre et de se poser sur son sexe en érection.

Elle s'y immobilisa, comme si elle était un peu étonnée. Soit ! A son tour de partir en exploration. Il trouva la fermeture Eclair de sa robe rouge et la baissa, puis fit courir ses doigts le long de sa colonne vertébrale jusqu'au creux tendre de ses reins. Il glissa un index sous l'élastique de sa culotte en dentelle et la sentit frémir malgré elle.

— Gabe, s'il vous plaît, gémit-elle.

— S'il vous plaît, arrêtez ? Ou Gabe, si vous arrêtez, je vous frappe.

— La seconde option.

Il éclata de rire, un rire dense, intime, empli de promesses.

— C'est bien ce que je pensais.

Il n'avait qu'une envie, la débarrasser du reste de ses vêtements et entrer en elle, tout de suite. Mais la porte de son bureau ne constituait qu'une mince barrière entre eux et le monde extérieur, aussi n'osa-t-il pas. Sans compter qu'il n'avait pas de préservatif sur place. Il lui donna un autre baiser, juste pour garder la saveur de sa bouche avant de la lâcher. Mais celui-ci s'approfondit, se prolongea, et l'instant fit de même. S'il ne trouvait pas un moyen de l'emmener dans l'appartement au-dessus de son bureau — et rapidement — il ne pourrait plus résister et la ferait sienne dans le bureau, sur la moquette.

S'obligeant à interrompre le baiser — un effort héroïque, considérant l'acharnement qu'elle mettait à le poursuivre —, il la prit par la taille et la poussa vers un escalier situé au fond du coin salon. La montée parut interminable. En haut des marches, elle hésita, étudiant le vaste appartement. Des baies vitrées allant du sol au plafond offraient une vue spectaculaire sur Seattle et la baie. Un peu plus loin, le sommet enneigé du mont Rainier dominait la ville, magnifiquement découpé contre l'horizon de décembre.

Soudain, elle recula d'un pas, hochant la tête, resserrant sa robe relâchée sur sa poitrine.

— Non, pas ici.

Ce brusque revirement le déconcerta.

— Qu'est-ce qui ne va pas, Kat ?

— Pas ici, répéta-t-elle. Pas où Jessa…

Alors il comprit.

— Jessa n'a jamais mis un pied dans cet appartement. Cet immeuble ne m'appartenait même pas quand on s'est mariés. Je l'ai acheté plus d'un an après sa mort.

Soulagée, elle ferma les yeux, lâchant un petit rire.

— Vous me trouvez ridicule, j'imagine.

— Pas du tout, répliqua-t-il, mû par un besoin étrange de la rassurer. J'utilise cet endroit uniquement quand j'ai travaillé tard et que je n'ai pas envie de faire la route jusqu'à Medina. Et, si ça vous aide à vous sentir mieux, je n'ai jamais fait l'amour à aucune femme ici avant.

— Bien séparer le personnel du professionnel, n'est-ce pas ?

Elle laissa la question en suspens entre eux et vint se camper dans un flot de soleil déversé par les fenêtres sur le parquet blond. Elle se frotta les bras, comme si elle avait froid. Peut-être à cause de sa robe ouverte dans le dos, qui exposait ses adorables épaules, une longue étendue de peau parfaite s'incurvant autour d'une taille si fine qu'il pouvait l'encercler de ses mains, avant de s'évaser en admirables hanches. Il s'étonnait toujours qu'elle soit si menue, sans doute parce qu'elle avait une si forte personnalité. Sans compter les talons vertigineux sur lesquels elle se juchait tout le temps. Il s'approcha et, par-derrière, l'enveloppa de ses bras, la plaquant contre la chaleur de son corps.

Elle se détendit, la tête nichée au creux de son épaule.

— Je suppose, puisque techniquement parlant, je

tombe sous la rubrique professionnelle, que les deux sont toujours séparés, n'est-ce pas ?

Il effleura sa tempe de ses lèvres.

— Que les choses soient claires. J'ai conduit des centaines de transactions au cours de ma carrière. Aucune n'impliquait ce que nous sommes sur le point de faire.

— Quel soulagement ! s'exclama-t-elle avec un petit rire.

Puis, se retournant, elle posa les mains sur sa poitrine.

— Gabe…

La vulnérabilité était revenue, cette incertitude qui lui vrillait le ventre, faisait remonter jusqu'au dernier des instincts de protection qu'il possédait. Il avait toujours été le protecteur de la famille, celui qui se campait devant sa mère ou sa sœur et tentait de parer les coups lancés dans leur direction. Sans toujours réussir. Mais au moins était-il là pour elles. Kat aussi, il devrait la protéger. Il l'aurait peut-être fait, si le désir ne surpassait pas tout le reste, le poussant à les unir tous les deux de la manière la plus élémentaire, celle qui unissait les hommes et les femmes depuis la nuit des temps.

— Ne reculez pas, supplia-t-il. Pas maintenant. Pas quand vous savez pertinemment que ce que nous allons faire est inévitable. Que ça se passe aujourd'hui, demain, la semaine prochaine ou dans un mois, cela aura lieu.

— On ne se connaît que depuis quelques semaines. Autant dire pas du tout.

— Si notre arrangement était normal, je serais d'accord avec vous. Mais ce n'est pas le cas. Non seulement les circonstances sont étranges, mais notre réaction à l'un à l'autre l'est aussi.

Il saisit son menton, sa courbe douce directement posée au centre de sa paume, sur la brûlure de l'Inferno.

— Dites-moi la vérité, Kat, reprit-il. Vous avez déjà ressenti quelque chose de semblable auparavant ?

— Ni même d'approchant, répondit-elle sans la moindre hésitation. Mais cela ne signifie pas qu'on doive sauter dans le feu.

— Trop tard. Le feu a déjà sauté en nous. Tout ce qu'on peut faire, c'est le laisser nous consumer.

Il le vit d'abord dans ses yeux au vert cristallin. Un consentement muet.

— Ce n'est pas ce que j'avais prévu, plaida-t-elle.

— Je sais. Moi non plus.

— Je sais aussi, poursuivit-elle, sans que son regard ne flanche, que si vous aviez voulu expérimenter l'Inferno avec quelqu'un je suis la dernière personne que vous auriez choisie.

Comment le nier ?

— Pour être honnête l'un envers l'autre, je soupçonne qu'on aurait tous les deux choisi quelqu'un d'autre. Mais ça ne change rien au fait que c'est arrivé quand même. On peut le nier. Ou essayer de l'ignorer. Le combattre. Pourtant, nous nous retrouvons ici, incapables de ne pas le suivre.

— Maudit Inferno, murmura Kat.

— Sur ce point, nous sommes tout à fait d'accord, répliqua-t-il en riant, avant de reprendre son sérieux. Bon, votre décision, Kat ? Vous continuez à le refuser, à l'ignorer ? Ou acceptez-vous de vous livrer à ses flammes ?

Elle eut un sourire doux-amer.

— La décision a déjà été prise, vous ne croyez pas ?

— Vous me tuez, Kat. Je vous ai à peine touchée.

Du moins, pas encore vraiment, pas comme j'en ai l'intention. Et vous exprimez déjà des regrets.

— Uniquement parce que ça va tout changer.

— Certes. Mais rien n'est simple dans cette situation.

Il s'attendait à des larmes, mais n'en vit pas la moindre trace. De fait, elle avait assuré ne jamais pleurer, il s'en souvenait. Pourtant, du chagrin se lisait dans ses beaux yeux verts. Etrangement, il en fut considérablement peiné. Il avait beau ne pas devoir, ne pas vouloir en tenir compte, à cet instant, s'il avait pu réparer le mal dont elle souffrait, il l'aurait fait.

— D'après ma grand-mère, les Chatsworth sont les champions de la difficulté, déclara-t-elle avec une fausse désinvolture. J'espère que notre association sera l'exception qui confirme la règle.

— Je ne suis pas facile. Vous non plus. Et notre histoire ne fait qu'ajouter des remous à une relation déjà tumultueuse.

— Coucher ensemble ne la rendra pas moins tumultueuse.

— Je pense que l'Inferno l'a déjà confirmé.

Elle hocha la tête, et ce simple geste lui indiqua qu'elle s'était décidée. Elle s'approcha, tandis que le soleil jouait avec les étincelles enfouies dans le jais de ses cheveux et intensifiait le rouge éclatant de sa robe. Elle fit un mouvement gracieux des épaules, et la robe glissa dans un bruissement soyeux jusqu'à ses hanches. Il s'attendait à ce qu'elle porte de nouveau des sous-vêtements noirs. Or, ceux-là étaient d'un blanc nacré, virginal, délicats et délicieusement féminins, à l'opposé absolu de sa robe sophistiquée et sexy.

Elle ondula des hanches, et la robe tomba lentement à ses pieds. Elle enjamba le tissu soyeux, quitta ses escarpins et s'avança vers lui. Quand était-elle devenue si menue ? Et quand son apparence avait-elle changé, devenant délicate, virginale et délicieusement féminine ? Ça devait être une illusion. Mais une illusion qui l'emplissait d'un désir ardent. Le désir de la prendre. D'imprimer sa marque en elle. De la désigner comme sienne à la face du monde. D'être son homme. Le premier, le dernier. Le seul. Il s'abandonna à ce fantasme, sans en être dupe. Un simple fantasme. La réalité reprendrait ses droits le moment venu. D'ici là…

Il lui tendit les mains, mais elle les repoussa. Elle ne voulait pas qu'il la touche ? Très bien. Il jouerait selon ses règles. Pour l'instant, en tout cas. Elle s'approcha et défit le nœud de sa cravate, avant de la faire glisser de son col et de la jeter par terre. Puis elle entreprit de déboutonner sa chemise. Ses mains parcouraient son torse, sculptaient sa peau chaude, sa légère toison, traçaient des cercles affolants sur ses muscles. Elle eut tôt fait de déboucler sa ceinture et de baisser la fermeture Eclair du pantalon. Puis elle le déshabilla, ne lui laissant que son boxer.

Elle pivota alors sur ses talons, jeta un regard circulaire à l'appartement, repéra la porte de la chambre. Elle en prit la direction, son slip échancré dévoilant des fesses rondes, exquises et aussi appétissantes que des pêches blanches. Elle s'arrêta sur le seuil pour lui décocher un coup d'œil par-dessus son épaule. Sa chevelure léchait son dos crémeux comme des flammes sombres, encerclait la courbe parfaite de ses seins. Elle incarnait la déesse de la tentation personnifiée. Il ne put s'empêcher de se rappeler qu'Até était aussi la déesse de la folie et de l'égarement dans la mythologie grecque, qu'elle avait causé la chute de nombreux hommes, le plus souvent par leur orgueil démesuré.

— Tu viens ? lança alors Kat d'une voix si lourde de promesses que ses genoux faillirent le trahir.

6

Il n'en fallut pas plus. Juste ces deux mots.

« Tu viens ? »

Comment résister à une invitation aussi sensuelle ? Il n'en avait nullement l'intention. Il laissa échapper un grognement qui sembla venu de très loin, du plus profond de lui.

Il la suivit d'un pas précipité. Sans ralentir, il la souleva dans ses bras et entra dans la chambre. En moins de deux secondes, il la déposa sur le lit, son corps pâle et soyeux étalé sur la couette couleur bronze. Ses cheveux encadraient son visage, où ses adorables traits fins luttaient pour paraître impassibles. Ils révélaient cependant leurs secrets pour qui prenait la peine de regarder — de regarder vraiment. Une vulnérabilité tapie dans les ombres drapées de ses yeux verts. De l'hésitation adoucissant la ligne de son menton déterminé, en total désaccord avec l'impatience que trahissaient ses pommettes tendues.

Il vint s'allonger près d'elle, effleura sa bouche, ses paupières, ses joues.

— Que de conflits là-dessous.

— C'est ce que tu vois ? chuchota-t-elle. C'est tout ce que tu vois ?

— Tu as envie de moi.

— C'est vrai.

— Mais tu ne veux pas avoir envie de moi.

Un sourire trembla sur sa bouche.

— Egalement vrai.

— Voilà qui définit plutôt bien notre relation, je suppose.

Elle ferma les yeux et poussa un léger soupir.

— Tu essaies de me faire changer d'avis ?

Non, sûrement pas. Encore que…

— Je ne veux pas de regrets ensuite. Pas de récriminations pour ne pas avoir attendu que tu aies la bague au doigt, répondit-il, surpris de sa soudaine douceur, qualité que, curieusement, elle suscitait en lui. J'essaie simplement de me montrer honnête, Kat.

Ses longs cils se relevèrent, et elle lui adressa un regard franc et calme.

— Pas ici. Pas maintenant.

— Tu veux que je te mente ? demanda-t-il, surpris.

— Je voudrais te dire oui, mens-moi. Mais je crains que ce soit une erreur.

Il ne pouvait la blâmer de l'avoir néanmoins envisagé. Après tout, lui aussi préférait le fantasme à la réalité.

— Tu sais quoi ? Pourquoi ne pas nous concentrer sur ce qu'on veut au lieu de ce qu'on ne veut pas ?

— J'aimerais beaucoup. Et si on passait aussi un marché ?

Il grogna, hésitant entre rire ou l'étrangler.

— Un *autre* marché ?

— Un tout petit, assura-t-elle. Le seul point sur lequel on est d'accord, c'est ce désir qu'on éprouve l'un pour l'autre. Comme tu l'as dit, on a tenté de le combattre, mais aucun de nous deux n'est capable de résister à cette attirance physique.

— Je suis d'accord.

— Alors, allons plus loin. Au lieu de mentir sur ce qu'on veut, si on décidait que le lit est le seul endroit où l'on sera toujours honnête l'un envers l'autre ? Le seul endroit où l'on ne se mentira jamais, peu importe ce que cela nous coûte ?

— La vérité nue.

— Oui. Comme nous. Nus dans tous les sens du terme.

Il ouvrit le tiroir de la table de chevet, en sortit un des préservatifs qu'il n'avait rangés là que depuis trois semaines. Avait-il espéré ou… prévu que ce moment arriverait ? Il n'aurait su le dire. Puis, sans un mot, il prit le visage de Kat entre ses mains et l'embrassa, exprimant sans la moindre équivoque combien il la voulait, et combien ce qu'il ne voulait pas pesait peu dans la balance. Elle écarta les lèvres, et leurs langues entamèrent un duo sensuel. Ses baisers étaient divins, à la fois langoureux et taquins.

Mais cela ne suffisait plus.

Il voulait tellement plus d'elle. Et voulait aussi lui offrir tellement plus. Un besoin désespéré, quasi incontrôlable, d'arracher ces petits bouts de soie et de dentelle qui la recouvraient encore et d'unir leurs corps de toute urgence l'envahit. Quelque chose le retint pourtant. Peut-être ces bribes de blancheur innocente, ornées de minuscules nœuds si féminins sur le décolleté échancré de son soutien-gorge. D'autres nœuds semblables paraient le galbe de ses hanches, adorables sur une femme qui illustrait parfaitement la sophistication européenne. Le contraste l'arrêta, tout comme la tension nerveuse qui émanait d'elle.

Après un instant de réflexion, il décida de suivre son

impulsion. C'était leur première fois. Ils auraient plein d'autres occasions d'aller vite, de laisser libre cours à l'exubérance. Mais, cet après-midi, il prendrait son temps. La conduirait au plaisir suprême, caresse après caresse, douceur après douceur. Embrasserait chaque centimètre de son corps délicieux. Et il commencerait par le doux et tendre centre. Toujours un exquis point de départ.

Baissant la tête, il déposa une pluie de baisers sur son ventre tiède, inhalant son parfum féminin. Elle frémit de surprise, se cambra un peu. Il sourit contre sa peau, ravi de la prendre au dépourvu. Il avait l'intention de continuer dans ce sens. Elle aimait garder le contrôle ? Eh bien, pas ici. Pas maintenant. Il voulait anéantir toutes ses défenses et qu'elle se livre totalement. En perdant tout son contrôle.

Il caressa ses hanches, tira sur les petits nœuds de sa culotte. Sentit la légère vibration de son ventre sous sa bouche, la brève contraction anticipant la suite logique : qu'il lui enlève sa culotte. Mais il remonta le long de son torse, suivant les contours de son soutien-gorge. De nouveau, elle frémit, mélange d'incertitude et de confusion.

— Gabe, qu'est-ce que tu fais ?

— Je joue. J'ai du mal à décider sur quel manège je veux monter en premier.

Elle fronça les sourcils. La légèreté qu'il affichait semblait la décontenancer. Manifestement, le sexe avait toujours été une affaire sérieuse pour elle. Quelle tristesse, alors que cela pouvait être si amusant ! Puis elle se détendit et, avec un gloussement enchanté, elle commença à laisser courir ses mains sur son abdomen.

— Tu joues, hein ? Moi, je crois que je vais commencer par le grand huit.

Il pressa ses seins l'un contre l'autre à l'intérieur des bonnets du soutien-gorge.

— J'ai toujours eu un faible pour les autos tamponneuses.

Baissant le regard, elle le posa sur la bosse révélatrice qui gonflait son boxer.

— Marrant, je pensais que tu choisirais la chenille. Je parie que tu tires la cloche chaque fois.

Il tripota le petit triangle qui couvrait son sexe.

— Pour toi, je ferai de mon mieux. On commence par le tunnel de l'amour, ou c'est là qu'on finit ?

Elle noua les bras autour de son cou et l'attira à elle. Leurs corps s'emboîtaient et se complétaient parfaitement.

— Peu importe, tant que tu sonnes ma cloche tout du long, je suis prête à tester tous les manèges.

Il sourit en constatant que leur badinage idiot l'avait mise en confiance. Qu'elle se blottissait confortablement contre lui. Les teintes rosées du soleil de l'après-midi la paraient d'insouciance. Les inquiétudes qui la rongeaient s'étaient estompées, et elle se laissait aller, en sécurité dans ses bras, dans son lit et dans leur ravissement croissant. Il lisait le plaisir dans ses yeux verts, dans le tremblement joyeux de sa bouche, dans le rire devenu partie prenante de leur premier rapport sexuel. Tout cela l'enchantait, éloignait l'obscurité en même temps que le passé. Lesquels n'avaient aucune importance. Pas ici. Pas maintenant.

Ils jouèrent à se débarrasser du reste de leurs vêtements, à explorer le corps de l'autre. Il y avait de la tendresse dans leurs jeux, une douceur omniprésente dans leurs voix, paroles et toucher. Et pourtant la tension grandissait, le désir était tapi sous la gaieté et exploserait bientôt entre eux, les consumant dans sa traînée de poudre. Cependant, ils furent pris au dépourvu quand cela arriva.

Il s'immobilisa, tandis que son rire mourait sur ses lèvres. Un rayon de soleil vint lécher le corps de Kat. L'hiver conférait à la lumière une suavité rare, qui l'enveloppait de douceur et tentait de la nimber de mystère, de la rendre distante et inaccessible. Sans y parvenir toutefois. Elle possédait trop de vitalité, ses couleurs tiraient davantage vers le vif de la passion que le pastel de la pudeur.

Dieu qu'elle était belle ! Du feu crépitait dans ses cheveux et semblait se prendre dans le vert flamboyant de ses yeux. Un sourire planait sur ses lèvres, mi-amusé, mi-provocateur. Une Eve en devenir. Elle posa une main sur sa joue, et il sentit le léger tremblement de ses doigts. Tournant le visage au creux de sa paume, il pressa les lèvres à l'endroit où brûlait l'Inferno.

A présent, quand il dessinait son corps, il le faisait délibérément, mettant en pratique ce qu'il avait appris en jouant. Ses seins étaient très sensibles, surtout autour des mamelons, aussi s'y attarda-t-il jusqu'à ce qu'elle frémisse entre ses bras, haletante. Il découvrit aussi qu'elle frissonnait d'extase lorsque ses doigts dansaient à l'arrière de ses cuisses, que le désir s'écoulait d'elle et qu'elle s'ouvrait instinctivement quand il la touchait là. Lorsqu'il mordillait sa lèvre inférieure, elle butinait sa bouche avec une fougue frénétique. Si elle considérait ses fesses comme trop généreuses, lui les trouvait parfaites et adorait embrasser les taches de rousseur ornant ces rondeurs affolantes.

Il explorait son corps sublime tout entier, centimètre

après centimètre, déterminé à alimenter le brasier et à la mener à un incendie plus intense que ce qu'elle avait pu connaître auparavant. Il ne cessait de travailler à son plaisir jusqu'au moment où il prit conscience que lui aussi se trouvait à deux doigts d'y succomber.

D'un geste impatient, il s'empara du préservatif qu'il lui tendit.

— Mets-le-moi. J'ai envie de sentir tes mains sur moi.

Elle dut s'y reprendre à trois fois pour ouvrir l'étui. Et joua avec ses nerfs en mettant un temps infini à s'acquitter de sa tâche. D'abord, elle feignit de le dérouler dans le mauvais sens, puis prétendit quand même l'enfiler à l'envers avant de recommencer avec une lenteur exaspérante qui le rendit fou.

Enfin, il se positionna au-dessus d'elle, prêt pour sa moiteur brûlante. Mais soudain elle poussa sur ses épaules.

— Attends, Gabe. Je ne suis pas sûre de l'avoir bien mis.

— On arrête de jouer, maintenant. Je ne peux plus attendre.

— Mais…

Il coupa court à ses protestations d'un baiser passionné et entra en elle, en même temps qu'il glissait sa langue dans sa bouche. Elle se raidit, ondulant sous lui de telle manière qu'il faillit finir avant même d'avoir commencé. Il se ressaisit à grand-peine, décidé à lui procurer autant de plaisir qu'elle lui en procurait. Lentement, il se retira puis la pénétra de nouveau, aussi profondément que possible. Là, il cessa de bouger, malgré ce qu'il lui en coûtait, attendant qu'elle se fasse à sa présence. Sans pour autant négliger de la caresser là où elle aimait.

Elle se détendit, resserra les bras autour de lui, s'offrit davantage, le bassin en avant, cherchant un rythme.

Il s'amusa du fait qu'il leur fallut autant de temps pour être synchronisés. Il aurait pensé que deux personnes plutôt expérimentées se seraient adaptées l'une à l'autre un peu plus vite. Peut-être était-ce la faute de l'Inferno. Peut-être la violente pulsion qui les guidait, qui menaçait de les submerger, était-elle si intense qu'elle annihilait toute expérience, ne laissant la place qu'à un plaisir primaire. Puis un mouvement s'imposa, s'amplifia, se mua en quelque chose qu'il n'avait jamais vécu auparavant, quelque chose qui les emplissait et les reliait à un niveau dont il ne soupçonnait même pas l'existence. Cela transcendait toute expérience précédente, chantait le moment présent et les promesses à venir. Il vit, reflété dans les yeux de Kat, bourgeonner ce qui avait été planté, vit la même connexion.

Ensuite, quelque chose changea.

Elle leva la tête vers lui, riva son regard au sien, bouleversé et incrédule. Empli de ravissement.

— Qu'est-ce que tu m'as fait ?

Les mots s'échappèrent dans un infime murmure. Puis des larmes emplirent ses yeux, des larmes qu'elle niait avoir. Elles coulèrent sur ses tempes, s'enfouirent dans la braise sombre de sa chevelure, aussi brillantes et pures que les diamants de feu.

Puis elle s'abandonna à son orgasme. Lequel l'emporta lui aussi jusqu'au point de non-retour. Et il succomba à son tour.

Succomba à l'innocence.

*
* *

Gabe se détourna de la fenêtre pour regarder Kat. Le soleil de fin d'après-midi éclaboussait sa silhouette endormie. Une autre image se superposa dans son esprit, l'image de Kat dans le lit d'hôtel de Benson Winters. Mais cette image-là ne collait pas. Elle bascula. Se fendilla. Eclata en mille morceaux qui jamais ne se recolleraient. Elle n'avait pas été la Belle au bois dormant réveillée par le baiser du prince. La Belle au bois dormant d'il y a cinq ans n'avait jamais connu le baiser du prince… ni rien d'autre.

Ce qui expliquait énormément de choses, y compris sa maladresse avec le préservatif. Elle ne s'était pas amusée à prolonger le moment, de manière à attiser son plaisir. Elle manquait d'expérience et avait tenté de le lui cacher. Cela expliquait également pourquoi elle souhaitait attendre qu'ils soient mariés, ce dont il avait refusé de tenir compte.

C'est lui qui avait poussé, insisté pour qu'ils fassent l'amour ici et maintenant. Le souvenir de son regard, de son adhésion silencieuse, lui fit très mal, tout comme celui de son sourire doux-amer. D'autres images lui revinrent, qui lui firent encore plus mal. Sa réaction quand elle pensait qu'il l'avait attirée dans un lit qu'il aurait partagé avec Jessa. Cette fichue lingerie virginale. Même sa surprise devant son attitude ludique au lit. Pourquoi n'avait-il rien vu, rien compris ? Pourquoi ne l'avait-il pas protégée, au moins de lui-même ? C'est lui qui l'avait réveillée et, à présent qu'il savait quoi chercher, il voyait la différence. Il la percevait.

Ce sur quoi il avait fantasmé s'avérait la réalité. Il était son premier amant. Ce qui signifiait que la vérité… n'était pas du tout ce qu'il avait supposé.

Tout était remis en question.

Mais cela n'expliquait pas comment elle avait fini dans cette chambre d'hôtel cinq ans plus tôt. Winters avait-il dit vrai ? Kat avait-elle tenté de le séduire ce soir-là ? Non, ça ne tenait pas debout. Sauf à avoir été complice dans ce piège de séduction, il ne l'aurait jamais saluée aussi chaleureusement au restaurant, tout à l'heure.

Il réfléchit, s'efforçant d'utiliser la logique froide qui l'avait aidé toute sa vie. Mais, d'une certaine façon, il ne pouvait se détacher de ses émotions. Pas cette fois. Pas à propos de Kat.

Il existait de nombreuses explications à sa virginité, y compris… Une image surgit dans son esprit, celle de Jessa arrivant en larmes sur le pas de sa porte, le suppliant de l'accompagner dans une chambre d'hôtel où, d'après ce qu'on lui avait dit, elle trouverait son fiancé au lit avec une autre femme. A l'époque, il n'était qu'un ami. Après qu'ils avaient découvert Kat, sa relation avec Jessa avait rapidement évolué. Il chassa le souvenir, réticent à étudier de plus près cette nouvelle possibilité, bien trop perturbante. Ce qui le ramena à la femme partageant son lit.

Il y avait au moins une chose dont il était certain. Son lit était le seul que Kat ait jamais partagé. Et le seul qu'elle partagerait encore longtemps. Gagnant le salon, il sortit son téléphone de sa poche de pantalon. La série de coups de fil ne prit pas longtemps. Celui à Primo fut accueilli avec un plaisir et une approbation immédiats, celui à Matilda, avec le même enthousiasme ravi. Ensuite, il dut régler un certain nombre de détails pratiques — organiser le vol, réserver la chambre d'hôtel, demander la licence requise. Etonnant ce que l'argent et l'entregent permettaient d'accomplir en un temps record. Une fois qu'il eut terminé, il retourna dans la chambre.

Il s'allongea près d'elle, la réchauffant de son corps, la maintenant blottie dans l'étreinte sécurisante de ses bras. Tandis qu'elle dormait, ses barrières n'existaient plus, sa vulnérabilité était dévoilée, à nu sur chaque parcelle de son être. Il écarta une mèche de son visage et se pencha pour la réveiller d'un long baiser passionné. Elle gémit doucement, encore dans un demi-sommeil, s'ouvrant à lui. Se donnant sans réserve ni hésitation. Se donnant tout entière.

Ses longs cils battirent, et elle ouvrit les yeux, assombris et voilés de passion.

— C'est le matin ? demanda-t-elle d'une voix rauque.

— Non. Le crépuscule.

Elle rit doucement.

— Je ne vais jamais dormir cette nuit.

Il caressa gentiment sa joue.

— J'ai quelques idées de ce qu'on pourrait faire à la place.

— Je n'en doute pas.

Ah, c'était toujours là ! La bravade ombrageuse, l'ironie acerbe. Alors qu'elle n'était pas encore tout à fait réveillée.

— Il faut qu'on parle.

Elle se raidit, le regarda avec cette méfiance familière.

— De quoi ?

— Voyons voir. De la vie. De la mort. Du fait que tu sois vierge. Explique-moi ça, Kat.

Il devait lui rendre justice. Malgré le rouge qui colora ses joues, elle continua à le fixer sans ciller.

— Je préférerais ne rien expliquer du tout.

— Pourtant, j'y tiens. A vrai dire, j'insiste, même.

D'ailleurs, c'est toi qui as demandé qu'on soit honnêtes au lit.

— L'honnêteté au lit était censée jouer en ma faveur, pas en la tienne.

Il aurait ri si la question n'avait pas été si sérieuse.

— Oui. Pas de chance pour toi.

La saisissant par le menton, il tourna son visage dans la lumière déclinante, qui le lavait de tout artifice, le laissait nu.

— Comment as-tu pu avoir une liaison avec Winters et cependant arriver intacte dans mon lit ?

— Un miracle ? suggéra-t-elle sans le quitter des yeux.

— Ou alors, tu n'avais pas de liaison avec Winters.

— C'est une autre possibilité, en effet. Souviens-toi, c'est ce que j'ai dit à tout le monde à l'époque.

Elle conservait une attitude de défi, qui transparaissait dans chacune de ses expressions, chaque nuance de sa voix et dans la tension rigide de son corps.

— Et personne ne t'a crue.

Il luttait autant contre les répercussions de ce fait qui bouleversait tout ce qu'il avait cru savoir qu'avec sa propre culpabilité. Ce qui n'était pas chose aisée, vu qu'il avait largement contribué à la condamner.

— Les preuves étaient plutôt accablantes, admit-elle.

— Winters a prétendu que tu avais essayé de le séduire.

— Oui.

— Mais, si c'était le cas, pourquoi s'est-il montré si amical envers toi au restaurant ?

Ce point ne cessait de le tarauder.

— Il a peut-être compris que j'avais été piégée.

— Par qui ?

Sa mâchoire se contracta, tandis qu'un flot d'émotions traversait son visage. Colère. Trahison. Déception. Souffrance.

— Tu sais qui m'a piégée, Gabe. Simplement, tu ne veux pas le croire. Personne n'a voulu le croire, même pas ma grand-mère.

Soudain, il se rendit compte que pas une seule fois Jessa ne s'était immiscée dans les moments qu'il venait de partager avec Kat. Ni comme regret ni comme comparaison. Ni même pour piquer sa culpabilité. Mais voilà qu'elle faisait irruption entre eux, comme un implacable vent glacé les balayant de sa morsure.

— Elle n'était pas ta femme à ce moment-là, reprit Kat. Et je ne te demande pas de me croire. Je me fiche qu'on me croie ou pas. Je sais ce qui s'est passé. Cela fait cinq ans que je vis avec ça. Que je vis condamnée. Qu'on me traite de traînée. Qu'on m'accuse d'avoir tenté de voler le fiancé de ma cousine. D'avoir ruiné la réputation de Benson, sans parler de ses espoirs d'obtenir un siège au Sénat.

— Il y a quelque chose que je ne comprends pas, Kat. Pourquoi Jessa vous aurait-elle piégés, tous les deux ? Ça n'a aucun sens.

— Quelle importance, Gabe ? Elle ne peut plus nous le dire. Et n'importe quelle explication que je pourrais avancer relèverait de la pure spéculation. D'ailleurs, ce ne sont pas tes affaires.

— Ce sont mes affaires si Jessa est impliquée, rétorqua-t-il avant d'ajouter d'une voix plus grave : tout comme ce sont mes affaires si tu es impliquée. Parce qu'à partir de maintenant je le suis aussi.

Elle se libéra de son étreinte et quitta le lit, puis balaya la pièce d'un air déconcerté, se demandant sans doute où elle avait laissé ses vêtements. Elle se dirigea alors vers un placard dont elle sortit un peignoir couleur chocolat. Elle l'enfila, noua la ceinture. Le peignoir était dix fois trop grand, la faisant paraître encore plus vulnérable que quand elle était nue.

— Je n'ai plus envie d'en parler, déclara-t-elle.

— Ou plutôt, tu n'as pas envie de me dire la vérité. Raison pour laquelle tu as quitté le lit.

Elle lui jeta un regard furieux.

— D'accord, je ne veux pas te dire la vérité, non qu'il y ait quoi que ce soit d'autre à révéler. De plus, ce n'est pas comme si on était mariés.

— Ce qui va bientôt changer.

Elle lui jeta un regard méfiant.

— Qu'est-ce que tu racontes ?

A son tour, il quitta le lit. Il s'approcha d'elle, ajusta le col du peignoir et l'emmitoufla dedans.

— Je me suis organisé pour qu'on parte pour San Francisco. En avion, demain matin. On prendra Matilda au passage, tout est déjà arrangé. On peut aussi faire un saut à ton hôtel, afin que tu fasses tes bagages. Dans deux jours, tu seras ma femme. Ensuite, on retournera au lit, et tu me diras ce que je veux savoir. Dans le moindre détail, en toute honnêteté. Même si cela signifie te garder là jusqu'à ce que tu le fasses, ajouta-t-il, penchant ses lèvres tout près des siennes.

Puis il scella sa promesse — ou était-ce une menace ? — d'un baiser qui déclencha l'Inferno, les consuma telle une éruption volcanique.

Confortablement assise dans un siège du jet privé de Gabe, Kat regardait par le hublot tandis qu'ils volaient vers San Francisco. Gabe s'était montré plein de sollicitude envers Matilda, l'installant dès l'embarquement dans la petite chambre à bord afin que le voyage ne la fatigue pas trop.

Une pensée dominait toutes les autres. Comment avait-il su qu'elle était vierge ? Les seules possibilités qui lui venaient à l'esprit étaient l'amateurisme et le manque d'expérience dont elle avait dû faire preuve durant l'amour. Quelle honte ! Surtout si elle considérait combien il s'était refermé à la suite de cet ultime baiser torride.

Elle avait espéré que leur relation s'améliorerait une fois qu'il aurait appris la vérité au sujet de Benson Winters et elle. En fait, le contraire s'était produit. Disparu, l'homme taquin qui l'avait attirée dans son lit. Disparu, l'amant passionné qui l'avait faite sienne. Disparu aussi, l'accord provisoire qu'ils avaient conclu pour atteindre leurs objectifs mutuels. Elle se retrouvait face à un homme qu'elle ne connaissait pas, un homme si barricadé en lui-même qu'elle ne savait comment percer pour atteindre celui qui avait rendu sa première expérience sexuelle aussi bouleversante.

Même si son intuition la poussait à protester contre la rapidité de leur mariage, elle n'osait pas. Après tout, c'était ce que tous deux souhaitaient. Aussi était-ce si grave si cela arrivait un peu trop vite ? Elle lui adressa un regard en coin. Il était plongé dans le travail, le visage tendu. Quelque chose clochait, quelque chose d'autre que la promptitude de leur mariage imminent. Pour une raison quelconque, il avait mis le cap sur une direction et refusait d'en dévier.

Qu'est-ce qui s'était passé pour que cette dureté fataliste s'empare de lui ? Etait-ce simplement parce qu'elle était vierge ? Non, c'était impossible. Certes, son histoire le prédisposait à se conduire en protecteur. Mais cela n'expliquait pas sa précipitation. Pas vraiment, en tout cas.

Elle remua dans son siège. Bien. S'il n'était pas disposé à fournir l'information de lui-même, elle poserait la question. Et, si cela ne marchait pas, elle exigerait une réponse. Et, si cette approche ne donnait pas non plus les résultats escomptés, elle lui extirperait la réponse par la ruse et la séduction. Elle l'attirerait dans le premier lit venu et userait de leur marché « Honnêteté au lit » pour l'obliger à dire la vérité.

Qu'elle espère devoir en arriver à cette dernière extrémité faisait-il d'elle une perverse ?

— Gabe, j'aimerais que tu reconsidères cette idée de nous marier si vite, dit-elle enfin. Personne n'y croira. Et je ne veux pas que Gam soupçonne que c'est à cause du collier.

— Elle ne le soupçonne pas. Matilda et les Dante croient déjà à la sincérité de ce mariage. Et bientôt tout le monde en fera autant.

— Je ne comprends pas. Pourquoi sont-ils soudain si pressés de l'accepter ? Et pourquoi tous les autres le croiront-ils aussi ? Qu'est-ce qui a changé ?

Il hésita si longtemps qu'elle crut qu'il ne répondrait pas. Puis, un tic nerveux agitant sa mâchoire, il avoua :

— Ce qui a changé, c'est qui je suis. Une fois que les médias découvriront que je suis... un Dante, et que nous avons été frappés par l'Inferno, ils n'auront plus d'autre choix que de le croire. Surtout si la famille de mon père soutient officiellement notre union.

Elle n'en revenait pas.

— Tu vas tout dire ? Je pensais que tu ne voulais

pas qu'on apprenne ton lien avec eux. Je pensais que tu méprisais les Dante.

Pourquoi l'idée qu'il révèle leur parenté au reste du monde l'emplissait-elle d'appréhension ?

Il leva les yeux vers elle, le regard voilé d'amertume.

— Je les méprise. Mais ça expliquera la rapidité de notre mariage.

Elle n'aimait pas son plan. Ni l'impact qu'il avait sur lui. Il était trop touché.

— Je ne comprends toujours pas, insista-t-elle, mal à l'aise. En quoi annoncer ta relation avec eux explique-t-elle cette hâte à nous marier et comment rendra-t-elle ce mariage acceptable ? Cette légende d'Inferno a-t-elle tellement d'importance ? Et surtout, pourquoi doit-on précipiter ce mariage au lieu d'attendre quelques mois, comme prévu ?

Avec un soupir, il écarta ses dossiers.

— J'oublie toujours que tu étais à l'étranger ces cinq dernières années.

Perplexe, elle le dévisagea.

— Que s'est-il passé pendant ces années ?

— L'Inferno, voilà ce qui s'est passé. Cette absurdité est devenue publique il y a quelques années quand un des fils de mon père, Marco, a monté une sorte d'événement médiatique pour prouver que sa femme pouvait le distinguer de son jumeau, même les yeux bandés, grâce à l'Inferno. A peu près toutes les feuilles de chou des environs en ont parlé, et même certains journaux respectables. Si j'annonce publiquement que je suis un Dante et que j'admets que l'Inferno nous a frappés lors de notre première rencontre, personne ne mettra en doute la rapidité ni le bien-fondé de notre mariage, surtout si nous sommes épaulés par les Dante.

— Les Dante vont nous soutenir ?

Si c'était le cas, cela ne pouvait signifier qu'une chose : il les avait approchés. Il leur avait demandé un service.

— Oui, répondit-il. C'est pour cette raison qu'on se marie à San Francisco. Pour que les Dante puissent peser du poids de leur nom.

Elle comprit alors ce que cela avait dû lui coûter. Elle mesura aussi toute l'étendue de sa propre responsabilité. C'est elle qui lui avait proposé ce pacte insensé. Et c'est sa grand-mère qui avait mis un mariage potentiel sur la table en promettant de leur offrir le Heart's Desire en cadeau de noces. Ses actes, ainsi que ceux de Matilda, l'avaient acculé à cette décision, et elle en avait le cœur brisé. Il s'était sacrifié pour elle. Pour leur mariage. Et elle avait l'étrange sentiment que ce n'était pas uniquement pour le Heart's Desire. Pour une raison obscure, sa décision de précipiter leur mariage et d'impliquer les Dante avait un rapport avec ce qui s'était passé entre eux au lit la veille. Elle devait à tout prix découvrir la raison de cette hâte.

— Oh ! Gabe, murmura-t-elle. Tu n'as pas fait ça. Tu n'as pas sollicité les Dante ?

— C'était le seul moyen, répliqua-t-il, la bouche dure.

— Non. Ce n'est pas le seul moyen. On peut attendre, comme on l'avait prévu. Attendre de voir si Gam change d'avis. Gabe, s'il te plaît, ne fais pas ça, sauf si tu t'en sers de prétexte pour entamer une sorte de réconciliation avec la famille de ton père.

Il retourna à ses papiers, même s'il les feuilletait bien trop rapidement pour être réellement absorbé par ce qu'il lisait.

— C'est fait, Kat, déclara-t-il d'un ton définitif. Et il n'y a rien de terrible à cela. Je me suis simplement arrangé pour que les Dante soutiennent notre mariage. Mieux, ils s'en chargent. Primo s'occupe pratiquement de toute l'organisation à notre place.

— Est-ce que ton grand-père sera présent à la cérémonie ? demanda-t-elle, s'efforçant de ne pas chanceler devant sa froide indifférence.

Il laissa échapper un rire dur.

— Pas que lui ! La famille tout entière assistera à notre mariage. Tu vas rencontrer les Dante au grand complet, tous ceux qui ont nié mon existence depuis le jour de ma naissance. Et tu vas savoir qui je suis, ce que je suis. D'où je viens. Ce que je rejette. Et surtout, ajouta-t-il avec un regard farouche, ce que je suis heureux de ne jamais être devenu.

Elle laissa ces paroles la submerger comme une vague glacée, puis reculer, consciente qu'il était déterminé à suivre cette ligne de conduite, que rien de ce qu'elle dirait ne l'en dévierait. D'une voix la plus sereine possible, elle demanda alors :

— Et Lucia, elle sera là aussi ? C'est celle que j'ai le plus envie de connaître.

L'indifférence de Gabe disparut, remplacée par un sourire empli de tendre affection.

— Oui. Tu vas rencontrer Lucia.

Puis son sourire disparut.

— Mais je te préviens, elle travaille pour Primo sous une autre identité. Il ignore qui elle est, et je tiens à ce que ça reste le cas. Je ne veux pas qu'elle souffre de nouveau. Elle a suffisamment souffert pour toute une vie.

Voilà qu'il reprenait son rôle de protecteur. En fait, ce rôle était une seconde nature dès qu'il mentionnait sa mère ou sa sœur. Il se comportait même parfois comme cela envers elle.

— Elle travaille pour Primo ? Cela m'étonne, surtout après ce que tu m'as raconté de votre passé.

— Moi aussi, cela m'a étonné. Je ne l'ai découvert que récemment, admit Gabe en haussant les épaules.

Elle réfléchit un instant, puis l'explication s'imposa à elle.

— Elle voulait apprendre à connaître son grand-père, n'est-ce pas ?

C'est alors qu'elle la vit. La blessure. La douleur de ce qu'il considérait comme une trahison. Sa volonté de la dissimuler. Il était comme un lion avec une épine dans la patte — une épine qu'elle pourrait peut-être contribuer à ôter.

— Elle ne partage pas tes sentiments à l'égard des Dante, j'imagine, poursuivit-elle d'un ton léger.

Evidemment, il lut dans son jeu.

— Laisse tomber, Kat.

Elle pressa un peu plus fort sur l'épine, se rendant compte à quel point elle était profondément fichée.

— Ça a dû te faire mal de l'apprendre. Tu as dû le ressentir comme une forme de trahison.

— Qu'est-ce que tu ne comprends pas dans « laisse tomber », Kat ?

Mais il était impossible pour elle d'obtempérer.

— Gabe, je suis sûre que Lucia n'avait pas l'intention de te heurter. Ni de donner l'impression que tu ne lui suffisais pas. C'est naturel qu'elle soit curieuse de connaître sa famille.

L'épine sortit d'un coup, provoquant un rugissement chez le lion, qui l'attaqua, toutes griffes dehors.

— Voyons si ceci te fait taire !

Se levant de son siège, il s'approcha, la prit dans ses bras puis s'empara de sa bouche avec fougue. Une fougue qui libéra toute sa colère. S'il pensait l'intimider ainsi, il se trompait. Elle lui rendit baiser sur baiser. Seigneur, comme elle le désirait ! Elle le désirait au moins autant qu'avant qu'ils fassent l'amour. Peut-être plus, puisqu'elle savait désormais à quoi s'attendre, en comprenait enfin l'effet. L'effet que cela avait sur eux deux.

— Gabe, s'il te plaît, gémit-elle en semant des baisers frénétiques le long de sa mâchoire.

— Tu veux que j'arrête ? grommela-t-il en retour. Je ne crois pas en être capable.

— Je ne veux pas que tu arrêtes. Je veux que tu me fasses l'amour.

— L'amour, répéta-t-il, fermant les yeux avant de la serrer contre lui, sans plus l'embrasser. N'emploie pas ce terme. Sans vouloir te faire de peine, il n'est pas question que tu transformes ce qui se passe entre nous en quelque chose qui n'en est pas. Il ne s'agit pas d'amour mais de sexe.

— Ou de l'Inferno ?

A sa grande surprise, il ne répliqua pas immédiatement. Mais poussa un soupir.

— Quelle importance ? Je sais seulement que ça ne durera pas. Il faut que tu le comprennes.

— Quel rapport avec la rapidité de notre mariage ?

Il baissa les yeux vers elle, et pour la première fois elle vit ses défenses se fissurer.

— Parce que je n'ai pas arrêté quand tu me l'as demandé, répondit-il de manière plutôt énigmatique.

Déconcertée, elle fronça les sourcils.

— Je ne t'ai pas demandé d'arrêter.

Son expression s'adoucit, et il replaça une boucle de ses cheveux derrière son oreille.

— Le préservatif, lui rappela-t-il. Il s'est enlevé, mon ange. Tu m'as dit que tu ne l'avais pas bien mis et tu as essayé de m'arrêter. Je croyais que tu plaisantais. Mais ce n'était pas le cas.

Sa confusion laissa place à l'horreur.

— Tu penses, tu…, bégaya-t-elle, cherchant son souffle. Tu penses que je suis enceinte ?

7

Gabe hocha la tête.

— Il est en effet tout à fait possible que tu sois enceinte. Alors autant se marier sans trop attendre, surtout si tu veux te réconcilier avec ta grand-mère. Tu commences tout juste à renouer avec elle. Mieux vaut qu'elle pense qu'on se marie à cause de l'Inferno plutôt qu'elle soupçonne un mariage forcé.

C'est à peine si elle l'entendait. L'éventualité d'une grossesse annihilait toute pensée dans son esprit, sauf une. *Enceinte. Un bébé. Le bébé de Gabe.* La simple pensée qu'elle puisse porter son enfant lui donnait le vertige. Des images surgirent. Un fils aux cheveux de jais et aux yeux dorés. Un bébé tétant son sein. Gabe berçant un enfant qu'ils avaient créé. Gabe, l'Inferno consumé, pris dans un piège qu'elle-même avait ourdi.

Non, elle ne pouvait pas lui faire ça.

Elle se dégagea de son étreinte.

— Non, c'est impossible. Je ne suis pas enceinte. Pas après une unique fois.

Il se contenta de hausser un sourcil devant l'absurdité de sa remarque.

— Bon, d'accord, admit-elle. C'est une possibilité. Mais infime, n'est-ce pas ?

Malgré elle, ses mains fourragèrent dans ses cheveux,

détruisant la torsade sur sa nuque, finissant ce que Gabe avait commencé.

— Si tu le dis, répliqua-t-il. Mais je n'ai pas envie de prendre le risque. On doit se marier de toute façon, si je veux récupérer le Heart's Desire. Cela nous contraint simplement à mettre un terme à nos fiançailles un peu plus tôt que prévu.

— On n'est même pas fiancés officiellement. Et puis tu ne m'as même pas demandée en mariage. Pas vraiment. En fait, c'est moi qui ai fait toutes les propositions.

Consciente que sa voix montait dans les aigus, elle inspira profondément, s'efforçant de recouvrer son sang-froid.

— Oh ! Gabe ! Qu'est-ce qu'on va faire ?

— Y aller étape par étape.

Le calme qu'il affichait l'aida à se ressaisir.

— La première étant de se marier, souffla-t-elle.

Il éclata de rire, un rire sans humour.

— Faux. La première étape, c'est gérer les Dante et la préparation de notre mariage.

— Et c'est désagréable ? demanda-t-elle nerveusement.

Il hésita un instant.

— Disons que c'est compliqué.

Elle découvrit très vite ce à quoi il faisait allusion, une fois à l'aéroport, où les attendait une limousine avec Primo à son bord. Il tirait sur un cigare odorant, rejetant des volutes de fumée qui vrillaient les nerfs.

Après avoir été présenté à Matilda, il se tourna vers Kat. Sa ressemblance avec Gabe était étonnante, songea celle-ci. Mais elle n'eut guère le temps d'y réfléchir davantage, prise de court par l'accueil enthousiaste qu'il lui réserva. Heureusement, ses années passées en Italie l'avaient habituée à l'exubérance de ses habitants, et elle retourna l'accolade avec une générosité naturelle.

— C'est un plaisir de vous rencontrer, assura-t-elle.

— Le plaisir est réciproque, s'exclama-t-il avant de la tenir à bout de bras afin de bien la regarder. Alors, tu es l'âme sœur que l'Inferno a désignée pour mon petit-fils Gabriel. L'Inferno s'est montré extrêmement généreux dans son choix.

Elle ne put s'empêcher de rougir.

— Merci.

Puis le vieil homme adressa à Gabe un large sourire.

— Tu ne salues pas ton *nonno* ?

A la surprise de Kat, Gabe s'approcha pour serrer son grand-père dans ses bras. Elle vit presque la nervosité de Primo s'évaporer sous l'accolade.

— Merci de nous accueillir. Et de vous occuper de l'organisation du mariage.

— C'est un plaisir de le faire pour vous. Je suis heureux d'en avoir l'occasion. Allez, poursuivit Primo en claquant dans le dos de Gabe. Viens faire la connaissance de Nonna.

Complication numéro un, comprit Kat. Ils furent poussés vers la voiture. Primo insista pour que Matilda s'asseye près de lui et Gabe et Kat en face d'eux. Elle fut impressionnée par la gentillesse qu'il témoignait à sa grand-mère, plaisantant mais toujours très respectueux, en dépit du fait qu'ils avaient sensiblement le même âge. Peut-être Gabe l'avait-il prévenu de sa santé fragile. Matilda insista pour qu'on la dépose à leur hôtel, Le Premier. Après l'avoir installée dans sa chambre, ils continuèrent à travers les rues bondées en direction du Golden Gate Bridge et de la maison de Primo, à Sausalito.

— Qui sera là-bas ? demanda soudain Gabe.

— Juste Nonna, pour le moment, dit aussitôt Primo pour le rassurer. On ne va pas t'infliger tes innombrables frères, cousins, cousines, neveux et nièces avant la cérémonie. Mais je te préviens, ta grand-mère ne se réjouit pas de cette rencontre. Contrairement à ton Primo, qui est ravi que tu retrouves la famille dont tu fais partie. Elle est davantage comme toi, Gabriel. Pas convaincue de la nécessité de reconnaître ce lien.

— Pourquoi la forcer, alors ?

La voix de Gabe était empreinte de fierté.

— Parce que tu es le fils de mon fils, répondit simplement Primo. Donc le fils de son fils. Elle le verra dès qu'elle posera les yeux sur toi. Elle verra son fils réincarné en toi, et ses réserves se dissiperont aussi vite que la brume matinale.

— Je ne suis pas comme Dominic. Et je ne deviendrai pas non plus une sorte de substitut de lui.

— Non, admit Primo avec une pointe de tristesse. Tu ne le remplaceras jamais.

Puis il changea de sujet, offrant à Kat une visite guidée de la ville qu'ils traversaient. Finalement, ils atteignirent le port et ses boutiques branchées, et suivirent une route qui serpentait à flanc de colline. La voiture les laissa devant le grand portail de bois d'une vaste maison donnant sur Angel Island et le Belvédère. Primo ouvrit le portail, puis les fit entrer dans un immense jardin en hibernation. Kat vit néanmoins qu'il serait spectaculaire au printemps. Pour remplacer les fleurs, on l'avait décoré de guirlandes électriques, de houx, de couronnes et de boules de Noël. C'était ravissant.

— Bienvenue chez moi, dit Primo. Le soir, c'est très beau. Ni trop ni pas assez. Juste ce qu'il faut, *capito ?*

La fierté faisait chanter l'accent toscan dans sa voix. Comme Gabe gardait le silence, Kat répondit pour eux deux.

— Je suis sûre que c'est magnifique.

Elle décocha un regard à l'homme qui serait bientôt son mari, tentée de lui donner un petit coup de coude, et se rendit compte de son erreur. Ce n'était pas l'impolitesse qui le rendait silencieux mais le respect. Il fixait toute son attention sur une femme assise devant une table en fer forgé, à l'abri d'un vieux chêne. Leur échange muet en disait long, et la tension devint palpable.

Sans paraître prendre conscience de la tension qui régnait, Primo sourit d'allégresse.

— Ah, voici Nonna, qui nous attend avec du chocolat chaud ! Regarde, mon garçon. N'est-elle pas la plus belle femme du monde ? Je n'ai jamais rencontré personne qui illumine mon cœur et le fasse danser aussi joyeusement. Mais j'imagine que c'est ce que tu as découvert avec ta Katerina, pas vrai ?

Il répondit en prenant la main de Kat dans la sienne.

— Votre femme est superbe, Primo.

Puis il baissa les yeux vers Kat.

— Elle paraît aussi terrorisée, murmura-t-il d'un air inquiet. Du moins, quand elle ne me regarde pas.

— Je suis certaine que tu sauras l'apprivoiser, répliqua Kat à voix basse. La rassurer. La protéger contre la douleur.

La main de Gabe tressaillit dans la sienne.

— La protéger ? répéta-t-il.

Elle ne put retenir un sourire.

— N'est-ce pas ce que tu fais ? N'est-ce pas ce que tu as toujours fait ?

— Je m'y efforce, mais…

— Elle est en colère contre son fils, pas contre toi, chuchota Kat. Et elle a peur, parce qu'elle ne sait pas comment maîtriser cette situation. Elle a peur que tu fasses du mal à sa famille. Elle a juste besoin de savoir que tu n'as aucune intention de les heurter. Ce qui est vrai, n'est-ce pas ?

— Ça dépend.

— Gabe. Je sais ce que ça fait de perdre sa famille, d'être à la dérive et seul. De n'avoir personne. Absolument personne. Je donnerais n'importe quoi pour que ma grand-mère revienne dans ma vie. Tu as cette chance, ici et maintenant. Je t'en supplie, ne la laisse pas passer.

Elle avait l'impression que les mots lui étaient arrachés, chargés d'une intense douleur.

Ils n'eurent pas le loisir de continuer la discussion. Primo les poussa en avant. Il avait remarqué la tension entre sa femme et son petit-fils, et il tirait nerveusement sur son cigare. Devant le regard désapprobateur de Nonna, il le retira de sa bouche en grognant et l'enfouit dans la terre grasse.

— Comment ai-je pu oublier ? grommela-t-il. Je dois être aussi inquiet que ma Nonna semble l'être.

— On en reparlera plus tard, mon bonhomme, l'avertit sèchement Nonna. Quand on sera seuls et que je ne te déshonorerai pas devant…

Elle s'interrompit, sans doute incapable de les définir. Famille ? Amis ? Plus vraisemblablement, ennemis.

— Voici Gabriel, déclara vivement Primo. Et sa future femme, Katerina Malloy.

Nonna inclina avec grâce sa tête neigeuse, toujours hostile, tout en les inspectant de ses yeux noisette. Ils contenaient de la colère, mais également du rejet. Pourtant, Kat y lut aussi un étonnant désarroi, un chagrin qui creusait les lignes de son visage aux traits fins, lequel lui conférait une beauté qu'elle garderait indubitablement jusqu'à sa mort. Puis Nonna tourna toute la puissance de ce regard vers Gabe, et sa bouche se serra, mais pas sous l'effet de la colère, comme le comprit Kat. Au contraire, elle essayait d'empêcher ses lèvres de trembler. Et, comme pour le confirmer, des larmes embuèrent ses yeux avant de rouler lentement sur ses joues.

C'en était trop pour Gabe. S'écartant de Kat, il se jeta à genoux devant sa grand-mère et prit délicatement ses mains dans les siennes.

— Ne pleurez pas, murmura-t-il. Si ma présence vous cause autant de peine, je m'en vais. J'ai eu tort de venir. De vous demander cette faveur.

— Chut, *nipote*…

Nonna libéra ses mains pour prendre le visage de Gabe et le lever vers elle. Puis elle l'embrassa.

— Pardonne une vieille femme stupide qui croyait que, puisque Dominic a mal agi, ce qu'il a créé serait mauvais aussi. Si j'avais regardé avec mon cœur et non avec ma tête, je l'aurais vu, car j'ai toujours su voir. Voir ce que les autres ne peuvent pas ou ne veulent pas voir.

Gabe ferma les yeux, luttant de toutes ses forces contre l'émotion qui le submergeait. Mais c'était peine perdue. Ses barrières tombaient sous le regard compatissant de sa grand-mère.

— Vous devez savoir que je le méprise pour ce qu'il a fait à ma mère, confessa-t-il. A ma propre famille et…

— Chut ! répéta-t-elle. Comment aurais-tu pu éprouver autre chose, quand tu n'as jamais eu l'occasion de le connaître comme un fils doit connaître son père ?

Mais maintenant tu nous as trouvés. Enfin, tu es venu pour devenir un des nôtres. Un Dante.

Il secoua la tête.

— Non. Je ne le suis pas. Je ne serai jamais un Dante.

Elle éclata de rire, un rire chaleureux, lumineux, qui éloignait le froid vif et âpre de l'hiver.

— Tu es tellement illogique. Comment peux-tu ne pas être ce que tu as toujours été ?

— Je suis un Moretti, affirma Gabe d'un ton ferme. Et je suis la personne la plus logique de la Terre.

— Pff ! fit Nonna. Et ces Moretti, t'ont-ils accueilli au sein de leur famille ? Ils ont subvenu à tes besoins à la place des Dante ?

Il ne répondit pas tout de suite, pas avant qu'elle lui pince la joue, lui donnant l'impression d'être un gamin.

— Non, admit-il. La famille de ma mère l'a reniée en apprenant qu'elle était enceinte sans être mariée.

De nouvelles larmes perlèrent au coin des yeux de la vieille dame, et sa voix se teinta d'une détermination farouche.

— Mon pauvre enfant. Peu importe. Après toutes ces années, nous t'avons enfin trouvé, Gabriel. Et jamais nous ne renierons ce qui fait partie de nous.

Il se raidit. Elle venait de toucher le seul point qu'il estimait impardonnable.

— Faux. Vous nous avez tourné le dos après la mort de Dominic. Vous étiez au courant de notre existence, mais vous avez refusé de nous reconnaître. Vous ne nous avez peut-être pas reniés, mais vous nous avez rejetés.

Nonna jeta un regard alarmé en direction de Primo.

— C'est vrai ? Tu savais pour Gabriel depuis la mort de notre Dominic ?

— Quoi ? protesta-t-il en s'approchant de Gabe. De

quoi parles-tu ? Tu penses qu'on vous a tourné le dos ?
Qui t'a raconté pareil mensonge ?

Gabe hésita, peu désireux d'envenimer encore leur
échange. Il jeta un coup d'œil à Kat, qui l'encouragea
d'un signe de tête. L'heure de l'honnêteté était venue.

— Il nous a dit que vous saviez. Mon… mon père.
Et que vous ne vouliez rien avoir à faire avec nous.

Il fallut un instant pour que ses propos fassent leur
chemin. Puis Nonna se pencha en avant, les joues
baignées de larmes.

— Oh ! Dominic, qu'as-tu fait ? Pourquoi nous
l'avoir caché ? Ton fils était innocent. Il avait besoin
de sa Nonna et de son Primo, et tu ne nous as jamais
parlé de lui !

Incapable de se retenir, Gabe prit sa grand-mère
dans ses bras et la tint contre lui, sans un mot. Puis il
sentit les bras de son grand-père les entourer tous les
deux avec force. Ce n'était plus la peine de se demander
s'il *devait* ou non être des leurs. A cet instant, il sut la
vérité. Il *était* l'un d'eux.

Une seule personne restait en dehors du cercle.
Il se tourna vers Kat, lui tendit la main. Elle tenta
d'échapper à son étreinte, et il comprenait pourquoi.
Elle se considérait comme une étrangère. Mais il n'en
était pas question. Elle avait autant besoin d'une famille
que lui. Aussi, outrepassant son refus muet, il l'attira à
eux. Le cercle s'agrandit, se compléta. Ils étaient liés
d'une manière inexplicable, unis dans le chagrin et la
perte, et pourtant trouvés. Acceptés. Aimés.

Lorsqu'ils se séparèrent, ce fut sans la moindre gêne.
Pour ses grands-parents, tout cela était naturel.

— Bon, fit Primo. Voilà, c'est fait. Tu es des nôtres.

Gabe les regarda tous les deux avec intensité.

— Vous n'étiez vraiment pas au courant de mon existence ?

— Je ne l'ai apprise que très récemment. Ta cousine Gianna m'a dit être tombée sur toi quand elle se trouvait à Seattle, et qu'elle a été frappée par ta ressemblance avec Severo. On savait que Dominic avait eu une liaison avec ta mère, mais on n'a jamais pensé qu'elle ait pu être enceinte. J'ai commencé à faire des recherches quand Gianna m'a parlé de votre rencontre.

— La famille compte plus que tout pour nous, renchérit Nonna. Jamais on ne t'aurait tourné le dos si Dominic nous avait parlé de toi.

Gabe sut qu'elle disait vrai et hocha la tête.

— Merci.

Primo vint se placer près de sa femme. Ils offraient tous les deux un front uni.

— La voiture va te conduire auprès de mon assistante. Lucia s'est portée volontaire pour organiser votre mariage. Elle t'aidera à obtenir la licence, puis emmènera ta fiancée choisir une robe de mariée. Quant à Sev, il a accepté de te retrouver à la boutique Dante Exclusive pour les alliances. Ça te convient ? ajouta-t-il avec un sourire hésitant.

— Sev va me rencontrer ?

Malgré sa furieuse envie de refuser, il ne le pouvait pas. Pas sous le regard anxieux de sa grand-mère. Ils faisaient leur possible pour lui tendre les bras. Le minimum était qu'il fasse lui aussi sa part du chemin. D'autant que c'était lui qui les avait contactés.

— Bien sûr. Pas de problème. On était amenés à se retrouver un jour en face à face.

— Ce ne sera facile pour aucun de vous deux, déclara Primo. Mais il est plus que temps que vous

vous rencontriez comme frères. Essaie de te souvenir que, comme toi, il est une victime. Et qu'il ressent la trahison de Dominic envers sa mère aussi vivement que toi envers la tienne.

Gabe saisit la main de Kat, et le contact de ses doigts fins et tièdes lui procura un réconfort inattendu.

— Il y a pourtant une différence, objecta-t-il. Depuis le jour de sa naissance, il porte le nom de Dante. Pas moi.

Kat fut enthousiasmée par Lucia dès qu'elle la vit. Alors que son frère dissimulait ses émotions sous un calme froid — exception faite d'explosions volcaniques occasionnelles —, Lucia était incapable de cacher ses pensées et ses sentiments : on lisait sur son visage comme dans un livre ouvert.

Elle fut touchée de les voir ensemble, de mesurer leur complicité, comme lorsqu'ils firent leur geste de ralliement secret.

— C'était notre signe de ralliement, expliqua Lucia par la suite. Une sorte de code muet pour indiquer qu'on est là et qu'on s'aime. Qu'on se soutient mutuellement.

Obtenir la licence de mariage fut une simple formalité, même s'il apparut bientôt que Primo avait fait jouer ses relations de manière à accélérer les choses. Le seul moment délicat se produisit lorsque Gabe lut l'état civil de Kat.

— C'est ta date de naissance ? demanda-t-il d'une drôle de voix.

— Oui. J'aurai vingt-cinq ans dans deux mois. Pourquoi ?

— Tu n'avais que vingt ans quand…

Elle apprécia qu'il ne termine pas sa phrase devant Lucia, qui avait dressé l'oreille.

— J'en avais dix-neuf. Qu'est-ce que tu imaginais ?

— Je ne m'étais pas rendu compte que Jessa était à ce point plus âgée que toi.

Elle lui décocha un regard en coin.

— Elle était bien plus âgée que nous deux.

Il secoua aussitôt la tête.

— Ça ne tient pas debout. Elle m'a dit que… On devrait remettre cette discussion à plus tard.

— Quel est le problème ? Après tout, ça ne change rien.

Pour une fois, il n'avait pas de réponse. Lorsqu'ils en eurent terminé avec la paperasse, ils se séparèrent, Gabe en direction de Dante Exclusive, tandis que Lucia prenait la tête de leur expédition shopping. Son exubérance naturelle avait disparu, et Kat se demanda si elle avait fini par comprendre qui son frère épousait — ou plutôt, ce dont elle avait été accusée cinq ans auparavant.

Bien entendu, la jeune femme aborda le sujet, d'un ton sec.

— Tu es la cousine de Jessa, n'est-ce pas ?

— Oui.

Kat ne prit pas la peine de développer. Toute explication semblait inutile. Lucia se mordit la lèvre inférieure, hésitant visiblement à exprimer le fond de sa pensée.

— Vas-y, lança-t-elle. Dis ce que tu as sur le cœur.

Prenant une grande inspiration, Lucia se jeta à l'eau.

— D'accord. Je détestais ta cousine. Je sais qu'il ne faut pas dire du mal des morts, mais j'ai toujours pensé qu'elle ne convenait pas du tout à Gabe. Si elle n'était pas décédée dans cet accident de voiture, ils auraient divorcé. Je le garantis.

— Ah !

Ce fut tout ce que Kat parvint à articuler avant que Lucia se lance dans un grand discours.

— Et elle aurait mis mon frère sur la paille avant d'en finir avec lui. Encore qu'elle n'aurait même pas eu besoin de le faire. Il lui aurait sûrement donné tout ce qu'elle réclamait pour se débarrasser d'elle. Bon, reprit-elle avec une grimace. Peut-être pas tout. Il aurait fait n'importe quoi en son pouvoir pour récupérer le collier de maman, à supposer que Jessa en hérite. Qu'elle n'aurait d'ailleurs pas lâché facilement. Telle que je la connaissais, elle se serait servie du Heart's Desire pour obtenir ce que son cœur à elle désirait, à savoir la fortune de Gabe. Seigneur, j'espère que tu n'es pas comme elle ! ajouta-t-elle avec un regard féroce. Parce que si c'est le cas, cette fois, je ne me retiendrai pas.

Il fallut à Kat un moment pour digérer le flot d'informations.

— Gabe et moi, déclara-t-elle, nous nous marions afin qu'il puisse avoir le Heart's Desire et que je puisse me réconcilier avec ma grand-mère. C'est un mariage temporaire.

— Oh ! fit Lucia en haussant un sourcil. Dans ce cas, vous faites fausse route tous les deux.

— Comment ça ?

— Tu ne vois pas ? Comment peut-il s'agir d'un arrangement quand il est évident que vous êtes fous l'un de l'autre ?

Lucia ponctua son propos d'un immense sourire. Elle et Kat devinrent alors les meilleures amies du monde. C'était tout à la fois étrange et bon. Jamais personne ne l'avait traitée avec une affection aussi immédiate et spontanée. Auparavant, pour Kat, il y avait toujours eu des barrières, même durant son séjour en Italie. Des barrières qu'elle avait édifiées elle-même. Après le scandale, elle s'était montrée d'une prudence extrême, refusant de se confier à qui que ce soit, de crainte qu'on la blesse comme Jessa l'avait fait. Mais Lucia savait balayer toutes ses craintes et la mettre en confiance. Et Kat ne doutait pas une seconde que Lucia saurait garder ses secrets.

— On a du pain sur la planche, déclara Lucia dans la première boutique, énumérant sur ses doigts. La robe de mariée, bien sûr. Le voile. La lingerie. Des chaussures. Une petite chose sexy pour ta nuit de noces. Et quelques tenues supplémentaires en prime, pour la peine.

— Je n'ai pas besoin de tenues supplémentaires.

Lucia jeta un coup d'œil admiratif à sa robe.

— Probablement pas, mais on ne va pas s'en priver ? Et, une fois qu'on aura choisi ta robe de mariée, je saurai quelles fleurs je dois commander.

— J'entends déjà gémir ma carte de crédit.

— Ne sois pas ridicule, protesta Lucia. Les Dante paient tout.

— Ah non, sûrement pas ! Je ne le permettrai pas. Et Gabe non plus, je le garantis.

— Impossible de refuser. Tu briserais le cœur de Primo.

— J'ai bien peur qu'il doive vivre avec un cœur brisé, rétorqua Kat d'un ton sans réplique. Qui guérira, d'ailleurs.

Mais sa fermeté laissa Lucia de marbre. Elle balaya ses propos d'un revers de la main.

— Tu ne comprends pas. Il ne sera pas déçu, il sera offensé. Et si tu offenses Primo tu offenses tous les Dante. C'est culturel, ajouta-t-elle avec un haussement d'épaule désinvolte. En Italie, si tu offenses quelqu'un, tu offenses toute sa famille.

Après cinq ans en Italie, voilà quelque chose qu'elle aurait dû anticiper !

— Ça ne plaira pas à Gabe.

— Gabe devra apprendre à vivre avec son déplaisir, surtout compte tenu de son prochain rendez-vous. Sa rencontre avec Sev ne sera pas facile. Mon demi-frère a un problème avec ma mère, et avec Gabe en particulier.

— Pourquoi Gabe en particulier ?

Lucia hésita, tandis qu'une profonde tristesse se lisait sur son visage.

— Je suppose qu'il en aurait avec nous deux s'il connaissait mon existence.

Puis elle feignit d'accorder toute son attention au présentoir de robes de mariées.

— Lucia ? insista gentiment Kat.

— Je crois que c'est à cause de l'Inferno, confessa-t-elle.

— Je crains de ne pas comprendre...

Lucia la regarda, ses yeux pervenche assombris d'une infinie douleur.

— Si Cara Moretti était l'âme sœur de Dominic désignée par l'Inferno...

Il ne fallut que quelques secondes à Kat pour tirer la conclusion logique qui s'imposait.

— Quel était alors le statut de la mère de Severo ?

— Exact. Elle n'était pas l'âme sœur de Dominic. Raison pour laquelle je ne pourrai jamais avoir de relation constructive avec mes demi-frères. Comment dépasser le fait que Dominic n'ait jamais aimé leur mère d'un amour sincère ?

Le chauffeur de Primo déposa Gabe près de l'Embarcadère, au cœur du quartier financier. Il s'avança vers une porte de verre gravée des initiales DE, s'annonça à l'Interphone. La porte s'ouvrit, et il entra chez Dante Exclusive.

Si l'extérieur semblait modeste, ce n'était pas le cas de l'intérieur. Un luxe raffiné s'affichait dès la réception, et ce raffinement se déclinait jusque dans le costume de l'employé qui l'accueillit. L'homme eut un mouvement de surprise en voyant Gabe, sans doute en raison de sa ressemblance avec Sev. Puis il le salua poliment et l'escorta vers un ascenseur qui le mena directement au dernier étage.

Il était attendu. Ses pieds foulèrent l'épaisse moquette gris tourterelle d'une pièce très vaste, à l'atmosphère à la fois opulente et intime.

L'employé désigna un bar au fond de la pièce.

— Puis-je vous offrir un verre ?

— Non, merci, répondit Gabe.

Pourtant, il aurait tué pour en avoir un. Mais qu'il soit damné s'il acceptait quoi que ce soit de plus des Dante.

— Monsieur Dante sera là dans un instant, l'avertit l'employé avant de le laisser seul.

Gabe arpenta les lieux, auxquels plantes vertes et bouquets sophistiqués donnaient une touche de chaleur. Dans la pièce, des divans recouverts de tissu rayé gris et blanc, ainsi que des chaises à l'assise de soie rouge rubis, faisaient face à des tables basses de verre. Les tables étaient un peu plus hautes que la normale et surmontées de spots qui projetaient sur chacune des cercles de lumière éblouissante, laissant les sièges dans une ombre douce. Elles avaient sûrement été spéciale-ment dessinées pour mettre en valeur les fabuleux bijoux que Dante proposait à sa clientèle la plus exclusive.

Une porte s'ouvrit, et un homme entra dans la pièce. Gabe sut immédiatement qu'il s'agissait de Severo Dante. D'après la réaction de Gianna lorsqu'elle l'avait rencontré, ainsi que celle de l'employé quelques instants plus tôt, il s'attendait à ce que tous deux se ressemblent assez. Mais pas au point d'avoir l'impression de se trouver face à son jumeau. Sev posa sur lui un regard tout aussi médusé, puis se dirigea vers le bar, où il remplit deux verres d'un liquide ambré. Il s'approcha en lui en tendant un.

— M'est avis que tu as autant besoin de ça que moi ! déclara-t-il.

— Effectivement, avoua Gabe.

Tous deux burent une généreuse gorgée de whisky, tout en continuant de s'observer avec une antipathie non dissimulée.

— Alors, qui tire le premier ? demanda enfin Sev.

La question contenait une indéniable inflexion de défi, que Gabe n'hésita pas à relever.

— Moi. Pour commencer, sache que si j'avais eu le choix j'aurais préféré ne jamais rencontrer aucun de vous. Je ne veux rien de vous.

— Pourtant, te voilà, attendant de nous que l'on te reconnaisse, riposta Sev. Drôle de façon de ne rien vouloir.

Gabe serra les dents.

— D'accord. Je veux quelque chose.

— Et, pour ta gouverne, sache que si Primo n'avait

pas insisté sur la nécessité de ma présence ici moi aussi j'aurais préféré ne jamais te rencontrer. En outre, poursuivit Sev avec un semblant de sourire, pour que tout soit parfaitement clair entre nous, je peux t'affirmer que non seulement je ne veux rien de toi mais je n'accepterais rien non plus quand bien même je serais sur mon lit de mort et que mon seul espoir de salut serait entre tes mains.

Gabe lui jeta un regard fier.

— Tu vois, c'est là qu'on diffère. Moi, je l'accepterais. Mais en m'assurant de trouver le moyen de te faire souffrir de ta générosité.

— Excellente idée, rétorqua Sev d'un ton provocateur. Etant donné que c'est toi qui as besoin de ce que j'ai, voyons si je peux te faire souffrir avant de te le donner.

Un silence hostile s'installa entre eux, rompu par Gabe.

— D'accord. Je n'ai pas compris un mot de ce qu'on vient de se dire.

— Moi non plus, avoua Sev. Mais, à mon avis, on essayait tous les deux d'exprimer notre mépris mutuel et notre envie de nuire à l'autre. C'est un bon résumé ?

Ah, parfait ! Une négociation. Ce terrain familier l'aida à reprendre contenance.

— Je crois qu'on sait désormais ce qu'on pense l'un de l'autre. Alors entrons dans le vif du sujet, si tu veux bien.

— Un autre verre ?

— Volontiers.

Sev remplit leur verre, tout en étudiant Gabe.

— Puisque nous étions tous satisfaits de ne pas avoir à nous préoccuper de l'existence de l'autre, pourquoi cette démarche aujourd'hui ? Qu'est-ce qui a changé ?

Gabe frotta le creux de sa paume.

— Sans ce maudit Inferno, je ne serai pas ici. Mais si je veux protéger Kat, je n'ai pas le choix.

— Ta future femme ? Vous avez expérimenté l'Inferno la première fois que vous vous êtes touchés ? demanda Sev, une lueur ironique dans les yeux.

— Oui.

— Et en quoi cela t'aidera que les Dante reconnaissent le… lien ?

— Faute d'un meilleur terme, dit platement Gabe.

— Tu en préfères un autre ? Parfait. Qu'est-ce que tu penses de *bâtard* ? C'est mieux ?

Gabe haussa les épaules. Il l'avait si souvent entendu à son propos que le mot n'avait plus le pouvoir de le blesser. Depuis bien des années, il avait appris à assumer ce qu'il était. A accepter son illégitimité, contrairement à sa mère et à sa sœur.

— Tu crois que me traiter de bâtard change quoi que ce soit ? Apprends, mon cher Sev, que je *suis* un bâtard. Et tu sais pourquoi ? Car c'est ce que notre père a fait de moi.

— Comme si je ne le savais pas, riposta Sev. Pas un jour ne se passe sans que je sois conscient de ton existence et de ce qu'elle implique.

— Oh ! navré pour toi, mon pauvre vieux. Devoir vivre avec le fait que tu as un frère bâtard. Mets-toi un peu à ma place, juste une fois.

— Ça suffit ! C'est toi qui fais irruption sur le territoire des Dante. C'est toi qui attends quelque chose de nous…

Gabe vit rouge. Pivotant sur les talons, il lança son verre contre le mur le plus proche. Le verre explosa dans un cliquetis, projetant éclats de cristal et liquide ambré sur les murs et le sol immaculés. Le whisky coula lentement, comme s'il pleurait des larmes amères.

Gabe inspira profondément, estomaqué d'avoir perdu son sang-froid. Il bouillait de rage, plus près du bord de l'abîme qu'il ne se souvenait l'avoir jamais été, où il savait qu'un seul mot funeste suffirait à le faire basculer.

Il se tourna vers Severo.

— Je ne suis pas ici pour moi. Je ne veux rien de toi, de vous. Je suis ici pour Kat. Pour la protéger. En ce qui me concerne, tu peux garder ton nom et te le mettre où je pense.

— Jaloux ?

8

Cette simple raillerie pulvérisa des années de déni. Comment Sev y était-il parvenu ? Il ne lui avait fallu que deux minutes dans la même pièce que lui pour découvrir son unique faiblesse, transpercer la façade d'acier et atteindre ce qu'elle recouvrait. Ce qu'il s'était acharné à dissimuler. En vain.

Sev avait mis le doigt sur la seule vulnérabilité de Gabe, qu'il avait passé sa vie entière à tenter de nier. Inspirant à fond, il s'obligea à ouvrir cette porte verrouillée et à regarder ce qu'il avait caché derrière. A affronter la réalité d'un point de vue d'adulte, la réalité qu'un enfant avait enfouie tant d'années plus tôt dans son besoin désespéré de la dissimuler au monde entier. Les poings serrés, il regarda Sev droit dans les yeux, laissant libre cours à sa haine. Tout compte fait, que lui importait ce que cet homme pensait de lui, tant qu'il protégeait Kat ? Il lui devait bien ça, après l'avoir condamnée cinq ans plus tôt.

— Oui, je suis jaloux, murmura-t-il, incapable de retenir plus longtemps la douleur qui lui déchirait les entrailles. Tu possèdes ce que ma mère et ma sœur auraient donné n'importe quoi pour avoir. Tu as vécu une vie que nous ne connaîtrons jamais. Tu me reproches de tourner le dos à ce qui m'a été refusé ? De mépriser un homme qui nous a créés, puis laissés tomber ?

— Une sœur ? répéta Sev, désarçonné. Tu as une sœur ?

Il était trop tard pour faire machine arrière.

— Une jumelle, avoua-t-il à contrecœur.

— Primo le sait ?

— Non, pas encore, et je préfère qu'il l'ignore jusqu'à ce qu'elle se sente prête à le lui dire elle-même.

— Est-ce qu'elle… est-ce qu'elle…

Sev s'interrompit en hochant la tête.

Etait-ce bien de la sollicitude qu'il entendait dans la voix de Sev ? Un ton presque protecteur ? Pourquoi Sev éprouverait-il le moindre désir de protection à l'égard de Lucia ? A moins… à moins qu'ils ne se ressemblent tous deux davantage qu'il veuille bien l'admettre.

— Est-ce qu'elle… quoi ? demanda-t-il, méfiant.

— Je veux dire, elle va bien ? Mais bien sûr que non, soupira Sev. Aucun de nous ne peut aller bien dans cette histoire.

— Elle a longtemps été mal, confessa Gabe malgré lui. Mais… elle s'en sort, à sa manière.

Severo garda le silence, puis reprit, avec une grimace :

— J'ai découvert la liaison de papa juste après sa mort. Il y avait des lettres. Jusqu'à récemment je ne savais pas que cette liaison avait donné des enfants.

— Et si tu l'avais su ?

Il n'hésita pas une seconde.

— J'en aurais aussitôt informé Primo. Nonna et lui nous ont emmenés vivre chez eux après la mort de nos parents. Certes, j'étais en fac à l'époque, mais mes frères… Tel que je connais Primo, ajouta-t-il avec un petit sourire, il vous aurait pris aussi, ta sœur et toi.

Nous aurait tous élevés comme une grande famille. Et avait cogné nos têtes les unes contre les autres jusqu'à ce qu'on s'accepte mutuellement.

Gabe lui rendit son sourire, étonné que cela semble si naturel.

— Pour le peu que je connais notre grand-père, je crois que tu as raison.

La mâchoire de Sev se crispa.

— Papa l'adorait, tu sais. Ta mère. Il l'aimait comme jamais il n'a aimé ma mère.

L'aveu sortit presque aussi brutalement que celui de Gabe admettant sa jalousie envers Sev et ses frères.

— Maintenant que tu connais l'Inferno, poursuivit-il, tu comprends peut-être mieux. Mes frères et moi sommes le produit de son mariage. Mais nous n'avons jamais été le produit de son cœur.

— N'empêche qu'il vous a donné son nom, grommela Gabe.

— Exact. Mais son cœur vous appartenait, à toi, à ta sœur et à ta mère. Il semble donc que nous soyons chacun jaloux de ce que l'autre possède, conclut Sev, le regard amer.

Voilà qui remettait étrangement en perspective la façon dont Gabe voyait sa famille, lui-même et les Dante.

— Bon. Qu'est-ce qu'on fait, à présent ?

— Peut-être pourrait-on accepter ce qui ne peut être changé et passer à autre chose. Voir ce qu'on peut modifier à l'avenir.

Sev lui laissa le temps de bien assimiler ses paroles, puis changea délibérément de sujet.

— Dis-moi comment notre nom protégera ta future épouse. Kat, c'est ça ?

— J'ai besoin que les Dante reconnaissent notre parenté pour qu'elle ne soit pas calomniée dans la presse.

— Pourquoi le serait-elle ?

— Elle a été injustement accusée d'avoir une liaison avec le fiancé de sa cousine, Benson Winters. Il était candidat au Sénat à l'époque, précisa Gabe tandis que Sev acquiesçait en entendant ce nom. Elle a été surprise au lit avec lui.

L'expression de Sev se ferma.

— Surprise au lit avec cet homme, mais innocente ? Tu en es certain ?

Malgré la neutralité de son ton, le doute transperçait dans chaque mot.

— Difficile d'avoir une liaison avec un homme quand on n'a jamais couché avec personne.

A la surprise de Gabe, Sev passa illico du doute à l'acceptation.

— Qui l'a accusée ? Et pourquoi l'a-t-il fait ? Et surtout, pourquoi l'as-tu laissé faire ?

Ses yeux étincelaient de colère, accompagnée de cette lueur protectrice qu'il ne connaissait que trop bien. Cette similitude de plus entre eux le déconcerta.

— Parce que le salaud qui l'a accusée c'est moi.

— Toi ?

Les yeux de Sev se plissèrent et, l'espace d'un instant, Gabe eut l'impression qu'il était sur le point de lui administrer la correction qu'il venait de recommander. Apparemment, le côté protecteur venait du côté Dante de la famille.

— Pourquoi ? Pourquoi tu as fait ça ?s'écria-t-il.

— Parce que je l'ai trouvée dans le lit de Winters. Je n'ai pas encore tous les éléments sur ce qui s'est passé. Je ne cherche pas seulement à réparer un tort.

C'est plus compliqué. Il existe des raisons — que je n'ai pas envie d'exposer — à notre besoin que tout le monde accepte notre mariage et le croie authentique.

Sev termina son verre.

— Ce qu'il est, j'imagine. Du moins, si vous avez été touchés par l'Inferno.

Gabe ne prit pas la peine de rectifier. Les Dante découvriraient la vérité sur ce point dès que Kat et lui divorceraient. D'ici là, peut-être obtiendrait-il une explication plus réaliste de ce maudit phénomène.

— Puisque tu mets le sujet sur le tapis…

— Tu t'interroges sur l'Inferno, ajouta Serge Sev en riant.

— J'ai posé la question à Primo, mais…

— Notre grand-père a un avis tranché sur la chose.

— Un avis que je déduis que tu ne partages pas. Pourquoi te prêtes-tu à son jeu ? Pour lui faire plaisir ?

Il était soulagé que Sev ne croie pas à cet absurde conte de fées.

— Tu veux que je te dise que l'Inferno n'est pas réel.

— Il n'est pas réel.

De nouveau, Sev éclata d'un rire franc.

— C'est ce que je pensais jusqu'à ce qu'il me frappe la première fois que Francesca et moi nous sommes touchés. C'est ce que mes frères pensaient jusqu'à ce que ça leur arrive aussi. Comme c'est arrivé à tous nos cousins. Nous l'avons presque tous combattu. Et nous avons tous perdu la bataille. Admets-le, Gabe. Si tu es un Dante, tu es coincé par l'Inferno.

— Je ne suis pas un Dante !

— C'était ce que j'avais prévu de te dire. Et avec les poings. Mais regarde comme on se trompait tous les deux, ajouta Sev d'un ton amer. Tu es un Dante, que ça te plaise ou non. Que ça *nous* plaise ou non.

— Ecoute, peu importe comment tu m'appelles. Une fois que Kat et moi serons mariés, on sortira de vos vies.

— Désolé, mais ce n'est pas si simple. Tu ne peux pas être un Dante par intermittence. C'est tout ou rien. Primo et Nonna ne le permettront pas. J'ai beau détester devoir l'admettre... il semblerait que nous soyons frères.

Alors, Severo lui tendit la main. Gabe la considéra durant d'interminables secondes. Son intuition lui disait que s'il l'acceptait tout changerait. Sa vie ne serait plus jamais la même. Il deviendrait une personne différente. Ce serait accepter ce qu'il avait passé toute son existence à nier. Il n'y aurait plus de retour en arrière possible.

Il regarda dans les yeux de Sev et se vit lui-même. Vit les mêmes yeux mordorés transmis de père en fils depuis des générations. Vit la même passion, la même détermination farouche. Le même désir de protection. Vit des traits sculptés par une vie pleinement vécue, emplie autant de joies que de peines. Il se vit lui-même, dans le bon comme le mauvais.

De nouveau, il regarda la main qui lui était offerte. L'accepter le transformerait à jamais. Il cesserait d'être un Moretti et deviendrait un Dante. Alors, il sut ce qu'il voulait, ce qu'il avait toujours voulu, s'il avait été honnête avec lui-même.

Sans plus hésiter, il prit la main de son frère.

A son réveil le jour de ses noces, Kat découvrit un ciel plombé battu par un vent violent et déversant des trombes d'eau. Debout devant la fenêtre de la suite cinq étoiles que Primo avait insisté pour réserver au Premier, elle lutta contre la déception. La pluie lui faisait penser à des larmes. Et, bien qu'elle prétende ne jamais, jamais pleurer — hormis l'aberrante exception quand Gabe lui avait fait l'amour pour la première fois —, elle en avait pourtant envie en observant le rideau gris et trempé qui recouvrait San Francisco.

Sa grand-mère la rejoignit.

— Il pleuvait aussi le jour de mon mariage.

— Et ça t'a porté malheur ?

Matilda éclata de rire et, pour la première fois depuis cinq ans, il s'accompagna d'une harmonie familière.

— Pas le moins du monde. Ton grand-père et moi ressemblions à deux rats noyés à la fin de la cérémonie. Mais ça s'est terminé… ma foi, par une nuit de noces formidable.

— Gam, je suis désolée. Désolée du mal que je te fais.

— Chut, mon enfant ! Ce n'est pas toi qui devrais t'excuser, mais moi. Tu n'as pas cessé de m'écrire tout le temps où tu as été partie, tu as gardé le contact, alors que j'ai laissé ma fierté prendre le dessus. Je t'ai tenue à l'écart pendant cinq longues années de solitude, au lieu de suivre mon cœur et d'accepter que tu étais jeune, écervelée, et que tu avais commis une terrible erreur. Pardonne-moi s'il me faut un peu de temps pour être la grand-mère que tu mérites. En tout cas, ajouta-t-elle en serrant Kat dans ses bras, souviens-toi toujours que je t'aime, Katerina.

— Moi aussi, je t'aime, Gam. Je ne veux pas te perdre. Pas après t'avoir enfin retrouvée.

Elle enfouit le visage dans le cou de la femme qui avait été sa mère, sa grand-mère et sa confidente, inhala sa senteur familière, un parfum poudré souligné de rose. C'était comme revenir à la maison, même si tout avait changé. Même si elles n'avaient plus jamais la relation qu'elles partageaient autrefois.

Matilda l'embrassa une dernière fois.

— Il reste du temps. J'ai apporté le Heart's Desire. Je pensais que tu pourrais le porter aujourd'hui.

Kat lui adressa un sourire radieux.

— J'adorerais le porter. Cela signifierait tant pour Gabe.

Traversant la pièce, Matilda prit un coffret de velours dans son sac. Une légère hésitation apparut sur son visage.

— Ce mariage… c'est arrivé si vite. Tu… tu aimes Gabriel ? C'est pour cette raison que vous vous mariez ?

Oh ! Seigneur ! Elle ne voulait pas mentir à sa grand-mère, mais n'osa pas lui révéler l'entière vérité.

— Je me rends bien compte que c'est rapide. Mais Gabe t'a expliqué son lien avec les Dante. Et il t'a expliqué ce qu'est l'Inferno ?

Elle ne put s'empêcher de rougir.

— J'avoue que je trouve ce phénomène terriblement romantique, répliqua Matilda en souriant. Eprouver cette sorte d'amour au premier contact… Et surtout, avec Gabe. Je l'adore, tu sais. Je l'ai toujours adoré.

Kat adressa à sa grand-mère son sourire le plus rassurant.

— Alors, tu peux lui faire confiance pour agir comme il le faut.

Matilda poussa un petit soupir de soulagement.

— Oui. Oui, bien sûr.

Mais elle n'avait pas remarqué que Kat avait éludé sa question. Elle lui tendit le coffret.

— Cela fait un moment que je n'ai pas vu le collier,

je dois dire. Si j'avais su que le mariage aurait lieu si tôt, je l'aurais fait nettoyer.

Kat déposa le coffret sur une petite table nappée de lin et approcha une lampe du centre. Puis elle étala le collier sous son éclairage puissant. Les diamants brillèrent de mille feux.

— Il est vraiment spectaculaire, murmura-t-elle, avant de froncer les sourcils et de se pencher.

Pourtant, quelque chose n'allait pas. Elle étudia plus attentivement le bijou et se rendit compte que toutes les pierres n'avaient pas l'éclat qu'auraient dû avoir des diamants de feu, ou que, dans son souvenir, ils avaient cinq ans plus tôt. Elle fronça davantage les sourcils. Se pouvait-il que toutes ne soient pas des diamants de feu ? Elle les examina de plus près, regrettant de ne pas avoir de loupe. Ces diamants étaient-ils même vrais ? Le modèle original associait-il des pierres ordinaires à celles issues des mines des Dante ? Son ventre se noua. Tout était possible, n'est-ce pas ?

Possible, peut-être, mais hautement improbable.

Elle devait en avoir le cœur net, et vite. Elle n'osait pas porter le collier devant les Dante avant d'avoir découvert la vérité, chacun d'entre eux était capable de repérer un faux à des kilomètres. Et qu'adviendrait-il de son mariage avec Gabe ? Si le collier était faux — ou s'il manquait un nombre significatif de diamants d'origine — Gabe serait-il toujours aussi pressé de l'épouser ? Ou attendrait-il de vérifier la valeur du bijou… et si elle était enceinte ou non ?

Elle s'intima au calme. Le collier était ancien. Il était tout à fait possible que, trente ans plus tôt, Dante n'ait pas utilisé exclusivement des diamants de feu. Francesca ! Francesca saurait. Elle solliciterait l'opinion de la femme de Sev. En tant que principale créatrice de la maison, elle pourrait déterminer l'authenticité du collier comme des pierres. D'ici là…

Elle adressa un sourire forcé à sa grand-mère.

— Tu sais, je viens de penser que si je porte ce collier les Dante le reconnaîtront sûrement. Ce ne serait sans doute pas très diplomatique de porter un bijou que Dominic a offert à une autre femme que la sienne, même s'il s'agit de la mère de Gabe.

Matilda fronça les sourcils.

— Je n'y avais pas songé. Alors tu pourrais peut-être le lui offrir ce soir, en cadeau de noces ?

— Excellente idée, répondit-elle, soulagée. Ou même en cadeau de Noël. Qu'est-ce que tu en penses ?

— Qu'il apprécierait aussi. Si tu attends Noël, ça te laissera le temps de le faire nettoyer, déclara Matilda.

Une sonnette retentit, mettant un terme à leur discussion. Kat rangea rapidement le collier en lieu sûr, tandis que Matilda ouvrait la porte de la suite. Lucia entra, forte de son rôle d'organisatrice du mariage, suivie de toutes les femmes de la famille Dante, venues assister Kat dans ses préparatifs. Malheureusement, Francesca n'était pas présente, en charge du baby-sitting afin de libérer les autres.

La sœur de Gabe possédait le même sens du détail que lui, ainsi que ses capacités à organiser et diriger. En un clin d'œil, elle avait réparti habilement le travail entre tout le monde. L'espace d'un instant, Kat envisagea de fuir ce désordre ordonné afin de chercher Gabe et de lui faire part de ses soupçons à propos du collier. Mais Lucia la priva immédiatement de cette éventualité.

— Il n'est pas là, et ce n'est même pas la peine de demander où il est. Aucune de nous ne te le dira.

— Evidemment, renchérit Gianna avec un sourire malicieux. Tu ne peux pas voir le marié avant la cérémonie. Ça porte malheur.

Les femmes éclatèrent de rire, puis l'une d'elles expliqua :

— Gianna avait un aveu à faire à son mari, Constantine, qui ne pouvait attendre après le mariage. Alors elle a fait irruption dans sa chambre, malgré les risques de malchance. C'est devenu une blague familiale.

— Je promets de ne pas entrer dans la chambre de Gabe, dit Kat, mais…

— Tu ne peux pas l'appeler non plus. Primo lui a pris son portable. A mon avis, lui seul était capable de convaincre Gabe de le lui remettre, chuchota Lucia, hilare. J'aurais bien voulu voir ça.

Voilà qui réduisait à néant son unique autre moyen de contact. Dépitée, elle regarda par la fenêtre.

— Le temps apporte le mauvais sort, on dirait.

— La pluie ne porte pas malheur, objecta Nonna. *E buona fortuna*. Elle porte chance. Elle lave tout le mauvais du passé. « Mariage pluvieux, mariage heureux. » La pluie est aussi signe de fertilité. Elle apporte les bébés.

— Elle va avoir des garçons ou des filles ? demanda Gianna, avant de sourire à Kat. Grand-mère a l'œil. Elle ne s'est encore jamais trompée. Alors, Nonna ? Filles, garçons ?

— Oui, répondit Nonna d'un ton placide.

Nouvel éclat de rire général. Puis les femmes retournèrent à leurs tâches, étaler robe de mariée et voile, préparer un poste de maquillage et de coiffure. Au bout de la chambre, Gianna et Matilda bavardaient. A en juger par les rires qui émaillaient leur conversation, elles se racontaient des histoires de mariage.

Nonna fit signe à Kat de s'approcher, attendant qu'elle soit assez près pour parler sans être entendue.

— Tu veux savoir ce que tu auras ?

Pourquoi pas ? songea Kat.

— Bien sûr.

Nonna lui toucha le ventre, juste sous la ceinture de son peignoir. Ses joues s'empourprèrent légèrement.

— Je préférais ne pas le dire devant les autres, car Gabriel et toi n'auriez pas dû faire ce bébé avant d'échanger vos vœux. Mais ce qui est fait est fait, soupira-t-elle d'un air résigné. Vous serez bientôt mariés, et votre fils, protégé de la vie que Gabriel a connue.

Kat sursauta.

— Je... je suis enceinte ? Vous voulez dire, *là* ?

Sa voix mourut, et elle tomba à genoux près de Nonna.

— C'est ce que je veux dire, oui. Tu l'es. L'écho est encore si minuscule que j'ai failli le rater. A peine un tressaillement. Mais fort. Têtu. Un battant.

— Un fils. Vous avez dit que ce sera un garçon.

Elle se débattait avec l'idée.

— Le premier, oui, annonça Nonna. Les deux bébés suivants seront des filles. Des jumelles. Avec les mêmes beaux cheveux noirs à reflets roux que toi, mais les yeux dorés de leur père. Ton fils, ses yeux auront la couleur des tiens. Tu ne me crois pas, je vois, ajouta la vieille dame en souriant.

— Je... ne sais pas quoi croire.

— Je ne me sens pas offensée. En temps voulu, tu verras que j'ai raison et tu ne douteras plus. Mais dis-moi, tu es bouleversée. Ça ne te rend pas heureuse ?

— Si, murmura Kat en baissant la tête. Très heureuse.
Mais je ne suis pas certaine que Gabe le sera.

Nonna parut surprise.

— Pourquoi ne le serait-il pas ?

— Parce que cela signifie qu'il sera contraint de
rester avec moi.

Nonna reporta un regard acéré sur Kat.

— Gabriel et toi, vous avez expérimenté l'Inferno,
n'est-ce pas ? Alors ne t'inquiète de rien.

— Vous voulez dire que l'Inferno cessera ?

Nonna éclata de rire.

— Non. L'inferno ne cesse jamais. Mais cela n'a
rien d'une malédiction. On se sent juste amoureux.
C'est comme *il bambini*. Il lui faut du temps pour
« devenir ». Tu épouses Gabriel et tu auras toutes les
années que Dieu t'accordera pour devenir. *Capito ?*

Elle comprenait très bien. Elle n'était simplement pas
certaine d'y croire. Mais les plans que Gabe avait mis
en œuvre allaient trop vite pour être arrêtés. Sa main
glissa sur son ventre, se posa sur le bébé qui dormait
là, selon Nonna. Si elle était réellement enceinte,
elle ne pouvait pas stopper le mariage, même si elle
essayait. Même si le Heart's Desire était un faux. Si
Gabe soupçonnait seulement qu'elle portait son bébé,
il ne serait pas tranquille jusqu'à ce qu'il lui ait passé
la bague au doigt afin de s'assurer que son enfant ne
connaîtrait pas le traumatisme de grandir avec la même
tare que lui. Néanmoins, elle détestait l'idée de le lier
par un mariage qu'il pensait temporaire.

Pourtant, durant le reste de la matinée, elle se surprit
à bercer l'étincelle de nouvelle vie que Gabe et elle
avaient créée.

Un bébé.

Le mariage ressembla en tout point à ce dont Kat aurait pu rêver.

Elle portait une robe dont Lucia et elle étaient tombées folles à la seconde où elles l'avaient vue, mélange exquis d'élégance et de romantisme. Les femmes l'aidèrent à lacer le bustier de dentelle, s'extasiant qu'il lui fasse la taille si fine. Puis elles lissèrent la jupe qui s'évasait en longue traîne vaporeuse.

A sa stupéfaction ravie, Nonna lui apporta une tiare ancienne sertie de diamants de feu, appartenant à la collection personnelle des Dante. Accroché à la tiare, le tulle aux bords festonnés de dentelle flottait jusqu'à terre, la drapant dans un voile de douceur.

Le débat avait été vif parmi les femmes à propos de ses cheveux, mais elle avait tenu bon, insistant fermement pour les porter détachés. C'était ainsi que Gabe les préférait, et dès qu'elle l'eut expliqué elles discutèrent alors du style de coiffure qui conviendrait le mieux à la fois au voile et à la structure de son visage. Pour finir, elles ramenèrent le haut en arrière et bouclèrent les longueurs, qui retombaient en cascade sur ses épaules et son dos. Puis elles entremêlèrent aux mèches un fin ruban d'argent orné de perles, piqué de houx et de gui, rappel de l'imminence de Noël, dix jours plus tard.

Lorsqu'elles partirent pour la chapelle, la pluie avait cessé, et le soleil brillait à travers de gros nuages cotonneux. Le trajet depuis l'hôtel fut court, puis les femmes aidèrent Kat à protéger sa robe pendant la montée jusqu'au petit édifice de pierre perché au sommet de la colline. Elles la laissèrent attendre le début de la cérémonie dans le jardin adjacent, tandis qu'elles installaient Matilda à l'intérieur. Kat observa la vue sublime sur la baie et les îles, les arches rouges du Golden Gate Bridge, luttant pour rester calme et concentrée alors qu'elle avait les nerfs à vif.

Peut-être que si elle ne s'était pas aperçue que le collier pouvait être faux… Elle jeta un coup d'œil vers la chapelle, se demandant si elle pouvait s'y glisser en douce et parler à Gabe avant la cérémonie. L'avertir pour le collier et lui laisser l'opportunité de changer d'avis. Elle n'eut pas le temps de poursuivre sa réflexion, car Primo la rejoignit, tout fringant dans son smoking, tirant sur son éternel cigare.

— Merci de m'avoir offert de me conduire à l'autel, dit-elle après un dernier regard de regret à la chapelle.

— C'est un plaisir, ma chère petite. Tu es… tu es aussi radieuse qu'une mariée doit l'être le jour de ses noces.

Ses yeux brillaient d'émotion, et Kat sentit ses lèvres trembler et ses yeux s'embuer.

— Merci, répéta-t-elle, luttant pour retenir ses larmes.

Primo lui prit la main.

— Tu es nerveuse. C'est compréhensible, mais il ne faut pas. Tu le découvriras par toi-même avec le temps. Que vous en soyez conscients ou non, vous vous aimez, tous les deux.

Aussitôt, Kat secoua la tête.

— Non, pas après un délai si court. C'est impossible.

— C'est la peur qui vous empêche d'admettre la vérité. Gabriel a peur que tu le trahisses comme son père a trahi sa mère, en choisissant de se marier par appât financier au lieu de suivre son cœur. Ensuite, comme Dominic n'a jamais reconnu l'enfant qu'il avait conçu hors mariage, Gabe a perdu toute capacité de confiance. C'est pour ça qu'il continue de rester à distance de son Primo et sa Nonna. Mais toi… — il hésita, puis haussa les épaules. Je vois ta peur, mais je ne te connais pas assez bien pour en deviner la cause.

— Moi aussi, j'ai peur de faire confiance, avoua-t-elle. J'ai aussi été trahie par le passé.

— Tu crains que Gabriel te trahisse ?

A l'évidence, cette hypothèse le stupéfiait.

— Non, répondit-il vivement. Il veut juste me protéger.

— Ah ! Et tu ne veux pas qu'il confonde sentiment de protection et amour.

Les yeux dorés du vieil homme l'observaient avec un mélange de tendresse et de sagesse. Il avait parfaitement résumé la chose.

— Oui.

— Gabriel est un Dante. Il se sentira toujours poussé à protéger ceux qu'il aime. Ça fait partie du bois dont il est fait. Donc, poursuivit-il en se penchant pour l'embrasser sur le front, s'il te protège, c'est parce qu'il t'aime.

Elle aurait bien aimé le croire. Or, Gabe avait fait tout ce qui était en son pouvoir pour protéger Jessa, y compris détruire la femme qu'il comptait épouser aujourd'hui. Aussi ses doutes étaient-ils justifiés. Malgré ce que prétendait son grand-père, il ne pouvait pas l'aimer, pas après si peu de temps. Par conséquent, il ne la protégeait pas par amour, mais pour un motif erroné. Peut-être ne l'épousait-il que par culpabilité, pour réparer un tort. Cette pensée la fit vaciller.

Les cloches de la chapelle retentirent, un appel joyeux qui annonçait le début de la cérémonie. D'un geste plein de délicatesse, Primo abaissa le voile sur son visage et lui offrit son bras, l'escortant vers un vestibule décoré de renoncules neigeuses et de roses rouges, d'étoiles de Noël et de guirlandes de sapin. Quelqu'un lui tendit un bouquet assorti au décor qui l'entourait, noué avec le même ruban d'argent orné de perles tressé dans ses cheveux. Lucia, probablement ? Puis les cloches se turent dans le froid hivernal, remplacées par le son mélodieux d'un quartet de violons, annonçant gaiement l'arrivée de la mariée.

L'espace d'un instant, elle fut saisie de panique. Seigneur, qu'est-ce qu'elle faisait ? Avait-elle perdu la raison ? Elle ne connaissait cet homme que depuis quelques semaines. Comment pouvait-elle envisager d'épouser un quasi-inconnu, malgré ce qui se passait entre eux dès qu'ils se touchaient ? Ce n'était pas bien. Ça allait à l'encontre de tout ce que représentait cette cérémonie.

C'était déjà lamentable d'avoir couché avec Gabe, de s'abandonner corps et âme dès qu'il la prenait dans ses bras. Mais aggraver cette erreur en l'épousant, surtout s'il croyait que cela lui procurerait le Heart's Desire ? Elle ne pouvait s'y résoudre.

Elle trouverait un autre moyen de se réconcilier avec Gam. D'ailleurs, c'était déjà à moitié fait. Quant au collier, elle insisterait pour que sa grand-mère l'offre à Gabe, surtout s'il se révélait faux ou s'il lui manquait une part des diamants d'origine. Elle n'en avait pas besoin et n'en voulait pas. Quant à l'éventualité d'être enceinte... Elle ferma les yeux, le souffle court. Pourquoi diable avait-elle choisi un bustier lacé qui l'empêchait de respirer ?

Primo la poussa en avant, et elle chancela sur le seuil de la chapelle, prête à fuir. L'allée s'étirait devant elle, un interminable tapis immaculé, parsemé de pétales de roses rouges, qui menait droit vers Gabe. Elle le regarda, consciente qu'il suffisait qu'il la regarde aussi de ses yeux mordorés et exigeants pour qu'elle se transforme en Cendrillon.

Il se tenait droit, dos à elle. Alors, comme s'il percevait son désespoir, il tourna la tête et leurs regards se croisèrent. Jamais elle ne pourrait expliquer ce qui se passa à ce moment-là. Alors qu'une voix intérieure lui intimait de prendre la fuite, un bourgeon, une toute petite pousse d'émotion venue de très loin se fraya un chemin en elle. Cette émotion frêle la retint captive, l'obligeant à regarder vraiment Gabe.

Elle perçut la même émotion dans ses yeux, comme s'il la voyait réellement pour la première fois. Ce n'était plus une froide détermination qui assombrissait ses yeux. Comme si le soleil se levait, doré, éclatant et empli d'une chaleur qui l'envahit et l'emplit à son tour. Elle lut dans ses yeux un puits sans fin de désir. Pas cette soif de l'autre qu'ils avaient partagée quand ils avaient fait l'amour. Quelque chose de plus respectueux, quelque chose qui fit vibrer le creux de sa paume.

Alors, il leva sa main contre le plastron noir de son smoking, la referma en poing serré, libérant son index en forme de crochet. Elle l'entendait presque formuler « Je suis là. Je te protège. Je te soutiens. » Ce simple geste la lia à lui. Toute trace de tension disparut, et elle avança vers lui sans hésitation. Le cœur empli d'espoir et d'une autre émotion. Une émotion qu'elle ne parvenait pas à identifier.

Et quand il prit sa main dans la sienne, leurs index noués, la petite pousse fleurit, s'épanouit. Alors, elle la reconnut. Sa peur s'évapora, et elle saisit sa chance, s'ouvrit à l'émotion, lui permit de la remplir, puissante, intense, profonde, jusqu'à ce qu'elle devienne partie prenante de chaque fibre de son être.

L'amour.

A cet instant, elle comprit qu'elle aimait Gabriel Moretti et sut avec une certitude absolue qu'elle l'aimerait jusqu'à la fin de ses jours.

9

La séance de photos lui parut interminable, et elle crut qu'elle allait s'effondrer. Pourtant, elle avait surmonté la cérémonie avec sang-froid, hormis la petite crise de panique juste avant. Elle avait aussi affronté toute la famille Dante, réussissant même à assortir les noms aux visages… ou tout du moins aux surnoms dont elle les avait affublés, sur la base de ce qu'elle percevait d'eux.

Ainsi, il y avait Gabe 2 (Severo), Langue d'Argent (Marco), Spock (Lazzaro), Rambo (Nicolo). Puis venaient les cousins. Le Protecteur (Luciano), Le Loup (Rafaelo), Le Dragon (Draco). Bon, celui-ci était un peu facile, mais correspondait bien au personnage. Et, pour finir, La Princesse (Gianna), dotée de toutes les qualités, y compris la beauté. Elle avait un peu plus de mal à se souvenir du nom des épouses, hormis Francesca, créatrice de bijoux, avec qui elle espérait travailler un jour.

Elle réussit tout avec assurance. Mais le photographe eut raison de son sang-froid, d'abord à la chapelle, puis à l'hôtel, durant la réception. Finalement, Gabe intervint et d'un ton sec exigea une pause. Il guida Kat vers un sofa à l'écart, la fit asseoir, puis lui massa doucement les épaules par-dessus le dossier.

— Je crois que je vais craquer, murmura-t-elle.

— Tu t'en sors à merveille. Mieux que moi à ta place.

Elle pointa un pied chaussé d'un somptueux escarpin d'un blanc nacré, au talon vertigineux.

— Tu ne pourrais pas être à ma place. Pas avec des chaussures pareilles. Aucun homme ne le pourrait.

— Vu la hauteur de ces talons, dit Gabe, ça ne doit pas être facile de courir avec. Quand tu es entrée dans la chapelle, j'ai cru que tu allais prendre tes jambes à ton cou.

Elle tressaillit.

— Ah, tu as remarqué ?

— Un seul regard m'a suffi pour regretter de ne pas avoir posté des gardes à l'entrée. Bien sûr, ajouta-t-il, si tu t'étais sauvée, j'aurais été derrière toi dans les trois secondes.

Elle pencha la tête et lui sourit.

— Tu ne serais pas allé très loin, à mon avis. Les Dante t'auraient immédiatement plaqué au sol.

— Sans compter que j'aurais été bon pour une sacrée raclée, j'imagine.

La pointe d'humour de ses propos ne lui échappa pas.

— Les garçons restent des garçons, répliqua-t-elle avec philosophie.

Il contourna le sofa pour venir s'asseoir près d'elle.

— N'oublie pas, une fois qu'ils en auraient eu terminé avec moi, ils t'auraient couru après.

— Sans doute pour me féliciter d'avoir eu le bon goût de te plaquer devant l'autel, riposta-t-elle en riant.

Incapable de se retenir, elle lui saisit la main, éprouvant un besoin désespéré qu'il la rassure de son contact. Dès que leurs mains se touchèrent, l'incendie se déclencha. Gabe se pencha pour l'embrasser. Elle ferma les yeux, s'abandonna à son baiser, le laissa balayer raison et bon sens. S'engouffrer en elle et nourrir cette frêle pousse qui avait bourgeonné durant leur cérémonie de mariage.

Un flash crépita, et Gabe se raidit. Relevant la tête, il décocha un regard noir au photographe, qui s'enfuit sans demander son reste.

— Je devrais le poursuivre, mais quelque chose me dit que je vais vouloir un tirage de celle-là.

Un souvenir de leur mariage temporaire ? Elle sentit l'espoir l'envahir. Peut-être ne serait-il pas temporaire. Peut-être, avec le temps, Gabe découvrirait-il ce qu'elle avait découvert. Car, en dépit de tout ce qui les séparait, elle était tombée amoureuse de lui et elle savait du plus profond de son être qu'il était le bon. Le seul. L'homme de sa vie. Son âme sœur.

— J'ai quelque chose pour toi, reprit Gabe à voix basse. Je comptais te l'offrir pendant la cérémonie, mais ensuite j'ai décidé d'attendre ce soir. Pourtant, d'une certaine manière, maintenant me semble le bon moment.

— Qu'est-ce que c'est ?

— Une bague de fiançailles.

Il sortit de sa poche un écrin de velours noir frappé du logo DE.

— J'aurais dû te l'offrir avant le mariage, poursuivit-il avec un petit rire. Mais, comme tout le reste dans notre relation, ça aussi, on l'a fait à l'envers.

Ôtant la bague de l'écrin, il la glissa à l'annulaire de Kat, où elle prit sa place près de l'alliance. Le souffle coupé, elle contempla le splendide bijou, à l'évidence une création de Francesca : un impressionnant diamant de feu monté sur un filigrane de platine et encadré de chaque côté d'une arabesque de diamants plus petits à l'éclat presque rose, accentuant la couleur ardente des flammes qui faisaient la réputation des diamants Dante, uniques au monde.

— Oh ! Gabe. Elle est sublime.

— C'est un élément de la collection Dante's Eternity, expliqua-t-il, une étrange intensité dans la voix. Chacun a un nom, ce que j'ignorais quand je l'ai choisie. La femme de Sev, Francesca, a créé la collection.

— Oui, je reconnais bien son talent.

La bague avait aussi quelque chose de familier. Soudain, elle comprit, et un tourbillon d'émotions disparates, désir et culpabilité, espoir et honte, la submergea. Elle s'humecta les lèvres.

— Tu sais, déclara-t-elle, d'une certaine façon, elle me rappelle le Heart's Desire.

Gabe hésita.

— Il y a une raison à ça. D'après Sev, Francesca s'est inspirée de photos du Heart's Desire pour la créer.

Elle osa le regarder et lut dans ses yeux une émotion inédite. Autre que la passion.

— Comment s'appelle la bague ? demanda-t-elle.

— My Heart's Desire. Le désir de mon cœur.

— Presque comme le collier ? C'est pour ça que tu l'as choisie ?

Elle n'en revenait pas.

— Non. J'ai choisi la bague avant que Sev me dise son nom. Drôle de coïncidence, tu ne trouves pas ?

Elle devait lui dire la vérité. Maintenant. Certes, cela ne changerait rien au fait qu'elle avait concrétisé leur mariage sans lui donner l'opportunité de l'annuler. Mais au moins ils démarreraient leur union cartes sur table.

— Gabe…

Avant qu'elle puisse continuer, Francesca s'approcha.

Elle se pencha pour embrasser Kat et adressa un sourire d'excuses à Gabe.

— Vous avez l'air si heureux loin des autres, je suis désolée de vous déranger. Mais Primo veut te parler. Je serais ravie de tenir compagnie à Kat pendant ce temps. On discutera joaillerie. Etonnant que ta mère ait été créatrice de bijoux et que tu en épouses une, tu ne trouves pas ? s'enquit-elle, ses yeux bruns pétillant de malice. La symétrie est jolie, tu n'es pas d'accord ?

Kat sentit la main de Gabe glisser sur son épaule. Trop tard, le moment était passé. Il se leva.

— En effet. Bon, je vais voir ce que me veut Primo.

Elle attendit qu'il se soit éloigné avant de se lancer.

— En fait, j'espérais te parler de quelque chose avant qu'on reparte pour Seattle. J'aurais voulu que tu me donnes ton opinion.

Francesca se redressa, attentive.

— C'est en rapport avec les bijoux ?

— Il s'agit du Heart's Desire. J'aimerais que tu examines le collier.

— Tu l'as avec toi ? Je tuerais pour voir un exemple du travail de Cara Moretti. On a des photos de ses créations, mais aucune pièce en notre possession.

L'excitation illuminait le visage de Francesca.

— Tu serais disposée à y jeter un coup d'œil tout de suite ? Il se trouve dans ma suite.

Elle décocha un bref regard à Gabe, inquiète de constater qu'il semblait encore plus sombre qu'en les quittant. Il semblait bouleversé par ce que Primo était en train de lui dire.

— On a peut-être le temps de l'examiner avant de couper le gâteau, poursuivit-elle.

Les deux femmes s'éclipsèrent en direction de

l'ascenseur. La suite avait été rangée et nettoyée, le désordre des préparatifs remplacé par des fleurs, des chocolats et un magnum de champagne dans un seau à glace. Une douce musique résonnait en fond sonore. L'ambiance parfaite pour une nuit de noces de rêve…

Francesca soupira.

— Que c'est beau ! Tu devrais laisser tomber la réception et faire venir Gabe directement ici.

— Très tentant, admit Kat.

Du moins, cela l'aurait été si elle n'avait pas vu la mine sombre de Gabe quand elle avait quitté le salon de l'hôtel.

Elle sortit le coffret de sa cachette et, une fois de plus, étala le collier sur la table éclairée par la lampe. Puis elle s'écarta afin que Francesca puisse l'étudier à l'aise.

D'interminables secondes s'étirèrent.

— Tu as une loupe ? demanda enfin Francesca d'une voix tendue et préoccupée.

— Non.

— Moi non plus. Mais tu le vois aussi, n'est-ce pas ? C'est pour ça que tu m'as demandé de regarder.

— Les diamants. Certains sont faux.

Sa gorge était si serrée qu'elle avait du mal à parler.

— Je ne saurai pas avec certitude avant de les avoir examinés de près. Mais oui, répondit Francesca, indiquant plusieurs pierres parmi les plus grosses. Ceux-là ne sont pas des diamants de feu. Je suis catégorique. A vrai dire, je doute même qu'il s'agisse de diamants.

Kat ferma les yeux. Comment était-ce possible ? Et qu'allait-elle faire ? Si le collier était faux, même partiellement, elle devrait l'avouer à Gabe. Et ensuite…

— Francesca, j'ai besoin de savoir. Tu es la mieux placée au monde pour me dire si… — les mots lui échappaient — j'ai besoin de savoir si ce collier est authentique. Est-ce seulement le collier de Cara Moretti ?

Francesca prit son temps pour inspecter la pièce. Son calme professionnel aida Kat à recouvrer son sang-froid. Puis, avec l'autorité que lui conféraient ses compétences, elle déclara :

— J'ai vu des photos du Heart's Desire. En soi, le collier paraît authentique. Mais certaines pierres ont été remplacées, c'est évident. Je ne pourrai pas affirmer avec certitude combien avant un examen plus approfondi.

— Il faut que je sache ce qui s'est passé, murmura Kat. Et surtout, quand les pierres ont été vendues, si possible.

— Bien sûr. Essaie de ne pas paniquer. Toutes nos pierres sont photographiées et gravées au laser avec un code, afin qu'on puisse garder leur trace. Je ne peux pas assurer que celles-ci aient été codées, mais si peu de diamants de feu sont mis sur le marché qu'on les retrouvera sans peine. Si les pierres vendues provenaient du collier, il y a de fortes chances qu'on obtienne tous les détails. On pourrait même contacter l'actuel propriétaire et les lui racheter. Alors ton collier sera comme neuf.

Kat acquiesça, s'efforçant de sourire.

— Merci, Francesca.

Mais le scénario de Francesca comportait un seul problème : elle ne pouvait pas se permettre de racheter les diamants d'origine. Elle ne voulait même pas imaginer combien cela coûterait. Remettant le collier dans le coffret, elle le tendit à Francesca.

— Appelle-moi dès que tu auras découvert ce qui s'est passé, s'il te plaît.

— Hé, arrête de t'inquiéter, d'accord ? Surtout

aujourd'hui. Allez, viens. Tu as un gâteau à couper et une nuit de noces à vivre.

Le reste de la réception se déroula dans une sorte de brouillard. Par la suite, Kat se rappela vaguement avoir coupé le gâteau et donné une bouchée à Gabe. En revanche, elle se souvint parfaitement du moment où il la prit dans ses bras pour ouvrir le bal. De la puissance de son étreinte. La sensation de son corps fort, solide, qui bougeait avec le sien. La tendresse de son toucher. Mais, quand la dernière note mourut, c'est le baiser qu'il lui donna qui se grava à jamais dans sa mémoire, un baiser qui — si les circonstances avaient été différentes — aurait pu transformer en certitude son espoir de voir leur mariage temporaire devenir un mariage réel.

Mais comment le pourrait-il ? Comment Gabe pourrait-il ressentir autre chose que l'impression d'être piégé ? C'est elle qui l'avait entraîné dans ce pacte diabolique, sachant pertinemment qu'il ferait n'importe quoi pour se procurer le Heart's Desire. C'était à cause d'elle qu'il avait réclamé l'aide des Dante et avait été obligé de reconnaître ouvertement sa parenté avec eux — obligé d'admettre devant le monde entier qu'il était un fils illégitime. Et c'était elle qui lui avait cédé, qui lui avait caché son inexpérience sexuelle. Si elle avait été plus franche, peut-être aurait-il pris davantage de précautions et ne serait-elle pas…

Enceinte.

Si Nonna avait raison et qu'elle portait bel et bien le bébé de Gabe, tout allait changer, y compris leur relation. Et surtout, que se passerait-il quand il apprendrait la vérité au sujet du collier ? Elle ferma les yeux, luttant contre la panique qui l'assaillait.

— Qu'est-ce qui ne va pas ? Encore le trac de la jeune mariée ?

La voix de Gabe l'enveloppa, rauque et grave, pleine de sollicitude.

— Tout arrive si vite. On aurait peut-être dû attendre.

Elle cherchait son souffle, comme si son bustier avait été resserré.

— Je vois, répliqua-t-il. Je pense avoir la solution à ton problème.

L'orchestre attaqua un nouveau morceau, et Gabe l'entraîna hors de la piste, vers la sortie. Un bras autour de sa taille, il la poussa dans l'ascenseur. Les gens qu'ils croisèrent leur sourirent avec indulgence, certains leur adressèrent des vœux de bonheur.

Kat ouvrit la porte de la suite. Avant qu'elle puisse en franchir le seuil, Gabe la souleva dans ses bras et la porta à l'intérieur. Il embrassa du regard les douceurs mises à leur disposition, mais fila droit à la chambre sans ralentir. Ils tombèrent tous les deux sur le lit.

Bien que les rideaux soient ouverts, des persiennes filtraient la lumière de fin de journée, colorant la chambre de teintes pastel. Il lui sourit, posa une main sur sa joue et effleura sa lèvre du pouce.

— Je t'ai dit à quel point tu es belle ?

— Tu n'es pas mal non plus, répliqua-t-elle en s'efforçant de sourire à son tour.

— Bon, ça n'a pas marché. Alors éclaircissons certains points. On est au lit. Et tu connais les règles quand on y est.

Comment aurait-elle pu les oublier ?

— Je commence à détester ce pacte d'« Honnêteté au lit », grommela-t-elle.

— Tant pis pour toi. L'heure est venue d'une nouvelle conversation honnête. Encore que j'ai déjà quelques soupçons, ajouta-t-il, plissant les yeux.

Oh ! Seigneur ! Il savait. Il savait pour le collier. Il savait qu'elle l'aimait. Il savait qu'elle était enceinte et qu'il se trouvait piégé pour longtemps.

— Gabe…

Kat le regardait avec une telle panique que Gabe ne voulut pas rendre les choses encore plus difficiles pour elle.

— Tu veux travailler pour Dante, répondit-il à sa place. Ou plutôt, tu veux travailler avec Francesca. Voilà pourquoi vous avez quitté la réception, toutes les deux.

A la voir ciller, il devina qu'il l'avait prise au dépourvu. Il lui fallut une bonne seconde pour recouvrer ses esprits.

— La journée a été trop chargée pour qu'on ait l'occasion de discuter de mes aspirations professionnelles. Je suppose aussi que j'ai évité le sujet parce que…

— Parce que tu craignais que je pense que tu utilises mon lien avec les Dante pour t'aider à décrocher un poste chez eux, coupa-t-il.

— Maintenant que tu l'évoques, en effet, je n'aurais pas été étonnée que tu le penses. Voire que tu me soupçonnes de l'avoir manigancé dès le départ.

— Pas du tout.

— Pourquoi ?

— Parce que personne, ni même Jessa ou Matilda, ne savait que j'étais le fils de Dominic Dante. La plupart des Dante l'ignoraient jusqu'à très récemment ! Et j'ai fait très attention à ce que cette parenté reste secrète.

A moins que tu l'aies découverte, d'une manière ou d'une autre ?

Les yeux rivés aux siens, elle répondit avec une franchise absolue.

— J'ignorais totalement que tu étais un Dante avant que tu me le dises. Tout comme il n'est pas question que tu leur demandes un poste pour moi. Si Dante m'embauche, je veux que ce soit uniquement pour mes compétences.

— Nous sommes d'accord. Donc ce point est éclairci, n'est-ce pas ?

— Oui.

La fugacité de son sourire l'avertit qu'il n'avait abordé qu'une partie du problème. Dieu merci, leur petit marché d'honnêteté au lit lui permettait de poursuivre.

— Mais apparemment on n'a pas tout éclairci. Alors, quoi d'autre ?

— Nonna… Nonna prétend…, lâcha Kat avant de prendre son souffle et de se jeter à l'eau. Nonna dit que je suis enceinte.

Ce fut plus fort que lui. Il éclata de rire.

— Ah oui ? Ça fait, quoi ? Trois jours ? Après seulement trois jours, Nonna peut dire que tu es enceinte ?

— Ça paraît ridicule formulé de la sorte, admit Kat. Mais tout le monde assure qu'elle a l'œil.

— Je crois que tu as vécu trop longtemps en Italie.

— Gabe, sérieusement. Et si c'était vrai ?

— On en a discuté dans l'avion. On est mariés, non ?

— Ma foi, oui.

— Si tu es enceinte, on décidera comment élever au mieux notre bébé. Si cela signifie rester ensemble…, eh bien, on restera ensemble, conclut-il d'un ton sans appel. Je ne permettrai pas qu'un de mes enfants grandisse dans les mêmes conditions que Lucia et moi. Notre fils ou notre fille connaîtra ses deux parents. C'est clair ?

— C'est juste que tout nous arrive si vite. On n'a pas le temps de régler un problème que le suivant surgit déjà. Et il y a autre chose, poursuivit-elle, une pointe de désespoir dans la voix. Au sujet du Heart's Desire.

Mais il secoua la tête d'un air catégorique.

— Pour le moment, rien ne m'intéresse hormis toi et moi et le fait que ce soit notre nuit de noces. Tu comprends ?

Il fut surpris de découvrir que c'était l'absolue vérité. Rien n'avait d'importance à cet instant, pas même le collier de sa mère.

— Et ce qui s'est passé il y a cinq ans ? objecta Kat.

Il l'embrassa avec fougue.

— Stop ! Je sais où tu veux en venir et je n'en ai pas envie. Ce soir, il n'y aura que nous deux dans ce lit. Personne ne se mettra entre nous. Demain, on aura tout le temps de régler les autres problèmes. Mais pas maintenant. Pas ici. Laisse tomber, d'accord ?

Il l'embrassa de nouveau, l'amenant lentement en position assise, heureux de sentir la tension la quitter. Jusqu'ici, Jessa ne s'était pas immiscée entre eux, du moins, pas au lit. Et il avait l'intention que cela reste le cas. Quoi qu'il se soit passé le soir où il avait trouvé Kat dans le lit de Winters, la vérité lui échappait encore. Elle cachait quelque chose, quelque chose qui impliquait sa femme décédée. Il avait été si prompt à protéger Jessa qu'il n'avait pas cherché à approfondir l'histoire sur le moment. Il aurait fini par le faire, il le savait. Mais elle était morte deux courtes années après leur mariage, quand les premiers nuages commençaient à peine à poindre à l'horizon. Quand sa suspicion n'était encore qu'un embryon de doute.

Aujourd'hui, le passé entrait en collision avec le présent, le poussait dans une autre direction, une direction qui l'intriguait bien davantage que les souvenirs de son ancienne vie. Gabe chassa toute pensée autre que celle de Kat, à peine étonné de la facilité avec laquelle il y parvint. Comment en serait-il autrement quand il tenait la plus belle femme du monde dans ses bras ? Elle était son épouse à présent. Celle qu'il était tenu par l'honneur de protéger. Ce qu'il ne manquerait pas de faire.

D'un geste tendre, il délaça son bustier et le fit glisser sur ses épaules, exposant le plus ravissant soutien-gorge qu'il ait jamais vu, à peine un voile de dentelle. Sa peau crémeuse luisait doucement, ses seins ronds débordaient un peu des bonnets aériens, tandis que la jupe de mousseline et les jupons s'amoncelaient en corolle autour de sa taille. Il dégrafa son soutien-gorge. Elle lui sourit, image enchanteresse du mystère féminin, ressemblant à une sirène à demi nue lovée dans une mer mousseuse de soie et de tulle.

Le premier soir où ils avaient fait l'amour, elle l'avait déshabillé ; c'était à lui de le faire maintenant. Il prit son temps, ôtant un à un tous ses atours, jusqu'à ce qu'il ne reste que le voile bordé de dentelle. Il s'étalait en cascade autour d'elle, adoucissant sa nudité, la rendant belle à ravir.

— J'aimerais te photographier, murmura-t-il.

— N'y compte pas. J'ai eu mon comptant de photos aujourd'hui, merci.

— Pas comme celle-ci.

— Exact. Et il n'y en aura aucune de ce genre.

Sa réponse acerbe le fit sourire.

— Bon, je vais devoir compter sur ma mémoire, alors.

Puis son sourire s'effaça, et il sentit la puissance de l'Inferno, l'étrange certitude tenace qu'il conserverait cette image d'elle jusqu'à la fin de ses jours, avec la légende « Ma femme le soir de nos noces ». Il devina également que d'autres se fixeraient ainsi dans son esprit. Kat, le ventre arrondi par son enfant. Kat, leur enfant au sein. Kat, les yeux pleins de larmes, regardant leurs enfants partir pour leur premier jour d'école. Kat, fière devant ces mêmes enfants lors de leur remise de diplôme. Kat, berçant leur premier petit-fils. Kat, vieille dame à cheveux blancs mais toujours la plus belle femme du monde. Les images formaient un kaléidoscope dans sa tête, tourbillonnant jusqu'au vertige.

En silence, il enleva son smoking sous ses yeux merveilleux, couleur de jeune pousse. De recommencement. De nouvelle naissance. Il jeta le reste de ses vêtements et revint près d'elle, écartant les pans de voile qui la séparaient de lui. Là où auparavant il n'entrevoyait que des possibilités — un avenir nébuleux devant eux —, il voyait maintenant cette femme et elle seule, ainsi que cet instant de sa vie, cristallisé et parfait. Il s'immergea dedans, l'absorba, en savoura chaque seconde, chaque infime petite progression.

La première fois qu'il lui avait fait l'amour, leurs caresses avaient un goût de nouveauté teintée d'incertitude. Cette fois, quand il la prit dans ses bras, ce fut en homme sachant comment satisfaire au mieux sa femme. Il avait déjà découvert quelques-uns de ses infinis secrets, tout comme elle avait découvert les siens. Cela conféra une intimité plus profonde à chacune de leurs caresses. A leurs longs baisers ensorcelants. Aux endroits connus de lui seul et qui lui procureraient le plus immense plaisir.

— Gabe… Je sais ce que je veux cette fois.

Souriant contre sa peau, elle effleurait du bout de la langue ses mamelons plats, l'assaillant d'un désir insoutenable.

— Dis-moi que c'est la même chose que l'autre soir, murmura-t-il avec un petit rire.

Elle eut son regard de femme, celui qui attisait l'Inferno, le faisait vibrer et brûler, impérieux, exigeant.

— Ça également, oui. Mais j'aimerais aussi…

Sa bouche s'approcha de son oreille, et ce qu'elle lui chuchota lui coupa le souffle.

— On peut essayer ?

— Tout. Tout et n'importe quoi, promit-il.

— Ça risque de prendre un peu de temps.

— On a toute la nuit. Et toute la journée de demain, si c'est ce qu'il faut à ton bonheur.

— C'est probable, à mon avis.

Ils passèrent toute la journée du lendemain au lit, rarement éloignés des bras l'un de l'autre. C'était un temps à part, une parenthèse durant laquelle tous deux devinrent un. Un corps. Un cœur. Une âme.

Parfois, ils jouaient, comme la première fois. A d'autres moments, Gabe faisait l'amour à sa femme avec une sorte d'urgence déchirante, presque désespérée, comme pour retenir leur temps ensemble de plus en plus court, qui s'écoulait comme du sable entre les doigts. Tous deux pressentaient que quelque chose d'imminent allait modifier les termes de leur contrat avant qu'ils aient réglé les problèmes entre eux.

La dernière fois qu'ils jouirent ensemble, ce fut au cœur de la nuit, quand les fantômes se tapissaient dans l'ombre. Elle s'accrocha à lui, frémissante sous son toucher, l'atmosphère si saturée de désir qu'il pouvait presque la goûter. Mais c'est elle qu'il goûta. Il goûta sa saveur sucrée et piquante.

Il prit ses seins en coupe, trouvant le plus exquis des nectars sous sa langue. Son souffle et les battements de son cœur donnèrent une voix à sa saveur. Il laissa courir ses mains plus bas. Désormais, il *ressentait* sa saveur, tout comme il l'entendait et la goûtait. Il ressentait le miel de sa peau, qui coulait, fondait sous ses doigts. Puis il atteignit son sexe, où le sucré se mêlait à l'épicé, richesse corsée qui la définissait, elle et elle seule.

Alors, il se perdit là où se rejoignaient leurs sens. Devint vivant. Naquit, mourut et naquit de nouveau. Les cris de plaisir de Kat brisèrent l'obscurité, firent fuir les ombres et transformèrent la nuit en un éclat radieux. Puis il la reprit, mêla leurs corps, les unissant en un moment si parfait qu'il existerait à jamais en lui.

Puis quand tout fut fini elle se blottit contre lui. Il brûlait de dire ces mots qu'il n'avait encore jamais prononcés. Il faillit le faire. Mais il en était incapable. Comme si une ultime barrière le retenait. Mais cela ne changeait rien au fait qu'il savait, désormais. Il savait ce qu'il ressentait pour Kat. Savait que c'était réel, permanent et définitif.

Avec une infinie délicatesse, il prit sa main. Puis noua leurs index et laissa son cœur prononcer les mots qui refusaient de sortir.

***

Gabe, Kat et Matilda repartirent pour Seattle le lendemain. Compte tenu de l'appréhension qui gagnait son
visage à mesure qu'ils s'éloignaient de San Francisco,
il soupçonna que Kat éprouvait la même chose que lui.
Elle attendait de perdre sa pantoufle de vair, attendait
que le conte de fées vole en éclats et que la réalité
fasse irruption dans ce qui avait été une merveilleuse
parenthèse, mais qui ne pouvait durer.

Bien entendu, il n'imaginait pas que sa propre sœur
arracherait la pantoufle de vair, qui plus est deux jours
avant Noël.

La ligne privée de Gabe sonna, et il décrocha par
réflexe, prenant juste le temps d'annoter le contrat sous
ses yeux.

— Moretti.

— Gabe ? C'est toi ?

Une tension transperçait dans la voix de Lucia. Il
fut aussitôt en alerte.

— Lucia ? Qu'est-ce qui ne va pas ?

Car, de toute évidence, quelque chose n'allait pas
du tout.

— Je viens d'apprendre quelque chose à propos du
collier de maman. Tu savais que les Dante l'avaient ?

Il se figea sous le coup de la nouvelle.

— Attends. Une seconde. Comment diable est-il
tombé entre leurs mains ?

— Kat l'a donné à Francesca le jour de votre mariage.
A ta réaction, j'en déduis que tu n'étais pas au courant.

— Non, je n'étais pas au courant. Bon sang, je ne
savais même pas que Kat l'avait avec elle.

Encore que, maintenant qu'il y pensait, elle avait

évoqué le collier le soir de leur nuit de noces. Peut-être avait-elle voulu lui en parler ?

— Bon sang, pourquoi ne me l'a-t-elle pas donné ?

Un long silence gêné suivit, puis Lucia lança :

— Peut-être parce que le collier est faux. Du moins, c'est ce que prétendent les Dante.

Gabe se sentit aussi glacé que la neige qui tombait derrière sa fenêtre.

— Faux, répéta-t-il, abasourdi.

— Bon, sans doute pas tout à fait. Mais, d'après Francesca, certains diamants ne sont pas authentiques.

— Ils l'étaient tous quand je l'ai vendu à Matilda, je l'affirme. On l'a fait estimer.

— Eh bien, ils ne le sont plus. Ecoute, ils ont mis un détective privé sur le coup, un dénommé Juice. D'après ce que j'ai entendu sur lui, il trouvera le fin mot de l'histoire.

— Est-ce que Kat savait que le collier était faux en le leur remettant ?

Il posa la question, les dents serrées. Comme sa sœur ne répondait pas sur-le-champ, il insista :

— Réponds-moi, tu veux ? Elle était consciente qu'il était faux quand elle le leur a donné ?

— Désolée, Gabe. Oui, elle en était consciente. Qu'est-ce que tu vas faire ? demanda Lucia d'une voix inquiète.

— Découvrir moi-même le fin mot de l'histoire.

— Ne fais pas de mal à Kat !

— Je ne lui ferai pas de mal, rétorqua-t-il. Enfin, pas trop.

Gabe raccrocha sans un mot de plus. Pivotant sur son siège, il laissa son regard vagabonder sur les buildings qui s'étendaient derrière le rideau de neige.

Il laissa échapper un juron. Bon sang, il avait été tout près. Si incroyablement près. Pour la première fois de sa vie, il avait accordé sa confiance inconditionnelle à quelqu'un. Il avait cru au conte de fées contre lequel il avait toujours mis Lucia en garde.

C'était à cause de ses yeux. Ses beaux yeux innocents, aussi ingénus et naturels que de jeunes feuilles printanières. Elle semblait si vraie. Si sincère. Elle paraissait succomber totalement à l'Inferno. Pire encore, elle aussi avait été blessée, autant que lui, partageant sa réserve, son incapacité à faire confiance. Et pourtant tous deux avaient cru l'un en l'autre. Malgré tout ce qui se dressait entre eux, ils s'étaient donnés, cœur et âme, à l'autre.

Pauvre imbécile. Elle s'était bien fichue de lui. Et, au lieu de deviner l'arnaque comme il l'aurait fait normalement, il était tombé dans le piège, avait laissé libre cours à ses pulsions. Il aurait dû exiger de voir le collier. De le faire examiner par un expert. Comment quelqu'un doté de son expérience avait-il pu négliger les procédures commerciales les plus élémentaires ?

Parce qu'il avait voulu y croire. Il avait voulu Kat, la poussant même à un mariage hâtif. Elle était à lui, maintenant. La vraie question était…

Qu'allait-il faire d'elle, à présent ?

La rue en contrebas scintillait des lumières de Noël, symboles joyeux d'une croyance profondément ancrée dans l'histoire de l'humanité. Une croyance qui encourageait l'espérance, la foi, la paix. Gabe posa la paume de sa main sur la vitre, sentit la vibration de l'Inferno, sentit la pulsation du lien puissant qui l'unissait à Kat. Il entendit une petite voix, au fond de son être, lui soufflant avec insistance qu'il se trompait. Qu'il devait y avoir une explication rationnelle.

Une voix qui lui soufflait avec insistance de se fier à la femme qu'il aimait.

Il ferma les yeux, combattit la peine et les désillusions qui avaient façonné sa vie en une existence de prudence et de méfiance. Et soudain il comprit qu'il avait le choix. Il pouvait faire confiance et avancer. Ou faire un pas en arrière et retourner à la sécurité de son univers avant que Kat n'y fasse irruption.

Il ouvrit les yeux et prit sa décision.

10

Le téléphone de Kat sonna. Elle le sortit de sa poche, non sans mal en raison des gants qui la gênaient. Le nom de Francesca s'afficha sur l'écran, et elle sentit ses nerfs se crisper.

— Joyeux Noël, s'exclama-t-elle, à la fois pleine d'espoir et de crainte. Tu es prête pour le grand jour ?

— Presque. Encore un ou deux cadeaux de dernière minute à empaqueter et…

La voix de Francesca égalait la sienne. Elle tentait de masquer sa détresse sous un enthousiasme un peu forcé. Puis elle soupira :

— Oh ! Kat ! Je suis désolée. J'ai de mauvaises nouvelles. Pas entièrement mauvaises mais pas bonnes non plus.

Kat continua de marcher, remontant le col de son manteau pour se protéger de la neige qui dégringolait d'un ciel de plomb. Mettre un pied devant l'autre demandait soudain un effort considérable.

— Mauvaises comment ?

— J'irai droit au but. Tu avais raison. Certaines pierres sont fausses. Mais voilà la bonne nouvelle. Le collier lui-même est authentique. Ainsi que la plupart des diamants.

— Combien sont faux ?

— Six. Les plus importants, hélas.

Six ? Tant que ça ? Ebranlée, elle s'efforça de formuler sa question de manière cohérente.

— Vous avez pu retrouver leur trace ?

— Oui. Restaurer le collier ne posera aucun problème. Pendant qu'on parle, Primo est en train de s'arranger pour racheter les diamants.

La gorge serrée, elle demanda :

— Pour quelle somme ? Tu ne peux pas me donner le montant exact, je sais. Mais une fourchette, peut-être ?

Le chiffre manqua la faire défaillir. Les jambes flageolantes, elle s'arrêta devant une vitrine et considéra le décor de Noël d'un œil vague. Une minuscule partie de son cerveau encore en état de fonctionner nota la fausse neige tombant sur une scène de livre pour enfants, un train électrique tournant joyeusement autour d'un sapin orné de boules et de guirlandes, planté au milieu de peluches et d'autres jouets. Au-dessus de sa tête, des flocons de neige tourbillonnaient vers le sol, comme dans la vitrine. Ils léchèrent sa peau, et elle frissonna à leur contact glacé. La météo prévoyait un Noël blanc.

— Kat ? Tu es toujours là ?

— Oui, Francesca. Merci de m'avoir informée. Tiens-moi au courant, tu veux bien ?

Quelque chose dans sa voix devait trahir son angoisse, car Francesca insista :

— Tâche de ne pas t'inquiéter, d'accord ? Je suis sûre que Primo trouvera une solution vis-à-vis de Gabe.

— Non, c'est mon problème. *Je* vais trouver une solution vis-à-vis de Gabe.

— Comme tu voudras. Passe un bon Noël, répliqua gentiment Francesca.

— Merci. Toi aussi.

Elle jeta un regard mélancolique à la devanture et au rêve qui y était représenté. Pas étonnant que sa grand-mère n'ait pas voulu vendre le collier à Gabe. Comment aurait-elle pu, après s'être défaite d'une partie des diamants ? Mais pourquoi ? A cause de sa maladie ? Ou bien avait-elle perdu de l'argent au cours de ces dernières années, crise économique oblige ? Qu'est-ce qui l'avait poussée à monnayer certaines des pierres ? Et, dans ce cas, pourquoi ne pas avoir contacté Gabe pour lui vendre le collier, intact ? Il aurait payé la somme qu'elle demandait. Il n'en avait jamais fait mystère.

Il n'y avait qu'un seul moyen de savoir, même si cela ne changeait plus rien. Elle aurait dû faire part de ses soupçons à Gabe. Lui dire avant leur mariage qu'elle se doutait que des diamants du Heart's Desire avaient été remplacés. Ne pas l'avoir fait la rendait très, très suspecte.

Mais comment réagirait-il ? Son silence ruinerait-il toute la confiance qu'il avait en elle ?

Elle reprit son téléphone, appela Gabe, qui décrocha aussitôt, comme s'il attendait son coup de fil.

— Il y a une chance que tu puisses quitter le bureau plus tôt et me retrouver chez ma grand-mère ?

— Je pense. Un problème ?

— Je ne sais pas encore, soupira-t-elle. Je suis en route.

Il ne perdit pas de temps en bavardage inutile.

— Je te retrouve dans vingt minutes.

Elle remit l'appareil dans sa poche. La neige continuait de virevolter autour d'elle, plus épaisse qu'auparavant. Bien que ce ne soit que le milieu de l'après-midi, le rideau ouaté donnait l'impression qu'il était plus tard et assourdissait les sons. Dans la vitrine, elle vit son reflet fantomatique, ainsi que le paysage urbain derrière elle. Un instant, elle se sentit comme enfermée dans un globe de verre, hors du temps, isolée entre deux mondes — la vie qu'elle menait avant que Jessa ait choisi de la détruire, et celle qu'elle construisait avec Gabe. A présent, ces deux mondes entraient en collision, l'ancien brisant le nouveau, sans qu'elle puisse rien faire pour l'éviter... à moins d'un miracle.

Pourtant, malgré le peu de probabilité, une graine d'optimisme prit racine. Noël était la saison des miracles... Peut-être parviendrait-elle à tout arranger. Peut-être ne perdrait-elle pas Gabe dans l'histoire.

Dans la vitrine scintillaient en miroir les lumières de Noël, symboles joyeux d'une croyance profondément ancrée dans l'histoire de l'humanité. Une croyance qui encourageait l'espérance, la foi, la paix. Elle posa la paume de sa main sur la vitre, sentit la vibration de l'Inferno, sentit la pulsation du lien puissant qui l'unissait à Gabe. Elle entendit une petite voix, au fond de son être, la pressant d'aller lui parler. De tout lui dire.

Une voix qui lui soufflait avec insistance de se confier à l'homme qu'elle aimait.

Elle ferma les yeux, combattit la peur qui avait façonné les cinq dernières années de sa vie en une existence de prudence et de méfiance. Et soudain elle comprit qu'elle avait le choix. Elle pouvait accorder sa confiance à Gabe et avancer. Ou faire un pas en arrière et retourner à la sécurité de son univers d'avant. Avant la première fois qu'il la touche.

Elle ouvrit les yeux et décida résolument de s'en remettre à ce que lui dictait son cœur.

Gabe entra dans le salon de Matilda comme un ange vengeur, son manteau noir maculé de neige battant ses flancs. Il suffit à Kat d'un seul regard pour comprendre que le miracle qu'elle espérait pour Noël ne se produirait pas. Elle ne savait pas quand ni comment, mais il était au courant pour le Heart's Desire. Et il ne subsistait aucun doute dans son esprit que l'apprendre mettrait un terme rapide et douloureux à leur mariage.

Lâchant la main de sa grand-mère, elle se leva.

— Gabe…

Il posa brièvement les yeux sur Matilda, avant de les tourner dans sa direction. Il la fixa, son regard doré assombri.

— Je suppose que tu as quelque chose à me dire.

Elle acquiesça, incapable de détourner les yeux, prise au piège de son regard.

— D'abord, tu dois savoir que j'ai remis le collier de ta mère à Francesca pour qu'elle l'examine.

— Quand ?

La sécheresse de son ton la fit flancher.

— Le jour de notre mariage.

— Pourquoi ?

Elle décocha un coup d'œil anxieux à sa grand-mère.

— Gam m'a offert le Heart's Desire le matin de nos noces en suggérant que je te fasse la surprise de le porter.

— Mais tu ne l'as pas porté, répliqua-t-il avec un sourire aussi froid que la température extérieure. Je l'aurais remarqué.

Elle déglutit, puis répondit franchement.

— Quelques-unes des pierres ne me paraissaient

pas vraies, alors j'ai dit à Gam que, compte tenu de son histoire, porter le collier devant les Dante risquait de ne pas être très diplomatique.

— Astucieux.

L'adjectif n'avait rien d'un compliment.

— Ensuite, durant la réception, j'ai demandé à Francesca d'examiner le collier. Elle… elle était d'accord avec moi. Plusieurs pierres n'étaient pas des diamants de feu.

— Tu veux dire que le Heart's Desire est faux ? intervint Matilda d'une voix choquée. C'est impossible.

Kat s'agenouilla à ses pieds, soulagée d'échapper au regard implacable de son mari.

— Le collier lui-même n'est pas faux, déclara-t-elle vivement pour la rassurer. Mais certains diamants ne sont pas authentiques.

— Ils l'étaient quand j'ai vendu le collier à ta grand-mère, affirma Gabe, les bras croisés sur sa poitrine. Il a été certifié par un expert. Donc, s'il y a un problème aujourd'hui, ça s'est produit depuis la vente.

— Mais je vous répète que c'est tout simplement impossible, protesta Matilda. A part le faire nettoyer et réévaluer il y a quelques années, je n'ai pas touché au collier.

Kate serra ses mains l'une contre l'autre. La bague de fiançailles offerte par Gabe pendant la réception mordit sa peau, provoquant une douleur aiguë qui n'était que les prémices de ce qu'elle connaîtrait bientôt, son mariage une fois terminé. Pourquoi sa grand-mère n'admettait-elle pas la vérité ? Après tout, le collier lui appartenait. Si elle avait choisi de le revendre par petits bouts, c'était son droit.

— Gam… Tu dois savoir que six diamants ont été remplacés.

Gabe s'avança, ôta son manteau d'un mouvement d'épaules avant de le jeter sur un accoudoir.

— Mais vous l'ignoriez, n'est-ce pas, Matilda ?

La vieille dame secoua la tête sans un mot, les lèvres tremblantes.

Kat étudia sa grand-mère, abasourdie.

— Une seconde. Je supposais que… Mais, si tu n'as pas revendu de diamant, alors qui… ?

— Il y a — il y *avait* — trois possibilités logiques, répondit Gabe. Moi aussi, j'ai supposé que Matilda était responsable, ce qui aurait expliqué sa réticence à me vendre le collier ces dernières années. Ce scénario pose deux problèmes.

— Lesquels ? demanda Matilda, levant le menton en un geste de fierté.

— Pourquoi vous défaire des diamants un par un, sachant que j'aurais payé une fortune pour le collier entier ?

Son raisonnement collait à celui de Kat.

— Et l'autre raison ?

Il lui sourit avec une gentillesse surprenante.

— Il me suffit de vous regarder pour savoir que le choc que vous éprouvez n'est pas feint. Vous ignoriez que certains diamants étaient faux. Sinon, vous n'auriez jamais osé le remettre à votre petite-fille pour qu'elle le porte à notre mariage. Ça aurait été bien trop risqué devant tant d'experts en joaillerie, n'importe quel Dante aurait repéré les faux diamants.

Lentement, Kat fit face à son mari.

— Tu as évoqué trois scénarios. Si ce n'était pas

Gam, qui d'autre en ce cas ? Moi, j'imagine, lâcha-t-elle, glacée.

— Oh ! toi, sans aucun doute, mon amour.

Matilda se raidit.

— Non, Gabe. Elle n'aurait pas pu…

Il lui jeta un regard attristé, puis reporta les yeux sur Kat, sans cesser de s'adresser à Matilda.

— La seule possibilité qui reste, c'est Jessa. Ce sont les deux seules options logiques. Vous m'avez dit que Kat adorait le Heart's Desire. Que le collier l'avait aidée à faire d'elle ce qu'elle est devenue. Peut-être l'a-t-il aidée plus que vous ne le pensez.

— C'est ce que tu crois ? demanda Kat.

— Explique-moi, ma chère épouse, avec quoi tu vivais en Italie ? Comment as-tu pu te payer des tenues de grands couturiers ? Peut-être, quand tu as compris que tu allais tout perdre face à Jessa, as-tu décidé de te servir des plus belles pierres ? Quel parfait parallèle, non ? Utiliser les diamants de feu pour payer ta formation en joaillerie ? Les vendre un par un afin de financer tes études. Pour payer tes dépenses quotidiennes, ainsi que quelques articles de luxe sans lesquels tu ne pourrais vivre, comme ces ravissants escarpins que tu portes en permanence.

— J'ai travaillé pour avoir tout ce que je possède, riposta-t-elle, furieuse. Je cumulais trois emplois, tous les jours, toute la journée, sans aucune aide extérieure. Tout ce que j'ai accompli ces cinq dernières années, je ne le dois qu'à moi seule !

— Si tu le dis.

— Je te le dis.

Gabe haussa les épaules.

— Alors, il ne nous reste qu'à considérer l'option numéro trois. Jessa.

Son prénom flotta dans l'air entre eux. Matilda parut se recroqueviller sur elle-même.

— Jessa ? répéta-t-elle d'un ton plaintif.

— C'est la seule autre option possible. Qui d'autre avait accès au collier ?

— Personne, murmura Matilda.

— Donc c'est soit Kat, soit Jessa, et à mon avis la question ne se pose même pas.

Il attendit que ces mots fassent mouche avant de continuer.

— Après tout, c'est Kat qui a tenté de séduire Benson Winters. Kat qui a trahi sa cousine. Kat qui adorait le Heart's Desire. Kat qui ne supportait pas l'idée qu'il aille à Jessa.

Elle s'interposa entre lui et sa grand-mère.

— Ça suffit, Gabe. Laisse-la tranquille. Si tu veux m'attaquer en tête à tête, pas de problème. Je suis prête. Mais je ne te laisserai pas blesser Gam.

— J'essaie juste d'inciter ta grand-mère à considérer la situation avec logique. A établir ce que je sais déjà.

— Et qu'est-ce que tu sais ? demanda-t-elle, luttant contre les larmes. Ou plutôt, qu'est-ce que tu *penses* savoir ?

Il pencha la tête.

— En fait, il m'a fallu du temps pour penser les choses. Et comprendre.

Totalement désorientée, elle le dévisagea.

— Là, je suis perdue.

— J'espère bien que non.

Puis il la regarda. Un simple regard. Durant un instant, elle ne parvint à interpréter ni son regard ni ses paroles. Logique et raison ne concordaient pas avec ce que lui soufflait son cœur. Gabe lui disait quelque chose. Quelque chose qu'elle ne comprenait pas, mais qui fit palpiter sa paume. Elle frotta la brûlure, sentit le brasier de l'Inferno se réveiller. Elle hésita, glissa une main sur son ventre, berçant l'étincelle de vie qu'elle devinait sous sa paume. C'est alors que la certitude l'étreignit.

Elle ignorait pourquoi il la peignait avec les couleurs de la culpabilité. Elle savait simplement qu'il n'y croyait pas une seconde. Il continuait de la regarder, une expression implacable sur le visage, et elle prit conscience qu'il n'avait aucune intention de s'expliquer. Ni de la rassurer. A elle de lui faire confiance ou pas. Elle le fit attendre durant trente interminables secondes. Cruel de sa part, certes. Mais il le méritait bien, après ce qu'il lui avait fait vivre !

Enfin, elle s'approcha de lui. Sa main reposait toujours sur son ventre, sur le bébé qui dormait là, et elle forma lentement un poing fermé. Puis elle replia son index en crochet.

Gabe ferma les paupières. Elle sentit littéralement la tension le submerger comme un raz-de-marée, avant de disparaître. Tout aussi lentement, il serra le poing et joignit son index au sien. L'Inferno vibra entre eux et courut dans ses veines comme le plus exquis des nectars.

— Je vous rembourserai les diamants, déclara Matilda. A condition que cette affaire en reste là.

Kat retourna auprès de sa grand-mère et prit ses mains noueuses entre les siennes.

— Tout va bien, Gam. Ne t'inquiète pas.

— Non, objecta Gabe. Tout ne va pas bien. Soit tu

es coupable, soit c'est Jessa. Je veux que Matilda me dise laquelle des deux. Je pense qu'elle le sait. Je pense qu'au fond de son cœur elle se rend compte qu'elle a commis une terrible erreur, il y a cinq ans. C'est pour ça qu'elle t'a demandé de rentrer. Pour ça qu'elle a prétendu être en train de mourir.

— Je suis en train de mourir, protesta Matilda. Bon, j'ai peut-être exagéré sur l'échéance. Mais, comme je vous l'ai dit, la vie n'est qu'une marche vers la mort, et je suis bien plus près de la fin que du début.

— Oh ! Gam, pourquoi ? s'exclama Kat, bouleversée. Pourquoi faire une chose pareille ? Tu peux imaginer à quel point j'ai paniqué à l'idée de te perdre ?

Les yeux de Matilda s'emplirent de larmes. L'une d'elles s'échappa, roula le long d'une ride que le temps avait creusée sur son visage.

— J'avais peur que tu refuses de revenir si tu ne pensais pas que j'allais mourir. Et, même là, je n'étais pas certaine que tu viendrais.

— Ne sois pas ridicule, dit Kat en l'étreignant. Bien sûr que je serais rentrée. Je t'aime. Tu es la seule famille qui me reste. Pourquoi crois-tu que j'ai continué à t'écrire, toutes ces années ?

Le menton de Matilda trembla un peu, le temps qu'elle recouvre son sang-froid. Puis elle regarda Gabe droit dans les yeux.

— Kat n'aurait jamais abîmé le Heart's Desire. Jamais. Elle a toujours chéri ce collier, l'a toujours considéré comme la plus belle chose au monde. Elle se serait coupé un bras plutôt que de faire quoi que ce soit qui lui ôte de sa valeur.

— C'est pour ça que vous avez toujours refusé de me le vendre, n'est-ce pas ? Parce que Kat l'aimait tant.

Elle acquiesça, tandis que de nouvelles larmes coulaient sur ses joues.

— C'était mon dernier lien avec elle.

— Et Jessa ? demanda-t-il à voix basse.

Matilda soupira avant de répondre :

— Elle est venue me voir le jour de sa mort. Elle était furieuse parce que je lui avais annoncé que j'avais toujours l'intention de donner le collier à Kat. Je me demandais… je me demandais si elle pensait, en vous épousant, que je finirais par changer d'avis et le lui léguer.

Gabe parut interloqué.

— Jamais je ne me suis attendu à ce que vous le donniez. J'ai toujours espéré vous le racheter.

Elle balaya la remarque d'un geste.

— Jessa avait d'autres plans.

Une ombre de culpabilité passa sur son visage, et elle poursuivit d'une voix hésitante :

— J'ai un aveu à faire à propos du jour de sa mort. Je… je me suis toujours reproché son accident. Peut-être que si on ne s'était pas disputées pour le collier elle n'aurait pas conduit avec autant d'imprudence.

Gabe l'arrêta tout de suite.

— C'était son choix de rouler aussi vite. Et elle a payé le prix fort de cette décision.

C'est alors que Kat comprit qu'il n'éprouvait plus aucun sentiment de protection à l'égard de Jessa. Qu'à un moment donné il avait cessé de croire en son ex-femme… et commencé à croire en elle. Que l'amour qu'il avait eu pour Jessa s'était évaporé, en même temps que sa loyauté envers elle, et ce définitivement. La lumière attrapa l'éclat des diamants de feu ornant sa bague, allumant les flammes qu'ils contenaient. Ces dernières jaillirent en un arc de couleur étincelante, comme pour confirmer que sa prière d'un miracle de Noël serait peut-être exaucée, après tout.

Elle dut laisser échapper un petit cri, car il lui lança un coup d'œil interrogateur avant de poursuivre :

— En tout cas, je peux vous affirmer avec certitude que c'est Jessa qui a vendu les diamants.

— Comment le sais-tu ? s'exclama Kat.

— J'ai appelé Primo en venant. Pour lui demander quand les pierres avaient été vendues et si on pouvait identifier la personne. C'était elle, aucun doute là-dessus.

Matilda en resta bouche bée.

— Vous le saviez en entrant ici ?

— Oui. Mais il fallait que vous l'établissiez par vous-même, afin de comprendre que Kat était innocente.

— Ma foi, je ne peux pas dire que j'approuve vos méthodes, déclara-t-elle d'un ton amer. Même si j'admets qu'elles sont efficaces.

— Je vous présente mes excuses, mais ça semblait le meilleur moyen pour obliger les choses à éclater au grand jour. Maintenant, ajouta-t-il en se penchant pour embrasser sa joue parcheminée, je vais ramener ma femme à la maison. A elle aussi, je dois des excuses.

— Compte là-dessus, murmura Kat.

Gabe lui jeta un bref sourire avant de revenir à Matilda.

— Demain soir, c'est le réveillon. Si on passait vous prendre ? Vous pourriez dormir chez nous et célébrer le jour de Noël avec nous.

Elle lui rendit son sourire, en plus timide.

— Merci. Ça me ferait un immense plaisir.

— Et ne vous inquiétez pas pour les diamants. Tout ce que vous avez à faire à présent, c'est rester en bonne santé. Kat aimerait profiter longtemps de sa grand-mère. Assez longtemps pour qu'elle devienne arrière-grand-mère un certain nombre de fois, conclut-il avec un sourire coquin.

Le trajet jusqu'à Medina prit le double du temps habituel en raison des conditions météorologiques. Il parut d'autant plus interminable à Kat qu'elle et Gabe avaient encore de nombreux points à régler, mais dont elle ne voulait pas discuter dans la voiture. Lorsqu'ils arrivèrent enfin, la nuit était tombée, et la maison comme le jardin étaient recouverts d'une épaisse couche de neige. Ils entrèrent dans le vestibule silencieux, puis Gabe l'entraîna vers le petit salon. Que le dénouement se déroule à l'endroit même où ils avaient découvert qu'ils étaient liés par l'Inferno créait une impression étrange de symétrie.

La pièce était éclairée par un feu de cheminée. Devant la baie vitrée, un sapin de Noël clignotait gaiement, décor romantique sans aucun doute dû à Dennis, l'intendant de Gabe, avant son départ pour la nuit. Gabe prit quelques coussins sur le canapé et les jeta sur le sol devant le sapin, de manière qu'ils voient le feu tout en discutant. Il fit asseoir Kat, l'entoura de ses bras et l'attira à lui. Puis il l'embrassa, baiser auquel elle répondit avec passion.

De longues minutes s'écoulèrent dans un silence palpitant. Puis Gabe s'écarta légèrement et la fixa.

— L'heure de vérité, annonça-t-il.

— Honnêteté au lit ?

— Puisque j'ai l'intention de te faire l'amour ici même, on peut dire que ces coussins feront office de lit. Raconte-moi ce qui s'est passé avec Jessa, qu'on referme enfin cette porte.

— Il y a une part de spéculation, et une autre fondée sur ce que Benson m'a dit, avertit-elle. Il m'a appelée il y a deux jours pour s'excuser de m'avoir mal jugée. Il lui a fallu du temps, a-t-il avoué, mais il a fini par comprendre que j'avais été piégée comme il l'avait été, lui.

— J'aimerais quand même entendre ta version.

Elle soupira.

— Tout d'abord, tu dois savoir que Jessa et moi n'étions pas très proches. En partie à cause de notre différence d'âge. Mais aussi à cause de sa rancœur vis-à-vis du lien que j'avais avec Gam. Quoi qu'il en soit, Jessa et moi avions une relation cordiale mais distante. Puis est arrivé Benson.

— Je sais qu'elle l'a rencontré quand elle travaillait sur sa campagne.

— Oui. Ils ont annoncé leurs fiançailles juste après qu'il a présenté sa candidature. Ses chiffres ont fait un joli bond en avant. Il commençait à avoir une vraie chance de gagner.

Gabe fronça les sourcils.

— Qu'est-ce qui a mal tourné, alors ? Le livre de révélations écrit par son ex n'est sorti qu'après le scandale.

— J'ai interrogé Benson à ce sujet. Il m'a dit que le directeur de sa campagne avait été averti de la parution du livre et avait mis Jessa en garde. Les révélations compromettraient sérieusement ses chances de victoire. D'après lui, elle l'a très mal pris.

— Elle a alors décidé qu'il était temps d'arrêter les frais et de poursuivre sa route ?

Kat hocha la tête.

— Ça expliquerait beaucoup de choses. Une semaine plus tard, elle m'a téléphoné, disant qu'elle voulait qu'on se rapproche, qu'on soit plus comme des sœurs que des cousines, d'autant qu'on n'avait pas d'autre famille que Gam. Elle a proposé une soirée entre filles. Elle a loué une suite où on aurait un dîner, du vin, des massages…

— Même si tu n'avais pas l'âge légal ?

— Oui. Je pense que ça faisait partie de la tentation. L'aspect désobéissance. Souviens-toi, j'ai été élevée par une grand-mère très stricte.

Elle ferma les yeux. Son ton détaché était en totale contradiction avec la douleur qui la traversait.

— Comme une idiote, j'y suis allée, conclut-elle dans un murmure.

Gabe resserra son bras autour d'elle.

— C'est fini. Ça ne te fera plus de mal, dit-il, effleurant sa tempe de ses lèvres. Je suppose que Jessa t'a droguée ? Et qu'elle s'est arrangée pour que Benson débarque dans la suite ?

— Oui, répondit-elle avec un frisson. Je me suis réveillée dans le lit, nue. Tu étais là. Benson était là. Et les médias sont arrivés tout de suite après.

Son menton tremblait, elle mit un moment à recouvrer son calme.

— Ces choses que je t'ai dites…, lâcha Gabe. Je ne pourrai jamais assez m'en excuser. Jessa assurait que tu avais toujours été jalouse d'elle, que tu avais cherché à séduire son fiancé. Je l'ai crue, tellement certain qu'elle était la victime. Alors qu'elle avait décidé de nuire à Winters.

— Elle ne pouvait pas simplement le quitter. D'autant qu'elle avait déjà des vues sur un remplaçant pour Benson. A l'époque, tout marchait très fort pour toi. Alors elle a misé sur ton instinct de protection en jouant le rôle de la victime.

— Pourquoi se servir de toi ?

— Parce que j'étais assez jeune et stupide pour ne pas m'interroger sur ses motifs, admit-elle avec honnêteté. Et parce que j'étais l'obstacle entre elle et Gam, ou plutôt, l'argent de Gam. Et plus important, entre elle et le Heart's Desire.

Saisissant son menton, il la força à le regarder. Des larmes emplissaient ses yeux, qu'elle tentait vainement de contrôler.

— Dis-le, Kat. Tu peux enfin le dire. Tu peux enfin prononcer les mots. Cette fois, quelqu'un te croira.

Les larmes s'échappèrent et roulèrent sur ses joues. Elle dut s'y prendre à trois fois pour réussir à les exprimer.

— Ce n'était pas moi.

Fermant les yeux, elle céda aux larmes. Rouvrit la blessure qui la tourmentait depuis cinq ans. Libéra enfin toute la douleur et toute l'amertume emmagasinées depuis si longtemps.

— Ce n'était pas moi. Je suis innocente.

Il se contenta de la tenir dans ses bras pendant qu'elle pleurait. Il la tint contre lui comme si jamais plus il ne la lâcherait. Lorsque les larmes se tarirent, il essuya son visage.

— Voilà qui est mieux, dit-il d'un ton satisfait.

Et c'était vrai.

— Un problème réglé ? demanda-t-elle avec un sourire timide.

— Ce n'était pas un problème, juste une question dont il me fallait la réponse afin de démarrer notre mariage sur de bonnes bases, sans que le fantôme de Jessa ne plane au-dessus de nous. Je ne pourrai jamais m'excuser assez de mon rôle dans ce qui s'est passé à l'époque, Kat. Pour ne pas avoir compris que Jessa t'avait piégée.

— Tu ne pouvais pas le deviner. Elle a toujours été très forte pour manipuler les gens.

Gabe leva le bras et fit tinter une clochette dorée suspendue dans l'arbre de Noël. Son carillon joyeux rappelait les cloches qui avaient résonné le jour de leur mariage.

— On passe au point suivant ? Pourquoi tu ne m'as rien dit quand tu as eu des doutes à propos du collier ?

— Ce n'était que quelques heures avant la cérémonie, et ta famille est arrivée dans les minutes qui ont suivi cette découverte. Tout le monde m'a dit que Primo t'avait confisqué ton portable. Je n'avais aucun moyen de te joindre. En plus, j'espérais m'être trompée. Hélas, non…

— Quand as-tu su avec certitude ?

— Quand j'ai emmené Francesca dans notre suite, pendant la réception. Tu discutais avec Primo, tu te souviens ?

— Parfaitement.

— Elle a confirmé mes soupçons. J'aurais dû arrêter le mariage et te parler du problème, ajouta-t-elle, mal à l'aise. Ce n'est pas faute de l'avoir envisagé, tu sais.

— A mon avis, ce que tu envisageais, c'était de fuir à toutes jambes, répliqua-t-il.

Elle éclata de rire, un rire encore voilé de ses larmes récentes. Puis elle le regarda droit dans les yeux.

— Bon, et maintenant qu'est-ce qu'on fait ? Tu m'as épousée pour récupérer le collier de ta mère. Mais rien ne s'est passé comme tu t'y attendais.

Il posa la main sur sa joue, caressa ses lèvres du pouce.

— C'est vrai. J'ai bien peur que notre contrat initial ne puisse être honoré tant que tu n'as pas remplacé les diamants.

— Tu as une idée de ce qu'ils valent ? protesta-t-elle. Jamais je n'aurai les moyens !

Une fois de plus, son expression se fit indéchiffrable.

— Pour tout te dire, j'y compte bien.

— Je ne comprends pas, Gabe.

— J'ai calculé qu'il te faudrait au bas mot cinquante ou soixante ans pour me rembourser ce que tu me dois pour ces diamants.

L'espoir fleurit au fond de son cœur, une lueur brillante et heureuse.

— Tu crois que ça suffira ? demanda-t-elle, mutine.

— Probablement pas, surtout si j'ajoute les intérêts.

— Donc, me voilà coincée avec toi ?

Il lui sourit. Cette fois, elle fut tout à fait capable de déchiffrer son expression.

— Tu n'as pas le choix, je le crains. Tu es coincée. Au moins jusqu'à l'expiration de notre contrat.

— Dans cinquante ou soixante ans ?

— Voire plus, comme tu l'as dit.

Lentement, elle ferma son poing et courba son index. Il l'imita, joignit leurs doigts.

— Je t'aime, Gabriel Moretti, murmura-t-elle.

Il effleura ses lèvres.

— Je t'aime aussi, Katerina Moretti. Consens-tu à mes requêtes ?

Paupières closes, elle approfondit leur baiser.

— Sans l'ombre d'un doute, répondit-elle.

Puis il s'écarta et lui lança un sourire aguicheur.

— Maintenant, notre dernier problème.

— Lequel ?

Il caressa son ventre.

— Le nom à donner à notre bébé.

Elle glissa sa main sur la sienne, entremêlant leurs doigts.

— Tu crois vraiment que je suis enceinte ?

— D'après les Dante, c'est plus que probable.

— Alors, comment veux-tu l'appeler ? Nonna dit que c'est un garçon, précisa-t-elle vivement.

Soudain très sérieux, Gabe hésita.

— Primo a fait une suggestion le jour de notre mariage.

Kat mit un moment à faire le rapprochement.

— Ah ! La discussion que vous aviez pendant que Francesca et moi étions montées ?

— Oui.

— Quel nom aimerait-il qu'on lui donne ?

— Dante.

L'espace d'une seconde, il eut du mal à poursuivre. Sa voix lui fit défaut.

— Sauf qu'il ne le suggérait pas comme prénom, reprit-il ensuite. Mais comme nom de famille. Il m'a demandé de réfléchir à l'idée de prendre son nom, soit en le modifiant légalement, soit via l'adoption.

— Oh ! Gabe…

Elle sentit son cœur se serrer. A une époque de sa vie, il aurait donné n'importe quoi pour que son père fasse cela pour lui, elle le savait.

— Qu'as-tu répondu ?

Une lueur joyeuse illumina les yeux de Gabe. Il joignit leurs mains, paume contre paume, Inferno contre Inferno. Le brasier déferla en eux, mélange de joie et de douceur qui éclipsa tout ce qui les avait menés à cet instant.

— J'ai supposé que tu n'y verrais pas d'objection, déclara-t-il, aussi ai-je répondu que nous serions heureux de devenir des Dante.

Elle lui donna un nouveau baiser passionné.

— Tu ne deviendras pas un Dante en changeant simplement ton nom. Tu es né Dante, Gabe. Tu l'as toujours été et tu le seras toujours. Tout comme tu as toujours été et tu seras toujours mon âme sœur désignée par l'Inferno.

Il l'attira contre lui, la serra fort dans ses bras.

— Tout comme tu as toujours été et tu seras toujours mon Heart's Desire, le désir de mon cœur.

Dehors, la neige tombait sans relâche, couverture de pureté enveloppant un cœur de chaleur et d'amour. Noël était arrivé en avance. Son miracle, c'était le retour de la foi et d'une confiance inébranlable. Qui les avait conduits l'un vers l'autre. Vers la famille qu'ils avaient toujours désespérément désirée. Vers un futur flamboyant, lumineux, avec la promesse d'un fils. Un fils qui n'ignorerait rien de sa filiation et qui porterait le nom de Dante dès le jour de sa naissance.

Cela avait commencé par une infime étincelle vacillante, laquelle avait pris, tenu bon, était devenue un brasier, un Inferno. Mais qui, tout au fond, était devenue bien plus.

Devenue Dante.

RaeANNE THAYNE

Souvenirs troublants

éditions HARLEQUIN

Titre original : A COLD CREEK REUNION

Traduction française de FRANÇOISE HENRY

1

Tout en aimant ses hommes comme ses propres frères, Taft éprouvait parfois l'envie de les étrangler. Depuis cinq ans qu'il dirigeait la brigade de sapeurs-pompiers de Pine Gulch, il avait régulièrement organisé des exercices de sauvetage en eau vive. Ce mois-ci, c'était même le deuxième, mais ses hommes, des bénévoles, étaient toujours incapables de lancer un sac de sauvetage suffisamment près des trois « victimes » flottant sur la Cold Creek River.

— Il faut tenir compte du courant, s'écria-t-il pour la énième fois. Vous devez jeter le sac en aval des gens en difficulté pour qu'ils tombent sur le câble dans leur dérive et puissent s'y agripper.

Une à une, les victimes, en réalité des pompiers de son équipe de trente hommes, parvinrent à la ligne tendue entre les deux rives et, à la force des bras, rejoignirent la berge.

S'il entraînait intensivement ses hommes au sauvetage en eau vive, bien que l'eau soit encore froide à cette époque de l'année, c'était que, d'ici un mois, arriverait le printemps et avec lui une ruée de touristes sur la rivière.

Située sur le versant ouest des monts Tetons, la Cold Creek River, avec ses méandres et ses magnifiques paysages, jouissait des faveurs des amoureux du kayak. Cependant, entre les amateurs de sensations fortes manquant parfois d'expérience et les flâneurs s'approchant un peu trop près des bords du tumultueux cours d'eau, il y avait plusieurs accidents par saison, et il tenait à ce que son équipe soit fin prête.

— Bon, essayons encore une fois, lança-t-il. Terry, Charlie, Bates, mettez-vous au lancer de sac. Luke, Cody, Tom, cette fois, laissez environ cinq minutes entre vos sauts. Comme ça, nous aurons le temps de secourir celui qui est devant vous.

Après avoir donné ses instructions, il regarda Luke Orosco, son second, sauter dans l'eau et se laisser emporter par le courant en position de sécurité, les pieds devant.

— Terry, Luke arrive ! Es-tu prêt ? Un, deux, trois, maintenant !

Cette fois, le câble atterrit dans l'eau juste devant le plongeur, et Taft sourit.

— Parfait ! Maintenant, explique à la victime comment attacher le câble.

Très satisfait de la réussite de cette opération de sauvetage, il regardait Cody Shepherd sauter quand la radio fixée à sa ceinture se mit à grésiller.

— Chef Bowman ? Vous me recevez ?

L'inhabituelle tension de la voix de son interlocuteur éveilla instantanément son instinct. Après quinze ans de lutte contre le feu et de secours médical d'urgence, celui-ci ne le trompait jamais.

— Je vous reçois. Que se passe-t-il, Kelly ?

— On nous signale un début d'incendie à l'auberge Cold Creek Inn, 320 Cold Creek Road.

— Quoi ? s'exclama-t-il tout en regardant le deuxième repêchage se dérouler sans accroc.

Les incendies de bâtiment étaient rares dans la paisible ville de Pine Gulch. Le dernier avait consisté, quatre mois plus tôt, en un feu de cheminée, maîtrisé en cinq minutes.

— C'en est un, chef. L'auberge est évacuée.

Un juron lui échappa. La moitié de ses effectifs était en combinaison de plongée. Du moins n'étaient-ils qu'à quelques centaines de mètres de la caserne.

— Abandon immédiat de l'opération ! hurla-t-il dans son mégaphone. Incendie à Cold Creek Inn. Rassemblez votre matériel. Ceci n'est pas un exercice !

A leur crédit, ses hommes saisirent immédiatement la gravité de la situation. La dernière « victime » fut promptement agrippée et extirpée de l'eau, et chacun se rua vers la nouvelle caserne construite par la ville deux ans auparavant.

Moins de quatre minutes plus tard, un laps de temps encore trop long à son goût, son équipe au complet se dirigeait vers la Cold Creek Inn à bord d'un camion muni d'une grande échelle.

L'auberge, une jolie construction de bois édifiée sans plan établi et pleine de coins et de recoins, se dressait non loin du modeste centre-ville de Pine Gulch, à environ un kilomètre et demi de la caserne. Quand ils arrivèrent en vue de l'établissement, Taft prit rapidement la mesure de la situation. On ne voyait pas de flammes, mais un fin nuage de fumée s'élevait d'une fenêtre située à l'extrémité de l'aile est du bâtiment.

Quelques personnes étaient rassemblées en petits groupes sur la pelouse, des clients de toute évidence, et il éprouva un vif élan de sympathie pour la propriétaire.

La pauvre Jan Pendleton avait déjà du mal à trouver des clients pour un établissement, certes plein de charme, mais mal entretenu, un incendie et une évacuation forcée n'allaient certainement pas arranger ses affaires.

Il descendit prestement du camion.

— Luke, tu vérifies avec Pete qu'il ne reste personne à l'intérieur. Cody, viens évaluer les dégâts avec moi. Vous connaissez tous la marche à suivre.

Cody Shepherd était un jeune homme à la dernière étape de son entraînement au feu et aux soins médicaux d'urgence. Avec lui, il se dirigea vers la porte la plus proche de l'endroit d'où partait la fumée.

Puis il entra dans la chambre touchée par l'incendie. Quelqu'un était déjà passé par là avec un extincteur, constata-t-il. Le feu était pratiquement éteint, mais les rideaux carbonisés continuaient de fumer, cause du mince filet aperçu de l'extérieur.

Dépourvue de lit, son tapis roulé le long du mur, la pièce semblait en rénovation. Une très forte humidité y régnait. L'ancien système d'extinction automatique avait fonctionné et achevé le travail, en conclut-il.

— C'est tout ? fit Cody avec un regard mécontent.

— Excuse-moi, j'aurais dû te laisser les honneurs, dit-il en lui tendant l'extincteur. A toi de jouer.

Avec un reniflement de mépris, Cody prit l'appareil et projeta une couche de mousse parfaitement inutile sur les rideaux.

— Pas très excitant, j'en conviens, dit Taft, mais, au moins, personne n'a été blessé. C'est un miracle que cet endroit ne soit pas parti en fumée depuis des lustres. Sortons les rideaux et faisons venir l'équipe d'Engine Twenty.

Par radio, il entra en communication avec son second

et ordonna qu'Engine Twenty vienne contrôler les lieux : cette équipe était chargée de vérifier que la chaleur n'avait pas créé de foyers d'incandescence voyageant insidieusement dans les murs et susceptibles de susciter de nouveaux départs d'incendie dans d'autres pièces.

Quand il ressortit, Luke s'approcha de lui.

— Beaucoup de bruit pour rien, n'est-ce pas ? Certains d'entre nous auraient pu rester à la rivière.

— Nous referons des exercices de sauvetage en eau vive la semaine prochaine, lui répondit-il. A part Engine Twenty, vous pouvez regagner la caserne.

Tout en s'entretenant avec Luke il repéra Jan Pendleton, qui se tenait à quelque distance de l'auberge, son visage rond et ridé exprimant la détresse. Elle portait dans ses bras une fillette brune, sans doute traumatisée par l'incendie.

Une jeune femme se tenait près d'elle et, de loin, il eut l'étrange impression qu'un halo de sérénité l'environnait, au milieu du chaos des lumières clignotantes des véhicules d'urgence, des cris qu'échangeaient les membres de l'équipe et de l'excitation de la foule.

Et puis la jeune femme se retourna, et il faillit trébucher sur un tuyau qui n'aurait pas dû se trouver là.

Laura.

Dix ans. Dix ans s'étaient écoulés depuis que, une semaine avant la date prévue pour leur mariage, elle lui avait rendu sa bague et avait quitté la ville. Pas juste la ville, d'ailleurs, mais aussi le pays, comme s'il lui avait semblé qu'elle ne mettrait jamais assez de distance entre eux.

Il souhaita désespérément s'être trompé. Ce ne pouvait être elle. Il s'agissait forcément d'une autre mince jeune femme aux longs cheveux blonds et aux inoubliables yeux bleus. Mais non. C'était bien Laura, debout près de Jan, sa mère.

— Nous n'avons pas trouvé de points chauds, chef.

La voix de Luke l'arracha brusquement à ses douloureux souvenirs de souffrance et d'amer regret.

— Vous êtes certains ?

— Oui. Le système d'arrosage s'est mis correctement en route, et quelqu'un a fini le travail avec un extincteur à main. Tom et Nate continuent quand même de vérifier l'intégrité des cloisons intérieures.

— Très bien. Très bien. Excellent travail.

Son second le considéra d'un air inquiet.

— Vous allez bien ? Vous êtes tout pâle.

Il poussa un soupir.

— C'est tout de même un incendie, Luke, et il aurait pu y avoir des conséquences désastreuses. Avec une installation électrique aussi archaïque, c'est un miracle que l'établissement ait tenu le coup.

— C'est aussi mon avis, reprit Luke.

Taft soupira de nouveau. Il allait devoir s'entretenir avec Jan Pendleton et, par ricochet, avec Laura, ce dont il n'avait aucune envie. Il aurait mille fois préféré feindre ne l'avoir pas vue. Mais, en tant que capitaine de brigade, il ne pouvait esquiver ses devoirs sous prétexte qu'il avait eu une malheureuse histoire d'amour avec la fille de la propriétaire.

Parfois, il détestait son métier.

Il s'approcha des deux femmes. Son cœur battait à coups précipités dans sa poitrine.

En le voyant approcher, Laura se raidit et détourna les yeux. Sa mère en revanche posa sur lui un regard élargi par l'angoisse, et elle resserra son étreinte sur la petite fille qu'elle tenait dans ses bras.

— Rassurez-vous, madame Pendleton, dit-il vivement pour calmer sa frayeur. L'incendie est sous contrôle.

— Naturellement qu'il est sous contrôle ! s'exclama Laura, affrontant enfin son regard, le visage fermé et impassible. Il était sous contrôle avant votre arrivée, dix minutes après notre appel, je dois le signaler.

Alors qu'il avait mille choses à lui dire, il répliqua, outré :

— Sept minutes, d'après mes calculs ! Et nous aurions été là en deux fois moins de temps si mes hommes n'avaient été en exercice de sauvetage au beau milieu de la Cold Creek quand nous avons reçu votre appel.

— Dans ce cas, je suppose que vous auriez été prêts si certains de nos clients avaient choisi de se jeter à l'eau pour éviter les flammes.

C'était curieux, il ne se la rappelait pas aussi acerbe. A l'époque de leurs fiançailles, c'était, tout au contraire, une jeune femme douce et gaie... jusqu'à ce qu'il anéantisse sa gentillesse et sa joie de vivre.

— Chef Bowman, quand pourrons-nous autoriser nos clients à regagner leurs chambres ? s'enquit Jan Pendleton d'une voix légèrement tremblante.

La petite fille dans ses bras lui tapota la joue.

— Pleure pas, Grandma.

Au prix d'un visible effort sur elle-même, Jan adressa un sourire las à la fillette, qui avait les mêmes yeux bleus que Laura et les traits caractéristiques d'une enfant trisomique, comprit-il.

— Ils peuvent aller chercher leurs affaires sans s'attarder dans les chambres proches de celle où a démarré l'incendie, reprit-il. Mes hommes vont rester encore une heure ou deux pour s'assurer qu'il n'existe aucun foyer caché.

Il marqua une pause, souhaitant ne pas être le porteur d'une aussi mauvaise nouvelle.

— Je vais vous laisser la décision finale de savoir si vous faites dormir vos clients ici mais, pour être honnête, ce ne serait pas raisonnable. Malgré notre vigilance, il arrive que des braises reprennent vie après des heures de sommeil.

— Nous avons une douzaine de clients, lâcha Laura.

Comme elle le regardait bien en face, il eut l'impression de lire de l'hostilité sur son visage, et il en éprouva une vive contrariété. Bon sang ! C'était *elle* qui avait rompu une semaine avant leur mariage. Si quelqu'un devait ressentir de l'amertume, c'était bien lui.

— Que sommes-nous censées faire d'eux ? demanda-t-elle.

La question le ramena à la réalité. Leur passé ne comptait plus face à un présent où des gens avaient besoin d'aide.

— Nous pouvons demander à la Croix-Rouge de leur fournir un abri, ou bien exploiter d'autres possibilités d'hébergement en ville. Peut-être reste-t-il des bungalows libres au Cavazo.

Jan Pendleton ferma les yeux.

— C'est un désastre !

— Mais pas irréparable, maman, dit Laura en posant une main apaisante sur le bras de sa mère. Nous allons trouver un arrangement.

— Avez-vous une idée de ce qui a pu provoquer cet incendie ? demanda-t-il à contrecœur.

Laura se rembrunit.

— Pas *ce qui*, mais *qui*, répondit-elle.

— Oh ?

— Alexandro Santiago, viens ici, jeune homme.

Suivant son regard, il découvrit un petit garçon brun, d'environ six ou sept ans. Assis au bord du trottoir, il observait la scène avec de grands yeux noirs pleins d'une fascination avide. S'il ne possédait pas les cheveux blonds et les yeux bleus de Laura, sa bouche mobile, son nez droit et ses pommettes hautes trahissaient indubitablement leur parenté.

Pendant un interminable moment, l'enfant ne bougea pas. Enfin, il se leva et vint vers eux en traînant des pieds, la mine sombre.

— Alex, explique à Chef Bowman comment l'incendie a démarré, ordonna Laura.

L'enfant détourna la tête.

— Je suis vraiment obligé ?

— Oui, répliqua sévèrement Laura.

Pendant quelques instants, le petit garçon fit passer son poids d'un pied sur l'autre avant de pousser un soupir.

— Bon, d'accord. J'ai trouvé un briquet dans une des chambres qu'on répare.

Il s'exprimait avec un léger accent hispanique.

— Je n'en avais jamais vu avant, poursuivit-il, et je voulais juste savoir comment ça marchait. Je ne voulais pas mettre le feu, *es la verdad* ! Mais les rideaux ont pris feu, et j'ai crié, et *mi madre* est arrivée avec l'extincteur.

En d'autres circonstances, la façon décousue dont l'enfant racontait son histoire et l'art avec lequel il manipulait les événements pour laisser croire qu'ils s'étaient enchaînés sans intervention directe de sa part auraient sans doute amusé Taft.

Cependant, les conséquences de son geste auraient pu être dramatiques dans un lieu à risque comme cette vieille auberge.

Tout en détestant jouer les croque-mitaines, il devait faire comprendre à l'enfant la gravité de son geste. Son métier comportait une grande part de sensibilisation au danger, et il prenait très au sérieux cette responsabilité.

— Jouer avec un briquet est très dangereux, Alex. Des gens auraient pu être sérieusement blessés. Si ta mère n'était pas arrivée aussi vite avec l'extincteur, les flammes auraient pu se propager de pièce en pièce et brûler l'hôtel et tout son contenu.

Courageusement, le petit garçon releva la tête et affronta son regard. Dans le sien se mêlaient honte et remords.

— Je sais, dit-il. C'était idiot. Je regrette vraiment beaucoup, beaucoup, ce que j'ai fait.

— Ce n'est pourtant pas faute de t'avoir dit et répété de ne pas jouer avec des allumettes, un briquet ou tout autre objet qui risque de causer un incendie, intervint Laura. Je t'en ai expliqué les dangers.

— Je voulais juste voir s'il marchait, répéta l'enfant d'une petite voix.

— Tu ne recommenceras pas, n'est-ce pas ? demanda Taft.

— Jamais, jamais.

— Bon. Parce que nous sommes plutôt stricts sur ce genre de comportement dans le coin. La prochaine fois, nous devrons te mettre en prison.

L'enfant leva sur lui un regard effaré, puis soupira de soulagement en voyant le petit sourire qui jouait sur ses lèvres.

— Je ne recommencerai pas, promis, juré.

— J'ai ta parole.

— Hé, Chef ! appela Lee Randall depuis le camion.

Nous avons un problème avec l'enrouleur de tuyau. Pouvez-vous nous donner un coup de main ?

— J'arrive ! cria-t-il en retour, soulagé de cette occasion d'échapper à la présence de Laura. Excusez-moi, voulez-vous ? ajouta-t-il à l'intention de la famille Pendleton.

— Bien sûr, répondit Jan. S'il vous plaît, dites à vos hommes combien nous leur sommes reconnaissantes. N'est-ce pas, Laura ?

— Absolument, fit-elle d'un ton poli, tout en évitant son regard.

— 'Revoir, Chef, dit avec un grand sourire la charmante petite fille blottie dans les bras de Jan.

Une vraie enjôleuse, pensa-t-il.

— A une autre fois, lui lança-t-il en réponse.

Le sourire de la petite s'élargit encore, et elle lui adressa de grands signes tandis qu'il s'éloignait, la gorge serrée.

Laura était vraiment de retour. Yeux bleus, charmants enfants, et tout et tout.

Laura Pendleton. Enfin, Santiago, désormais. Il l'avait aimée de toute la force de son jeune cœur, et elle l'avait quitté. A présent, elle était là, et quel moyen avait-il de l'éviter en vivant dans une petite ville comme Pine Gulch qui comptait une seule épicerie, deux stations-service et une caserne de pompiers située à quelques pâtés de maison de son hôtel ?

Soudain, les souvenirs le submergèrent, et il ne savait qu'en faire.

Elle était de retour. Et dire qu'il s'était félicité dernièrement d'être capitaine de la brigade de sapeurs-pompiers d'une petite ville de six cents habitants, généralement épargnée par les désastres !

Laura regarda Taft rejoindre ses hommes et ranger le matériel nécessaire à l'intervention, laquelle n'avait pas vraiment été une intervention dans la mesure où l'incendie avait été éteint avant l'arrivée des pompiers. Elle le vit s'arrêter ici et là, s'entretenir avec ses équipiers, lancer des ordres et aider à remonter un engin mécanique sur un camion d'un rouge étincelant.

Le voir en action n'avait rien de nouveau. Quand ils sortaient ensemble, elle l'accompagnait parfois en intervention parce qu'elle ne supportait pas d'être séparée de lui. Taft avait toujours paru à l'aise et efficace devant n'importe quelle situation, qu'il s'agisse d'une urgence médicale ou d'un feu de prairie.

Apparemment, de ce point de vue, il n'avait pas changé. Et il se déplaçait toujours avec cette grâce féline qu'elle trouvait autrefois si sexy, même sous les couches de son équipement. Elle l'observa un moment, puis se força à détourner le regard. A tout point de vue, ce frémissement de désir resurgissant du passé n'était pas une bonne chose. Il était non seulement déplacé mais encore infiniment perturbant.

Après toutes ces années, tous ces chagrins et ces débris de rêves brisés qu'elle avait finalement réussi à balayer, comment se faisait-il que Taft ait encore le pouvoir de l'affecter ? Il fallait absolument qu'elle reste imperméable à son charme si elle voulait éviter la catastrophe.

Quand, après le décès de Javier, elle avait pris la décision de rentrer aux Etats-Unis et de s'installer à Pine Gulch, elle s'était bien doutée qu'elle tomberait inévitablement sur lui. Pine Gulch était une petite ville.

Même en s'y efforçant, il était bien difficile d'éviter éternellement quelqu'un.

En fait, elle avait imaginé un peu légèrement pouvoir rester indifférente et l'accueillir avec un sourire neutre et une formule de politesse.

Leur amour remontait à si longtemps. A une autre existence, semblait-il. Le quitter et partir avait paru le seul choix possible à l'époque, et elle avait continué sa vie sans lui, s'était mariée à un autre, avait donné naissance à deux enfants et enfoui Pine Gulch dans le passé.

Même si elle l'avait passionnément aimé, Taft ne représentait qu'un court chapitre de son existence. En tout cas, c'était ce qu'elle avait toujours voulu croire. Elle avait été si certaine d'en avoir fini avec le chagrin, le sentiment de trahison et de perte.

Peut-être aurait-elle dû se poser un peu plus de questions avant d'emmener ses enfants à des milliers de kilomètres du seul foyer qu'ils aient jamais connu.

Si elle en avait eu le loisir, elle aurait sans doute réfléchi davantage, mais les six derniers mois avaient passé dans un tourbillon. Il avait d'abord fallu régler la succession de Javier et éponger les dettes qu'il laissait derrière lui. Puis elle s'était battue pour tenir la tête hors de l'eau avec un compte en banque qui baissait dangereusement et deux enfants affamés dans une ville comme Madrid, où la vie était chère. Tout cela pour aboutir à la morne constatation qu'elle n'y arriverait pas toute seule et qu'elle n'avait d'autre choix que d'emmener sa petite famille de l'autre côté de l'océan pour rejoindre sa mère.

Durant les derniers mois de son séjour madrilène, elle avait été entièrement focalisée sur leur survie et la recherche du bien-être de ses enfants. Il fallait croire qu'elle n'avait pas voulu regarder la réalité en face et reconnaître que revenir à Pine Gulch l'obligerait à affronter son douloureux passé. Mais maintenant, grâce à son chenapan de fils qui ne manquait jamais une occasion de se mettre dans le pétrin, la réalité reprenait ses droits en lui assenant un bon coup sur la tête.

— Qu'allons-nous devenir ? gémit sa mère à son côté.

Quand elle posa Maya sur le trottoir, immédiatement la petite fille se précipita vers son frère. La main dans la main, tous deux regardèrent les pompiers nettoyer le site et se préparer à partir.

— C'est la ruine ! dit encore sa mère.

Envahie par le remords, Laura lui passa un bras autour des épaules. Elle se reprochait de ne pas avoir surveillé plus étroitement son fils. Elle savait pourtant qu'il ne fallait jamais lui laisser la bride sur le cou. Mais elle s'était laissé distraire par la réception de clients, un couple de jeunes mariés de Washington, qui avaient sans doute trouvé plus d'animation que prévu quand leur hôtel avait pris feu avant même qu'ils aient vu leur chambre.

Pendant qu'elle était occupée avec eux, Alex devait s'être glissé hors du bureau et avoir gagné l'aile de l'hôtel en cours de rénovation. Elle n'arrivait pas encore à croire qu'il ait pu tomber sur un briquet. Un précédent client l'avait peut-être oublié dans un coin, ou un des ouvriers qui allaient et venaient depuis une semaine dans l'hôtel.

C'était vraiment un miracle qu'Alex n'ait pas été blessé ou que l'incendie n'ait pas ravagé tout le bâtiment.

Elle se pencha vers son fils.

— Tu as entendu Chef Bowman, dit-elle. Le feu

est resté circonscrit à une seule pièce. C'est plutôt une bonne nouvelle.

— Comment peux-tu parler de bonne nouvelle ?

A la lumière des gyrophares des véhicules de pompiers, elle scruta le visage défait de sa mère. Celle-ci semblait tout à coup plus âgée, et ses mains tremblaient tandis qu'elle repoussait une mèche de cheveux de son visage.

Malgré Taft et les souvenirs qui avaient surgi rien qu'en échangeant quelques mots avec lui, elle ne regrettait pas son retour à Pine Gulch. Ironie de l'histoire, elle était revenue parce qu'elle avait besoin de l'aide de sa mère et elle découvrait que celle-ci avait tout autant besoin d'elle.

La responsabilité d'un établissement de vingt chambres en médiocre état pesait de toute évidence sur ses épaules, et elle semblait très heureuse de pouvoir se décharger de certaines tâches sur sa fille unique.

— Ç'aurait pu être pire, maman. Il faut se mettre cette idée en tête. Tout le monde s'en est sorti indemne, c'est l'essentiel. Et l'extincteur automatique a fonctionné mieux qu'on aurait pu l'espérer vu son ancienneté. En plus, l'assurance va sûrement couvrir certaines des réparations que nous avons prévues.

— Oui, bien sûr. Mais qu'allons-nous faire de nos clients ? demanda sa mère en se tordant les mains d'un air désespéré.

Laura la serra contre elle.

— Je m'occupe d'eux. Emmène plutôt les enfants à la maison. Je pense qu'ils en ont assez vu pour la journée.

— Tu crois que Chef Bowman nous y autoriserait ?

Laura examina le cottage qui s'élevait derrière l'auberge et dans lequel elle avait passé son enfance.

— La maison est assez éloignée de l'auberge, je ne vois

pas comment il pourrait y avoir de problème. Pendant ce temps, je vais passer des coups de téléphone. Nous trouverons à loger nos clients, ainsi que les personnes qui ont réservé pour les prochains jours. Je te promets que nous viendrons à bout de ce problème comme de tous les autres.

— Je suis si heureuse que tu sois là, ma chérie. Je ne sais pas ce que je serais devenue sans toi.

Sauf que, si elle n'avait pas été là avec son pyromane de fils, rien de tout cela ne serait arrivé, songea Laura.

— Pareil pour moi, maman.

Et c'était la pure vérité. Même si le prix à payer pour retrouver le nid familial était de se confronter à un séduisant capitaine de pompiers avec qui elle avait vécu une histoire passionnée.

— Je vais aller parler au pauvre M. Baktiri, dit-elle. Il ne doit pas bien comprendre ce qui se passe.

Debout au milieu de la pelouse, M. Baktiri observait en effet d'un air légèrement égaré la frénésie ambiante. Elle se rappela M. Baktiri quand elle était enfant. Sa femme et lui géraient le cinéma de plein air des faubourgs de la ville. Et puis Mme Baktiri était morte, et M. Baktiri était allé habiter chez son fils, à Idaho Falls. Mais il ne s'y était apparemment jamais acclimaté. Environ une fois par mois, il s'échappait pour venir rendre visite à la tombe de sa femme, enterrée à Pine Gulch.

Sa mère lui accordait une remise substantielle pour l'occupation d'une petite chambre où il passait une semaine ou quinze jours, jusqu'à ce que son fils vienne le rechercher. L'arrangement n'était pas très rentable, mais il ne lui serait jamais venu à l'idée de reprocher sa bonté à sa mère.

M. Baktiri souffrait manifestement d'une légère

forme de démence sénile : retrouver un environnement familier lui était certainement un réconfort.

— Maman. Les lumières !

Elle baissa les yeux sur Maya, qui étreignait ses jambes, les lumières clignotantes du véhicule de pompiers se reflétant dans ses lunettes aux verres épais.

— Je sais, chérie. Elles brillent, n'est-ce pas ?

— Jolies.

— D'une certaine façon, je suppose.

Maya avait le don de trouver le côté positif de n'importe quelle situation, une qualité qu'elle appréciait beaucoup chez sa fille. Et, bien qu'elle ait beaucoup à faire, en particulier trouver un hébergement pour leurs clients, elle prit le temps de serrer sa petite fille dans ses bras.

Du coin de l'œil, elle vit alors Alex venir vers elles d'un pas hésitant.

— Viens, *niño*, murmura-t-elle.

Il se jeta dans ses bras, et elle serra contre elle ses deux enfants. C'était le plus important. Ainsi qu'elle l'avait dit à sa mère, elles surmonteraient ce revers. Elle avait traversé tant d'épreuves, survécu à un chagrin d'amour, à une rupture de fiançailles et, même, à l'échec de son mariage et à la disparition de son mari.

Ce n'était sûrement pas une vétille comme un petit incendie sans conséquences qui viendrait à bout d'elle.

2

— Devine qui j'ai vu en ville l'autre jour.

A ces mots, Taft se tourna vers sa sœur, Caidy.

— Moi, me comportant en héros, je suppose, répondit-il. Combattant un incendie, sauvant la vie de quelqu'un, je ne sais pas… le choix est vaste !

Sa réponse fit sourire toute la famille réunie autour de la table. Comme souvent le dimanche, il les retrouvait tous pour un bon repas. Il y avait Caidy, sa sœur, Trace, son frère jumeau, qui venait avec Rebecca, sa petite amie, et la fille de celle-ci, Gabrielle, et puis Ridge, son second frère, et sa fille, Destry.

Caidy s'empara du panier de petits pains qu'elle avait confectionnés pour ses invités et lança un regard faussement désespéré à son frère.

— Flash d'information : tu n'es pas le centre du monde, Taft ! Mais enfin, je dois avouer que ça te concerne d'une certaine façon.

— Qui as-tu vu ?

Il éprouva une désagréable trépidation intérieure en attendant ce qui allait venir.

— Je n'ai pas pu lui parler. J'étais au volant quand je l'ai aperçue.

— Qui ? répéta-t-il, agacé.

— Laura Pendleton, annonça sa sœur.

— Elle ne s'appelle plus Pendleton, déclara Ridge.

— C'est vrai, intervint Trace de l'autre extrémité de la table où Rebecca et lui se tenaient par la main.

Qu'ils parviennent à manger rivés l'un à l'autre demeurait pour Taft une énigme.

— Elle s'est mariée en Espagne et elle a deux enfants, poursuivit Trace. J'ai entendu dire que son fils était impliqué dans le début d'incendie qui s'est produit l'autre jour à l'auberge.

Taft revit le petit garçon qui lui promettait solennellement de ne plus jouer avec les allumettes. Le gosse était certainement un petit vaurien, mais on ne pouvait mettre en doute sa sincérité.

— C'est vrai, dit-il. Alex, son aîné, s'est intéressé d'un peu trop près à un briquet trouvé dans une chambre en réfection et il a mis le feu aux rideaux.

— Et tu as dû intervenir ? demanda Caidy en ouvrant de grands yeux. Ça a dû être drôlement gênant pour vous.

Taft se resservit de purée de pommes de terre en espérant qu'on attribuerait la coloration de ses joues à la vapeur qui s'échappait du plat.

— Je ne vois pas pourquoi, marmonna-t-il.

Il existait bien des raisons à une possible gêne entre Laura et lui, mais sa famille n'avait pas à savoir qu'il n'arrêtait pas de penser à Laura depuis quelques jours. Dès qu'il avait un moment de tranquillité, ses yeux bleus et ses traits délicats surgissaient dans sa tête, et les souvenirs en partie effacés du temps où ils s'aimaient refaisaient surface avec force.

Qu'il soit impuissant à les contrôler l'exaspérait. Il s'était efforcé de l'oublier après son départ. Mais que faire maintenant qu'elle était de retour et qu'il ne pouvait pas plus lui échapper qu'à ses enfants et à l'amertume du souvenir des erreurs commises avec elle ?

— Désolée, dit Rebecca en soulevant son verre, mais je nage dans le brouillard. Qui est Laura Pendleton ? Je suppose qu'elle est parente avec Mme Pendleton, la propriétaire de l'auberge. Mais pourquoi Taft et elle auraient-ils dû être gênés de se rencontrer ?

— Aucune raison, en effet, dit Caidy en lui jetant un bref regard. Sauf que Taft et elle ont été fiancés.

Du bout de sa fourchette, Taft creusa un cratère dans sa purée pour y conserver sa sauce, ce qui lui permit d'éviter les regards de sa chère famille.

— Taft ? Fiancé ? s'exclama Rebecca, incrédule.

— Je sais, dit Trace. C'est dur à croire.

Taft leva les yeux à temps pour voir Rebecca s'efforcer de dissimuler sa surprise. Elle avait trop bon cœur pour lui laisser voir à quel point elle trouvait la nouvelle stupéfiante, mais sa délicatesse l'agaça encore davantage.

D'accord, il avait la réputation d'être un séducteur mais, à présent que Rebecca le connaissait, elle devait bien voir que cette réputation était largement exagérée et qu'il était stupide de lui coller cette étiquette.

— C'était à quelle époque ? s'enquit-elle avec intérêt.

— Ça remonte à des années, expliqua Ridge. Taft et Laura sont sortis ensemble juste après le lycée.

— A la fac, marmonna-t-il. Elle était à la fac.

Seulement en première année de fac, d'accord, mais elle n'était pas au lycée ! La nuance lui semblait d'importance.

— Ils étaient inséparables, reprit Trace.

— Et Taft l'a demandée en mariage quand Laura a obtenu son diplôme, ajouta Ridge.

— Que s'est-il passé ensuite ? demanda Rebecca en se tournant vers Taft.

Il avait si peu envie d'en parler qu'il aurait donné gros pour un appel d'urgence, à cet instant précis. Rien de trop grave. Un feu de remise, un gosse coincé dans un puits, ou quelque chose du genre.

— Nous avons rompu, répondit-il à contrecœur.

— La semaine précédant le mariage, précisa Caidy.

Naturellement. Ç'aurait été dommage d'oublier ce détail, songea Taft, exaspéré.

— Nous avons pris cette décision d'un commun accord, mentit-il, répétant la fiction que Laura lui avait demandé d'entretenir.

Une décision d'un commun accord, oui, sauf qu'il n'avait jamais été d'accord avec cette décision qui l'avait brisé.

Laura l'avait plaqué, voilà la cruelle vérité. Une semaine avant leur mariage, après des jours et des jours de préparatifs, d'arrhes versées, d'essayages répétés, elle lui avait rendu sa bague en déclarant qu'elle ne pouvait pas l'épouser.

— Pourquoi ramener cette vieille histoire sur le tapis ? demanda-t-il en bougonnant.

— Pas si ancienne, reprit Trace. Le retour de Laura remet pas mal de choses au goût du jour.

Son frère avait peut-être bien raison, pensa Taft. Que ça lui plaise ou non, Laura vivant à Pine Gulch, leur passé resurgirait, et pas seulement auprès de leurs familles.

Les questions fuseraient. L'événement avait suffisamment marqué les esprits : chacun se souvenait qu'ils étaient à quelques jours de s'unir quand Laura et sa mère avaient multiplié cartes d'excuses et coups de téléphone annonçant l'annulation de la cérémonie. Chacun se souvenait aussi que pendant un mois ou deux il était allé se soûler au Bandito.

Maintenant, elle était de retour, ce qui signifiait qu'il devrait bon gré, mal gré, affronter tous les souvenirs qu'il avait enfouis des années auparavant et les émotions refoulées dans l'espoir de surmonter ce traumatisme.

Il ne pouvait reprocher leur curiosité aux membres de sa famille. Même à Trace, son jumeau et meilleur ami, il n'avait pas tout raconté, considérant que ce qui s'était passé avec Laura ne regardait que lui.

Sa famille aimait Laura. D'ailleurs, qui ne l'aimait pas ? Elle avait le don d'attirer les gens, de trouver les points d'entente plutôt que les sujets de dispute. Et puis elle s'intéressait à l'art.

Taft soupira intérieurement. Sa mère avait été artiste-peintre, et son nom commençait à être connu lorsqu'elle avait été assassinée. Elle et Laura s'entendaient à merveille, et Laura admirait sincèrement l'importante collection de tableaux de ses parents.

Son père aussi adorait Laura, et il avait souvent dit à Taft qu'elle était ce qui pouvait lui arriver de mieux.

Il s'arracha à ses souvenirs pour croiser le regard de Rebecca, plein d'une compassion qui le fit s'agiter sur sa chaise et perdre le peu d'appétit qu'il avait encore.

— C'est si triste, murmura-t-elle avec sa gentillesse habituelle. Commun accord ou pas, une rupture est forcément douloureuse. La revoir t'est pénible, j'imagine ?

Il affecta l'indifférence.

— Pénible ? Je ne vois pas pourquoi. Ces événements remontent à dix ans. Elle a poursuivi sa route, moi la mienne. Il n'y a pas de quoi en faire un drame.

Ridge toussota, et Trace eut cette expression sceptique qu'il prenait toujours quand Taft essayait de le persuader de vivre un peu plus dangereusement et de se lancer, pour une fois, dans des aventures folles.

Comment était-ce possible d'aimer ses frères et sœur et, en même temps, d'avoir envie de frapper un grand coup sur la table pour remettre les pendules à l'heure ?

Comme si elle devinait son malaise, Rebecca jeta un regard inquiet de lui à ses frères et elle changea de sujet.

— Comment se passent tes travaux ? demanda-t-elle.

Trace ne la méritait pas, pensa-t-il en saisissant la perche tendue.

— Bien. Il me reste juste deux pièces à isoler. Au bout de six mois, l'intérieur commence à ressembler à celui d'une vraie maison.

— Je me suis arrêtée l'autre jour et j'ai regardé par la fenêtre, avoua Caidy. Beau travail !

— Appelle-moi la prochaine fois que tu passes dans le coin. Je ferai un saut depuis la caserne pour te faire visiter. Tu serais surprise de voir l'avancement des travaux.

Après avoir loué pendant des années un appartement commode mais exigu, auprès de la caserne, il avait finalement décidé qu'il était temps de s'installer dans une vraie maison et il avait entrepris de construire ce chalet de rondins à un étage sur deux hectares de terrain qu'il possédait près de l'entrée de Cold Creek Canyon.

— Et l'abri pour chevaux et les prés ? demanda Ridge, de façon prévisible.

Quelques années plus tôt, Taft avait fait inséminer deux juments par un étalon d'excellente lignée dont le propriétaire traversait une mauvaise passe. Il avait négocié la saillie à un prix plus que raisonnable, faisant une excellente affaire en vendant les poulains. Il se retrouvait maintenant avec six chevaux qui vivaient sur le ranch familial.

— Les clôtures sont en bon état, mais je n'ai pas fini l'abri. J'espère que ça ne t'ennuie pas de garder encore un peu les chevaux.

— Pas du tout. Il y a bien assez de place ici. Tu peux même les laisser définitivement si ça t'arrange.

L'idée ne l'enchantait guère. Si ses chevaux étaient plus près de lui, il pourrait les monter régulièrement au lieu de se contenter de leur rendre visite à l'occasion des déjeuners dominicaux.

— Quand penses-tu avoir fini ? demanda Rebecca.

— A la mi-mai, j'espère. Tout dépend du temps dont je disposerai.

— Si tu as besoin d'un coup de main, je suis là, proposa Ridge.

— Moi aussi, renchérit Trace.

Ses deux frères avaient des emplois du temps surchargés. Ridge dirigeait le ranch et élevait seul sa fille, Destry. Trace, chef de la police d'une petite ville aux effectifs réduits, organisait son avenir avec Rebecca et Gabrielle. Aussi leur offre venant du fond du cœur le toucha-t-elle.

— Je pense m'en sortir, dit-il. Le plus gros est fait, et les finitions m'amusent.

— J'ai toujours pensé que quelque chose clochait chez toi, dit Caidy en hochant la tête. Ce doit être vrai si tu penses qu'enduire des murs et les peindre est amusant.

— J'aime bien peindre, dit Destry. Je peux t'aider, oncle Taft ?

— Moi aussi ! s'écria Gabrielle. On peut, dis ?

Ces deux préadolescentes faisaient preuve d'un enthousiasme plutôt inquiétant, et il réprima une grimace devant des visions de peinture répandue sur les boiseries soigneusement poncées au cours du dernier mois.

— Merci, les filles ! C'est vraiment gentil de votre part, mais je suis sûr que Ridge vous trouvera quelque chose à faire ici. La clôture près de la rivière m'a paru avoir besoin d'un coup de pinceau.

— Les travaux de peinture sont toujours les bienvenus, dit Ridge, volant à son secours. Dès que le temps le permettra, je vous mettrai au travail.

— Est-ce que tu nous paieras ? s'enquit Gabrielle, toujours opportuniste.

Ridge éclata de rire.

— Nous en reparlerons.

A ce moment, Caidy posa à Rebecca une question à propos de leur mariage, qui devait avoir lieu en juin, détournant l'attention au grand soulagement de Taft.

Il suivit la conversation familiale, conscient de ce sourd bouillonnement intérieur qui ne le quittait plus guère.

Depuis que Trace et Rebecca étaient tombés amoureux l'un de l'autre, il éprouvait un vague sentiment de malaise, comme si son univers avait basculé sur ses bases. Il aimait son frère. Plus, il le respectait. Trace était son meilleur ami, et Taft ne lui envierait jamais le bonheur qu'il avait trouvé avec Rebecca. Néanmoins, depuis l'annonce de leurs fiançailles, il éprouvait un sentiment d'étrangeté et de flottement.

Voir Laura avec ses enfants l'autre jour n'avait fait que renforcer cette impression bizarre.

Il n'avait jamais été un saint, il était le premier à le reconnaître, mais il essayait de mener une vie décente. Sa philosophie générale se résumait au précepte de base de tout professionnel de l'urgence médicale : *Primum, non nocere.*

D'abord, ne pas nuire.

Il faisait de son mieux pour suivre cette règle. Combattant du feu et spécialiste en urgences médicales, il aimait aider ses concitoyens et les protéger correctement. Si un jour il ne trouvait plus de satisfaction dans son métier, il en changerait. Peut-être planterait-il des clous ! Après tout, il aimait également le travail manuel.

En dépit de ses efforts pour ne pas nuire, il avait commis des erreurs. Et il avait deux grands regrets dans sa vie. Laura Pendleton était impliquée dans l'un d'eux.

Il l'avait fait souffrir. Les mois précédant sa décision de rompre, elle avait subi de multiples affronts de sa part. Il le savait. Bon sang, à l'époque aussi, il le savait ! Seulement, après le meurtre de ses parents, un jeune garçon blessé, amer et révolté semblait avoir pris possession de lui pour détruire tout ce qu'il y avait de juste et de bon dans sa vie.

Il comprenait Laura d'avoir préféré mettre fin à cet enfer. Oui, il la comprenait, même s'il avait terriblement souffert de sa décision.

Elle l'avait prévenu qu'elle ne l'épouserait pas s'il ne changeait pas radicalement d'attitude, et il s'était enfermé dans sa douleur, ne lui laissant pas d'autre choix que de s'en tenir à sa parole. Elle avait alors accepté un poste de direction dans un hôtel d'Espagne et, quelques années plus tard, elle avait épousé un homme rencontré là-bas.

Ce souvenir le ramena à plus d'humilité. Certes, il l'avait blessée, mais que représentait cette souffrance au regard de tout ce qu'elle venait de perdre ? Son mari, le père de ses enfants, s'était noyé six mois plus tôt, racontait-on.

— Comptes-tu manger ou faire faire à ta nourriture le tour de ton assiette ?

Levant les yeux, il eut la surprise de découvrir qu'il ne restait plus que Ridge et lui à table. Pendant qu'il était perdu dans ses pensées, ils étaient tous partis sans qu'il ne le remarque.

— Désolé, dit-il. J'ai passé deux jours pénibles.

Son frère ne remarquerait peut-être pas la chaleur qu'il sentait monter à son visage.

Mais, sous son regard insistant, il poussa finalement un soupir. Il ne lui restait plus qu'à attendre l'inévitable sermon de son frère.

En tant qu'aîné de la fratrie, à la mort de leurs parents, Ridge avait demandé la garde de Caidy, adolescente à l'époque. Et, même si Trace et lui avaient alors une vingtaine d'années, Ridge s'était toujours efforcé de remplacer leur père auprès d'eux, même si ça ne leur plaisait guère.

Cependant, Ridge se contenta de finir son verre.

— Je pensais emmener les filles faire un tour à cheval pour vérifier la clôture du pâturage d'en haut. Veux-tu nous accompagner ? L'air pur de la montagne t'aiderait à mettre de l'ordre dans tes idées.

Se promener à cheval dans l'odeur des pins et de la sauge le tentait beaucoup, mais il n'était pas d'humeur à subir d'autres questions ou davantage de marques de sympathie des membres de sa famille à propos de Laura.

— Pour te dire la vérité, je suis pressé de me salir les mains. Je pense que je vais aller poser les châssis de fenêtre à la maison.

Ridge hocha la tête.

— Je sais que tu as de quoi t'occuper chez toi, mais ça valait la peine de proposer, non ? A la quincaillerie, j'ai entendu l'autre jour que Jan Pendleton cherchait à employer quelqu'un pour l'aider dans ses travaux de rénovation de l'auberge.

Il émit un reniflement. Comme si Laura allait permettre à sa mère de l'employer ! Ridge devait plaisanter. Mais non, il était très sérieux, comprit-il en le dévisageant.

— Je voulais t'en informer, pour le cas où tu trouverais bien de donner un coup de main à Laura et à sa mère.

Bon. Sans l'assommer avec un sermon, Ridge lui rappelait à sa façon qu'il devait quelque chose à Laura. A vrai dire, aucun membre de sa famille ne savait ce qui s'était passé des années plus tôt, mais ils l'en tenaient, à coup sûr, pour responsable.

Et ils avaient raison.

Sans répondre, il se leva et emporta son assiette dans la cuisine. D'abord, ne pas nuire. Mais, quand le mal était fait, il fallait trouver le moyen de réparer.

A n'importe quel prix.

3

Laura fixa sa mère, l'air abasourdi.

— Tu peux répéter, s'il te plaît ? Tu as fait quoi ?

— Je ne pensais pas que tu en serais contrariée, chérie, répondit sa mère avec un sourire distrait tout en continuant de remuer le poulet qu'elle préparait pour le dîner.

Es-tu complètement folle ? eut envie de lui crier Laura. *Comment as-tu pu penser une seconde que je n'en serais pas contrariée ?*

Ravalant son mécontentement, elle se força à respirer profondément. Pour une fois, les enfants étaient tranquilles et faisaient rouler des petites voitures sur le parquet de la salle de séjour. Elle les contempla un moment, puisant dans leur quiétude la force de se calmer aussi.

Elle devait garder à l'esprit que sa mère traversait une mauvaise passe, financièrement et moralement. Non que le stress seul puisse expliquer qu'elle ait pris une décision aussi incompréhensible.

— C'était ton idée, reprit Jan.

— *Mon* idée ?

Impossible !

Même dans ses pires cauchemars, elle n'aurait jamais imaginé pareil scénario.

— Oui, Laura. Ne disais-tu pas l'autre jour que ce

serait bien utile d'avoir un menuisier pour nous aider dans les réparations, surtout maintenant que nous allons devoir repartir de zéro dans la pièce endommagée par l'incendie ?

— Je dis beaucoup de choses, maman.

Ce n'est pas pour autant que j'ai envie que tu me prennes au mot et passes un marché avec ce démon de Taft Bowman !

— J'ai pensé que tu apprécierais son aide, c'est tout, poursuivit sa mère. Je sais que l'incendie complique tes projets de rénovation.

— Pas tellement. La chambre qui a été touchée était, de toute façon, à refaire.

— Eh bien, quand Chef Bowman est passé prendre des nouvelles ce matin, j'ai trouvé ça touchant de sa part, et il m'a proposé de travailler aux réparations sur son temps libre. Honnêtement, chérie, ça me semble une excellente solution.

Vraiment ? songea Laura. Dans quel univers parallèle était-ce une « bonne solution » que de voir l'ex-fiancé de sa fille prendre pension sous son toit pendant quinze jours en échange d'un peu d'habileté à la scie ?

Elle soupira intérieurement. Son père était mort cinq ans plus tôt et, depuis, sa mère dirigeait seule l'auberge. Même si à sa place elle aurait certainement agi différemment, elle devait bien reconnaître que sa mère avait fait de son mieux et qu'elle avait plutôt du plomb dans la cervelle. Mais là, non ! Ça ne passait pas.

— En théorie, oui, c'est une bonne idée, maman. Un menuisier à domicile nous sera évidemment très utile. Mais, pour l'amour du ciel, pas Taft !

Sa mère parut sincèrement étonnée.

— A cause de votre histoire passée ?

— Bien sûr ! Le revoir après toutes ces années est un peu embarrassant.

Sa mère fronça les sourcils.

— Désolée, j'ai dû rater un épisode. Tu m'as toujours dit que vous aviez rompu d'un commun accord. Je te vois encore répétant à qui voulait l'entendre que vous aviez décidé qu'il valait mieux rester amis et que c'était très bien ainsi.

Elle avait donc dit ça ? Elle ne se rappelait pas grand-chose de cette époque baignant dans un noir désespoir.

— Après votre rupture, tu faisais preuve d'un tel calme, reprit sa mère, d'une telle maîtrise de toi. Tu passais ces horribles coups de téléphone pour annuler les invitations, renvoyais les cadeaux sans broncher. On aurait dit que ça t'était égal. Chérie, je n'ai pas imaginé un seul instant que la présence de Taft sous notre toit puisse te contrarier. Sinon, tu penses bien que je n'aurais jamais accepté son offre.

Evidemment. Elle payait aujourd'hui le prix de ses mensonges d'alors. Franchement, il y avait de quoi se taper la tête contre les murs.

Dix ans auparavant, elle s'était démenée pour convaincre tout un chacun que leur séparation n'était un drame ni pour Taft ni pour elle-même. Devant ses parents, sachant combien ils auraient souffert s'ils avaient deviné l'étendue de sa peine, elle avait affecté la décontraction et prétendu être surexcitée à l'idée des aventures qui l'attendaient dans sa nouvelle vie.

Comment en vouloir à présent à sa mère de ne pas avoir vu clair dans son jeu, d'autant qu'elle s'était mariée quelques années plus tard et avait attendu son premier enfant ? C'était injuste de se sentir blessée et de reprocher à sa mère d'être autrefois tombée dans le panneau.

Elle était seule responsable de la situation. Enfin, pas tout à fait seule... Dans l'histoire, un certain mâle, qui avait toujours su enjôler sa mère et toutes les femmes à cinquante kilomètres à la ronde, avait joué son rôle.

— Je comprends l'intérêt de son aide, dit-elle. Taft est habile de ses mains...

Oh ! Combien habile ! Elle repoussa aussitôt certains souvenirs.

— ... mais qu'avais-tu besoin de lui proposer une chambre ?

Tout en ajoutant au poulet la sauce au citron, sa mère haussa les épaules. La préparation se mit à bouillonner, et une délicieuse odeur embauma la cuisine.

— C'est son idée, répondit-elle.

A vrai dire, Laura n'en doutait pas un instant. Mais pourquoi avait-il fait cette proposition ? Quelle raison pouvait le pousser à désirer brusquement s'installer à l'auberge ? A en croire sa tête, au moment où il avait découvert sa présence le jour de l'incendie, elle l'aurait plutôt imaginé préférant se tenir aussi éloigné d'elle que possible.

Il trouvait évidemment la situation aussi gênante et, oui, aussi pénible qu'elle.

A moins que ce ne soit une forme perverse de vengeance ? Après tout, elle l'avait repoussé. Peut-être voulait-il la punir, des années plus tard, en effectuant un mauvais travail de menuiserie qui lui coûterait les yeux de la tête à reprendre...

Elle soupira. L'idée était ridicule. Jamais Taft n'agirait ainsi. Quelle que soit la raison de l'arrangement pris avec sa mère, il donnerait le meilleur de lui-même dans son travail. Elle en était certaine.

— Apparemment, il a résilié le bail de son appartement, ajouta sa mère. Il construit une maison à Cold Creek Canyon — très belle, à ce qu'on raconte — mais il en a encore pour quelques semaines de travail. Si l'on considère ce qu'il nous fera économiser si nous devions employer un menuisier, tout cela en échange d'une chambre qui resterait probablement vide de toute façon en cette saison, l'arrangement m'a paru parfait.

Un arrangement parfait pour tout le monde, certes, sauf pour elle ! Comment supporterait-elle de l'avoir sans cesse dans les jambes, de le voir lui parler, lui sourire, avec ses lèvres qu'elle avait si souvent goûtées, la regarder avec ses yeux verts qu'elle avait tant aimés ? Comment survivre à une telle promiscuité ?

Elle soupira, et sa mère la considéra attentivement.

— Je peux encore refuser, tu sais. Il devait apporter quelques affaires ce matin, mais il suffit que je l'appelle. Si avoir Taft dans les parages te contrarie autant, nous trouverons quelqu'un d'autre, chérie.

Sa mère n'avait que de bonnes intentions, cela ne faisait aucun doute. Elle aurait appelé Taft immédiatement pour annuler si elle avait eu la moindre idée de la façon dont s'était réellement passée la rupture, songea Laura.

Mais elle résista à la tentation fugitive de demander ce geste à sa mère. Elle savait trop bien ce que penserait Taft si elle agissait ainsi. Il comprendrait sans difficulté que ce revirement venait d'elle, que, ne voulant pas le voir, elle avait dissuadé sa mère d'accepter sa proposition.

Elle frissonna. Pas question qu'il sache qu'elle était

mal à l'aise devant lui. Mieux valait qu'il continue de la croire indifférente.

Le jour de l'incendie, elle avait fait de son mieux pour adopter l'attitude qui convenait, polie mais froide. Comme s'ils étaient de lointaines connaissances et non d'ex-fiancés.

Si elle disait à sa mère qu'elle ne voulait pas de Taft à l'auberge, il comprendrait qu'elle avait joué la comédie ce jour-là.

Elle était bel et bien coincée, ligotée dans son mensonge comme les veaux qu'il capturait au lasso durant les rodéos du lycée.

Elle éprouva un sentiment d'impuissance qui ne lui semblait que trop familier. Elle avait vécu avec ce sentiment, jour après jour, durant les sept années de son mariage avec Javier Santiago. Mais, contrairement aux veaux des rodéos, elle s'était mise de son plein gré dans ces liens qui l'unissaient à un homme qu'elle n'aimait pas.

Enfin, pas entièrement de son plein gré. Dès le début, elle avait compris qu'épouser Javier serait une erreur et elle avait essayé par tous les moyens d'échapper à cette union. Par tous les moyens sauf la rupture, car il avait fallu très vite prendre en considération une troisième vie. Elle était enceinte d'Alexandro, et Javier, étrangement vieux jeu, sur ce chapitre du moins, n'envisageait pas d'autre solution que le mariage.

Elle avait vraiment essayé de se convaincre qu'elle l'aimait. Il était beau, séduisant, il l'avait amusée en lui faisant une cour effrénée, et elle avait fini par accepter de sortir avec lui alors qu'elle gérait la boutique privée de son hôtel madrilène.

Elle s'était efforcée d'être une bonne épouse, mais

les meilleures intentions du monde n'avaient pas suffi, ni pour lui ni pour elle. Si elle n'avait pas été alors doublement entortillée dans le lasso, par Alex, puis par Maya, son adorable et fragile petite fille, elle serait partie.

Mais il était question de Taft aujourd'hui.

Elle ne pouvait revenir sur la décision prise par sa mère, cependant elle pouvait contrôler sa réaction. Elle ne se laisserait pas troubler par l'homme qui envahissait son espace personnel en s'installant à l'hôtel. Ce ne serait que temporaire, après tout. Passé cette période, il disparaîtrait de nouveau de sa vie.

— Tu veux que je lui dise que nous avons changé d'avis ? demanda sa mère.

Elle se força à sourire.

— Mais non, maman. Désolée, j'ai réagi sous le coup de la surprise, mais c'est passé. Tu as raison, c'est une excellente idée. La main-d'œuvre gratuite est toujours bienvenue et, comme tu dis, cela nous coûtera juste une chambre que, de toute façon, nous n'aurions probablement pas louée.

Apparemment lasse de jouer, Maya entra dans la cuisine et vint lui donner une de ses généreuses étreintes qui lui étaient devenues aussi nécessaires que l'oxygène.

— Faim, maman.

— Grandma nous prépare quelque chose de délicieux pour le dîner. N'avons-nous pas de la chance ?

Maya hocha la tête, et un large sourire fendit sa frimousse.

— T'aime, Grandma.

— Je t'aime aussi mon trésor, dit Jan en lui rendant son sourire.

Laura sentit soudain un certain apaisement la gagner.

Ce qu'elle devait garder à l'esprit, c'était que l'amour qu'elle éprouvait pour ses enfants dépassait de loin le malaise qu'elle ressentait en présence de Taft, et qu'elle devait concentrer son énergie sur le but qu'elle s'était fixé : transformer l'hôtel en établissement qui leur permettrait, à sa mère et elle, de tirer des bénéfices au lieu de tout juste suffire à assurer leur subsistance.

Elle avait la chance de vivre le rêve qu'elle avait caressé de tout temps de faire de Cold Creek Inn l'établissement chaleureux et plein de charme qu'elle imaginait, un endroit accueillant pour les familles, où les couples pourraient rencontrer l'amour ou le raviver, où les hommes d'affaires en voyage retrouveraient un foyer.

Le moment était venu de saisir sa chance de maîtriser enfin son existence et de construire un nouvel avenir pour ses enfants et elle. Elle ne laisserait pas Taft gâcher cette occasion.

Il lui suffirait pour cela de se rappeler qu'elle ne l'aimait plus depuis dix ans et qu'il n'y avait aucune raison qu'elle ne supporte pas sa présence à l'auberge avec calme et aplomb.

Pas si terrible, à bien y regarder.

S'il avait espéré que Laura fondrait de gratitude pour l'aide qu'il leur apportait dans la rénovation de l'auberge, Taft serait tombé de haut.

Depuis son installation dans une chambre confortable, à quelques portes de la pièce endommagée par le feu, il procédait, sous la direction de Jan Pendleton, à de menus travaux de réparation. Un placard de salle de bains ici, une tablette là. Et, durant ce laps de temps, il n'avait qu'entraperçu Laura, toujours mystérieusement absente quand il s'arrêtait à la réception.

Les rares fois où il réussissait à l'approcher, elle échangeait quelques brèves paroles polies avec lui, puis inventait n'importe quel prétexte pour s'éclipser, comme si elle redoutait on ne savait trop quelle contagion.

C'était elle qui l'avait quitté, non l'inverse, et pourtant elle le traitait comme le plus affreux salaud que la terre ait porté. Et le pire était que son attitude froide et réservée représentait à ses yeux un défi à relever plus qu'un affront.

Pour tout dire, il n'était pas habitué à ce que les femmes l'ignorent. Et encore moins à ce que *Laura* l'ignore.

Ils avaient été amis intimes avant même ce mémorable été qui avait suivi sa première année d'université, quand il avait enfin pris conscience que son attachement pour Laura dépassait les limites d'une simple amitié. Et, après son départ pour l'Europe, un immense vide s'était creusé en lui, vide qu'il n'était jamais parvenu à combler. Il se disait souvent que son amie de cœur lui manquait tout autant que l'amante.

Après trois jours de fugitives rencontres, il réussit enfin à la voir un peu plus longtemps, tôt, un matin. Une réunion était prévue à la caserne et, quand il sortit par la porte latérale pour gagner le parking, il vit quelqu'un jardiner dans les parterres de fleurs disséminés autour de l'auberge.

Composés essentiellement de tulipes clairsemées et d'arbustes mal taillés, ils offraient un aspect négligé. A en juger par les caissettes contenant des plants de fleurs multicolores éparpillées le long de l'allée, quelqu'un souhaitait remédier à ce laisser-aller.

Au début, il ne vit que le chapeau de paille que portait le jardinier et crut que celui-ci appartenait à une entreprise d'aménagement paysager. Puis il aperçut l'éclat de miel d'une chevelure blonde.

Immédiatement, il changea de direction.

— Bonjour, dit-il en approchant.

Elle sursauta et se retourna. Sa surprise se mua alors en quelque chose qui ressemblait à de la consternation. Cependant, elle se reprit très vite et lui adressa un sourire impersonnel.

— Oh ! bonjour !

La froideur du ton l'aurait peut-être amusé si elle ne l'avait profondément blessé.

— J'espère que tu te souviens qu'on est en Idaho et pas à Madrid ? lança-t-il. Nous sommes encore en avril. On peut avoir de la neige pendant six semaines, facile.

— Je me souviens, répondit-elle sèchement. Ce sont des plantes résistantes, elles s'en sortiront très bien.

Taft réprima un soupir. Ses connaissances en jardinage se réduisaient à… trois fois rien. Il se souvenait seulement qu'il détestait que sa mère les réveille de bonne heure, ses frères, sa sœur et lui, pour les expédier désherber son carré de légumes les matins d'été.

— Si tu le dis. C'est que je serais navré de te voir dépenser ton argent en fleurs pour t'apercevoir un matin qu'une gelée les a anéanties.

— J'apprécie ta sollicitude pour la santé de mon portefeuille mais, au cours de mes trente et une années passées sur cette terre, j'ai appris que si on veut rendre le monde un peu plus beau autour de soi il faut parfois prendre quelques risques.

Jardinier ou pas, on ne pouvait qu'apprécier la sagesse de cette réflexion.

— Je travaille seulement les plates-bandes situées à l'est et au sud, ajouta-t-elle. Là où il y a moins de chance que les gelées sévissent gravement… Je suis peut-être partie dix ans, mais je n'ai pas oublié le temps capricieux des Rocheuses.

Qu'avait-elle oublié en revanche ? se demanda-t-il. Elle ne devait pas garder de très bons souvenirs de leurs fiançailles pour s'obstiner à le traiter avec une telle froideur.

Il était attendu à la caserne, mais il ne put résister à l'envie de s'attarder encore un peu. Pourrait-il la titiller assez pour l'obliger à sortir de son indifférence ?

Il regarda autour de lui.

— Les enfants ne sont pas avec toi ?

D'un geste, elle désigna le cottage situé derrière l'auberge.

— Ils sont à l'intérieur, en train de préparer le petit déjeuner avec ma mère. J'ai sauté sur l'occasion de jardiner avant qu'ils ne sortent. Sinon, je dois consacrer mon temps à dissuader Alex de creuser un trou jusqu'en Chine, et Maya de cueillir toutes les jolies fleurs.

Il ne put retenir un sourire. Les enfants de Laura étaient vraiment mignons, et puis il y avait quelque chose de tellement juste dans le fait d'être là, avec elle, avec le soleil matinal qui jouait dans ses cheveux et les peupliers du bord de la rivière qui expédiaient leurs premières bouffées de senteurs parfumées dans la brise.

— Ils sont adorables, reprit-il.

Elle lui jeta un regard de biais, comme pour jauger sa sincérité.

— Quand ils n'allument pas d'incendies, tu veux dire ?

Il rit.

— Je continue à croire que c'était un événement exceptionnel.

Il crut voir alors le coin de ses lèvres frémir mais, aussitôt, elle détourna la tête et prit une motte de fleurs d'un jaune plein de gaieté.

Elle la planta dans un trou qu'elle venait de creuser, et quelque chose remua en lui. Il avait oublié à quel point il aimait son apparence fraîche et lumineuse, qui concurrençait celle de ces fleurs. Il avait également oublié au fil des ans l'aura de grâce sereine et de douceur qui se dégageait d'elle.

Elle était toujours aussi charmante. Quoique, en réalité, ce ne soit pas tout à fait exact. Elle était encore plus jolie qu'autrefois. S'il ignorait comment la vie l'avait traitée, il pouvait affirmer que, du point de vue physique, les années lui avaient été clémentes. Avec ses grands yeux, ses pommettes hautes et cette chevelure soyeuse dans laquelle il aimait autrefois glisser ses mains, elle était superbe. Avec la maturité, sa beauté était encore plus attirante.

Oui, elle lui plaisait tout autant qu'à l'époque où il se consumait d'amour pour elle. Bien d'autres femmes, pourtant, l'avaient attiré, mais ce qu'il ressentait près de Laura, dans cette matinée ensoleillée, était beaucoup plus profond que tout ce qu'il avait connu.

Passablement retourné par ce soudain désir allumé en lui, il posa la seule question à laquelle, il le savait, elle refuserait de répondre.

— Qu'est-il arrivé au père des enfants ?

Elle jeta une pelletée de terre au pied du jeune plant avec une force qui le fit grimacer.

— Ça ne te regarde pas ! lâcha-t-elle.

— Non, bien sûr. Seulement, étant donné que tu l'as

épousé quelques années seulement après avoir rompu nos fiançailles, tu ne peux pas me reprocher de me poser des questions à son sujet.

Elle leva un sourcil, comme pour manifester son désaccord.

— Je suis étonnée que tu n'en saches pas plus, répliqua-t-elle néanmoins. Javier est mort il y a six mois. Un accident de navigation au large de Barcelone. Lui et sa maîtresse du jour ont péri tous les deux. Une tragédie pour tous les gens concernés.

Certes, il savait que son mari était mort, mais il ignorait en quelles circonstances. D'ailleurs à Pine Gulch peu de gens, à part Jan bien sûr, devaient être au courant. Sinon, la rumeur lui serait parvenue aux oreilles.

A présent, elle détournait obstinément la tête. Il la connaissait suffisamment pour deviner qu'elle regrettait ses paroles. Pourquoi s'était-elle confiée ?

— Je suis désolé, dit-il finalement.

Expression qui lui parut bien pauvre au regard du drame.

— De quoi ? Qu'il soit mort ou qu'il ait eu une maîtresse ?

— Les deux.

Toujours en évitant son regard, elle prit une motte de fleurs colorées dans une caissette.

— C'était un bon père, reprit-elle. Quoi que je puisse lui reprocher, il aimait ses enfants et il leur manque beaucoup.

— Pas à toi ?

— Encore une fois, ce ne sont pas tes affaires !

— Tu as raison, dit-il en soupirant. Mais nous étions très amis autrefois, même avant… enfin… avant que nous sortions ensemble, et j'aimerais savoir ce que tu es devenue après ton départ de Pine Gulch. Ce n'est pas parce que tu m'as quitté que j'ai cessé de tenir à toi.

— Ne t'aventure pas dans cette voie, Taft, lança-t-elle, le regard toujours détourné. Nous savons tous les deux que j'ai rompu nos fiançailles parce que tu n'avais pas le courage de le faire.

Le coup était si direct qu'il lui fit l'effet d'un coup de poing.

— Pourrais-tu être plus claire ? demanda-t-il avec peine.

Elle se leva. Deux taches rouges coloraient ses pommettes.

— Ne fais pas celui qui ne comprend pas ! Après l'assassinat de tes parents, tu t'es complètement désinvesti de notre relation. Dès que j'essayais de te parler, tu coupais court en prétendant que tu allais bien, puis tu partais au Bandito pour boire et flirter avec les filles de l'endroit. Je suppose que ça ne surprendrait personne d'apprendre que j'ai épousé un homme infidèle. Tu sais ce qu'on dit sur la difficulté à sortir des vieux schémas.

Elle lui parlait, c'était un début. Mais le terrain était terriblement glissant.

— Je ne t'ai pas été infidèle, répliqua-t-il.

Elle eut un rire forcé.

— Tu n'es peut-être pas allé jusque-là, mais tu semblais apprécier ces filles beaucoup plus que moi.

La conversation ne prenait décidément pas le tour qu'il aurait voulu. Quelle idée aussi de s'installer à l'auberge sous prétexte de se charger des travaux de menuiserie ! Il avait seulement voulu tester la température de l'eau et voir s'il existait une chance de surmonter les laideurs du passé, de retrouver l'amitié qui les unissait autrefois et qui signifiait alors tout pour lui. Conclusion : les eaux étaient glaciales.

Elle poussa un long soupir, comme si elle regrettait d'avoir évoqué le passé.

— Je savais que tu voulais en terminer avec moi, Taft. Tout le monde le savait. Mais tu ne voulais pas me blesser. Je comprends et j'apprécie.

— Non ! Ce n'est pas ainsi que les choses se sont passées.

— Excuse-moi, mais j'étais partie prenante et je suis bien placée pour me rappeler ! Tu éprouvais un chagrin terrible de la mort de tes parents. Tu étais en colère contre la terre entière. Ce que je comprends parfaitement. C'était même pour ça que je voulais remettre notre mariage à plus tard, quand tu irais un peu mieux. Mais tu n'as jamais voulu en entendre parler. Chaque fois que j'essayais d'aborder le sujet, tu fuyais littéralement. Comment aurais-je pu t'épouser dans ces conditions ? Nous aurions fini par nous haïr.

— Tu as raison, c'est mieux ainsi. Comme ça, il n'y a que toi qui me hais.

Curieusement, la remarque parut la blesser.

— Qui a dit que je te haïssais ?

— *Haïr* est peut-être en effet un bien grand mot. Disons plutôt que tu me méprises.

Elle inspira brusquement une bouffée d'air.

— Ni l'un ni l'autre ! La vérité, Taft, c'est que notre histoire remonte à très longtemps et que je ne ressens plus rien pour toi, sinon une vague nostalgie pour ce que nous avons partagé.

La déclaration de Laura lui fit l'effet d'un coup de poignard. Elle avait au moins le mérite de la clarté. Mais peut-être forçait-elle un peu le trait ?

Il ne put s'empêcher de scruter son expression, à la recherche du moindre indice prouvant qu'elle n'était pas tout à fait sincère. Elle se contenta de le regarder avec son éternelle froideur, ses lèvres figées en un sourire poli.

Bon sang ! Il détestait tant ce sourire chez elle qu'il eut la soudaine envie de l'attirer à lui et d'effacer ce sourire sous un furieux baiser.

Puisque « vague nostalgie » il y avait !

Un frisson le parcourut. Et s'il découvrait d'ici peu qu'il était toujours aussi épris d'elle alors qu'elle n'éprouvait pour lui qu'une « vague nostalgie » ?

Il lui retourna un sourire contraint et fit un pas en direction de son pick-up. Il ne tenait pas à se mettre plus en retard pour sa réunion qu'il ne l'était déjà.

— C'est bon à savoir, maugréa-t-il. Je te laisse retourner à ton jardinage. Mon service finit à 18 heures ce soir et, comme, sauf urgence, je suis libre les prochains jours, j'aurai du temps pour travailler ici. Laisse à la réception la liste des travaux que tu aimerais me confier. Je me ferai le plus discret possible.

Il jugea parfaite sa façon froide et impersonnelle de présenter les choses.

Et il claqua la portière de son pick-up un peu plus fort que nécessaire. Qui s'en soucierait ?

4

Apprendrait-elle un jour à tenir sa langue ?

Longtemps après que Taft fut monté dans son pick-up et eut disparu, Laura continuait d'arracher les mauvaises herbes des plates-bandes tristement négligées. Ses mains tremblaient.

A l'instant où elle s'était retournée et où elle avait vu Taft approcher, elle aurait dû lâcher son plantoir et rentrer en toute hâte au cottage.

Elle s'en voulait, repassant en boucle leur conversation dans sa tête. Si ses gants de jardinage n'avaient pas été couverts de terre, elle se serait enfoui le visage dans les mains en gémissant.

Pour commencer, pourquoi lui avoir parlé de Javier et de ses infidélités ? Taft était la dernière personne avec qui elle aurait dû partager ce genre d'information.

Sa mère elle-même ignorait les difficultés qu'elle avait rencontrées les dernières années de son mariage, et comment elle aurait quitté Javier sans hésitation s'il n'y avait eu ses enfants et leur adoration pour leur père. Malgré ça, elle avait déballé sans pudeur sa souffrance devant Taft.

Si l'objectif était de lui faire croire qu'elle était allée de l'avant et avait bien vécu depuis son départ de Pine Gulch, c'était réussi. Tout ce qu'elle avait gagné, c'était de se présenter comme un objet de pitié à ses yeux, ce qu'elle avait déjà fait dix ans auparavant en accordant son amour à un être qui ne voulait pas, ou ne pouvait pas, à l'époque, l'accepter.

Et puis, malgré la promesse qu'elle s'était faite, elle avait été assez stupide pour déterrer le passé. L'évoquer ne pouvait que pousser Taft à se demander si elle y pensait, ce qui ruinait son plan de paraître complètement détachée de lui.

Il avait toujours ce pouvoir de l'amener à lui confier des choses qu'elle aurait mieux fait de garder pour elle. C'est lui qui aurait dû être policier, et non Trace, son frère jumeau. Elle l'avait toujours pensé.

Plus jeune, elle lui racontait tout. Ils avaient parlé ensemble de la pression que ses parents exerçaient sur elle pour qu'elle soit la meilleure à l'école, des filles de sa classe qui l'avaient exclue de leur cercle à cause de ses bonnes notes, de son premier béguin.

Ils s'étaient croisés à l'école primaire, mais elle se rappelait mal ce grand garçon brun qui avait un jumeau qui lui ressemblait comme deux gouttes d'eau et qui souriait toujours. Normal, si l'on considérait qu'il était deux classes au-dessus d'elle et qu'il évoluait dans un milieu social aux antipodes du sien.

Son premier vrai souvenir de lui remontait au collège. Taft, un garçon athlétique, boute-en-train et très populaire, était alors en troisième. Elle, de son côté, était une enfant calme et timide, qui préférait de beaucoup lire plutôt que se poster dans le couloir avec les autres filles de cinquième et ricaner bêtement au passage des garçons qu'elles trouvaient mignons.

Ils avaient pris tous les deux espagnol en option et avaient fini par se retrouver assis l'un près de l'autre, selon l'incompréhensible plan de placement de la *señora* Baker.

Normalement, les garçons de son âge, surtout les sportifs, préféraient se tenir à l'écart des filles plus jeunes. Et les filles maladroites, scolaires et manquant de confiance en elles, pouvaient aussi bien les oublier. Pourtant, tout en se débattant au milieu des participes passés et des conjugaisons de verbes, ils étaient devenus amis. Elle appréciait son humour, et il semblait admirer son aptitude à assimiler l'espagnol.

Ils préparaient ensemble les contrôles, souvent avant les cours, parce qu'en général Taft n'était pas libre le soir : il était pris par ses entraînements sportifs.

Elle se rappelait exactement le moment où elle avait compris qu'elle était amoureuse de lui. Comme elle habitait en ville et se rendait à l'école à pied, elle arrivait souvent la première. Et, ce matin-là, elle l'attendait à la bibliothèque.

La plupart du temps, Taft et son jumeau faisaient le trajet avec Ridge, leur frère aîné, qui était en terminale au lycée et conduisait un 4x4 très admiré pour ses gros pneus et sa barre stabilisatrice.

Tout en l'attendant, elle travaillait à un devoir d'histoire quand Ronnie Lowery, une sale brute qui l'avait prise en grippe, était entré.

Quand elle s'interrogeait à l'époque sur les raisons de cette aversion, elle ne voyait qu'une seule explication possible : la mère célibataire de Ronnie était femme de ménage à l'auberge de ses parents. Médiocre employée, elle était souvent absente à cause de son penchant pour l'alcool. Laura avait entendu ses parents évoquer son cas dans le bureau. Sa mère parlait de la renvoyer, mais son père s'y refusait.

— Elle est seule et a un enfant à élever, avait-il dit. Elle a besoin de travailler.

Cette attitude résumait tout son père. Il avait un faible pour les malchanceux et acceptait souvent à l'auberge des gens qu'il savait dans l'incapacité de payer leur note.

Laura soupçonnait pourtant la mère de Ronnie de s'être plainte de ses employeurs à la maison, ce qui aurait expliqué le comportement de son fils. A deux reprises, Ronnie lui avait fait des croche-pieds dans l'escalier et, un jour, il l'avait coincée dans les toilettes des filles : il avait essayé de l'embrasser et de lui toucher les seins. Enfin, le peu qu'elle possédait. Elle lui avait alors assené un bon coup de son livre d'algèbre sur la tête et lui avait fermement demandé de garder ses sales pattes loin d'elle.

Depuis, elle faisait de son mieux pour l'éviter, mais ce matin-là elle était seule dans la bibliothèque. Même Mme Pitt, la gentille bibliothécaire potelée, semblait s'être volatilisée, avait-elle constaté avec inquiétude.

Ronnie s'était assis face à elle.

— Hé, Laura, qu'est-ce que tu fabriques ? Tu fais le trottoir ?

— Arrête ça ! avait-elle répliqué.

— Qui va t'entendre si tu cries ? avait-il poursuivi en regardant autour de lui avec insistance. Je ne vois personne ici.

— Fiche-moi la paix, Ronnie. J'essaie de travailler.

— Eh bien, pas moi ! C'est le devoir d'histoire ? Figure-toi que je n'ai pas commencé le mien. Une bonne idée parce que, maintenant, ce n'est plus la peine que je me casse la tête.

Il lui prit le devoir sur lequel elle travaillait depuis quinze jours et l'agita au-dessus de sa tête.

— Rends-le-moi ! s'exclama-t-elle, au bord des larmes.

— Ecoute, tu me dois bien ça. J'ai eu un bleu pendant quinze jours quand tu m'as frappé le mois dernier. J'ai dû raconter à ma mère que je m'étais cogné dans les gradins en courant après une balle perdue.

— Tu veux que je recommence ? demanda-t-elle, se faisant plus brave qu'elle ne l'était en réalité.

Le regard de Ronnie la transperça.

— Essaie, sale petite garce, et ce n'est pas seulement ton devoir d'histoire que tu perdras !

— Quel devoir d'histoire ?

Quand elle entendit la voix sèche de Taft, sa peur se dissipa instantanément. Ronnie était grand pour un élève de troisième mais, comparé à Taft, il apparaissait juste pour ce qu'il était, un voyou qui aimait terroriser plus faible que lui.

— C'est mon devoir ! s'écria-t-elle. Je voudrais bien le récupérer.

Tout en lui souriant, Taft cueillit le devoir au bout des doigts de Ronnie et le lui tendit.

— Merci, souffla-t-elle.

— Tu es Lowery, c'est ça ? dit Taft à Ronnie. Je crois que tu es en sport avec Trace, mon frère jumeau.

— Oui, répondit l'autre de mauvaise grâce.

— Navré, Lowery, mais tu vas devoir bouger. Nous révisons un contrôle d'espagnol. Laura m'aide, et je ne sais pas ce que je ferais s'il lui arrivait malheur. Une chose est sûre : je ne serais pas content. Et mon frère ne le serait pas non plus.

Placé devant l'éventualité de faire face à la colère des formidables frères Bowman, Ronnie s'éclipsa comme le lâche qu'il était. Et, à cet instant, elle sut qu'elle aimait Taft et l'aimerait à jamais.

L'année suivante, il était entré au lycée pendant qu'elle se morfondait au collège. Au cours des deux années qui suivirent, elle assista aux matchs de football du lycée, assise sur la ligne de touche et croisant les doigts dans l'espoir qu'il l'aperçoive et lui sourie.

Elle se devait de reconnaître qu'elle devenait complètement stupide dès qu'il s'agissait de Taft Bowman.

Finalement, elle avait été admise en seconde et avait rongé son frein durant un interminable été en attendant le moment béni où ils se retrouveraient dans le même établissement.

A sa grande joie, quand la rentrée arriva et qu'elle se présenta au cours d'espagnol, elle découvrit Taft, assis à l'autre bout de la salle.

Elle n'oublierait jamais le moment où elle avait traversé la pièce pour le rejoindre et avait vu un grand sourire illuminer son visage quand il l'avait aperçue. Il avait poussé son sac à dos pour qu'elle puisse s'asseoir près de lui, comme s'il l'avait attendue.

Ils n'étaient pas sortis ensemble cette année-là. Elle était trop jeune encore et dans cette phase maladroite où une adolescente se cherche. De toute façon, trop de filles de terminale s'agglutinaient autour de lui pour qu'il ait le loisir de s'intéresser à elle, mais ils avaient renoué l'amitié interrompue deux ans auparavant.

Il lui avait confié ses petits problèmes de cœur et ses incertitudes quant à son avenir. Il hésitait entre rejoindre l'armée, comme son frère projetait de le faire, et poursuivre ses études. Bien que déchirée intérieurement par l'envie de lui faire part de ses sentiments, elle n'avait pas osé. Elle s'était contentée de l'écouter en silence et de donner son avis quand il la sollicitait.

Il avait fini par s'inscrire à l'université tout en rejoignant l'armée de réserve et, les étés, il quittait Pine Gulch pour aller lutter contre les incendies de forêt. Durant tout ce temps, ils restèrent en contact étroit par mail et, chaque fois qu'il revenait à Pine Gulch, ils allaient dîner ensemble au Gulch pour rattraper le temps perdu, et c'était comme s'ils n'avaient jamais été séparés.

Et puis, un jour, tout avait changé.

Elle-même avait changé. Aux alentours de ses seize ans, son corps s'était enfin épanoui, et ses seins s'étaient développés. Quand elle était entrée à l'université pour passer un diplôme d'hôtellerie, elle s'était efforcée de dominer sa timidité maladive. Et puis, durant l'été, Taft combattait un feu en Oregon quand il avait été pris dans un brutal embrasement.

En ville, on ne parlait que de cet accident. Comment il avait échappé de peu à la mort et avait sauvé deux sapeurs-pompiers d'une mort certaine. Pendant tout ce temps, elle s'était rongée d'inquiétude pour lui.

Il était enfin revenu passer quelques semaines à Pine Gulch pour voir sa famille. Un soir qu'ils étaient allés faire une promenade à cheval au River Bow Ranch, il lui avait raconté toute l'histoire de l'embrasement et comment c'était miracle qu'il s'en soit sorti vivant.

Une minute, il lui parlait de l'incendie, la suivante, il l'embrassait à perdre haleine.

Ils s'étaient embrassés pendant peut-être dix minutes, elle ne savait pas trop. Elle était sûre, en revanche, que c'étaient les plus merveilleux instants de sa vie.

Quand il la lâcha, il parut horrifié.

— Je te prie de m'excuser, Laura. C'était... Oh...
je ne sais pas ce qui m'a pris.

Elle avait secoué la tête en souriant, le cœur débordant d'amour.

— Pourquoi avoir attendu si longtemps, Taft
Bowman ? avait-elle murmuré.

Et, passant ses bras à son cou, elle l'avait de nouveau
embrassé.

A partir de ce moment, ils étaient devenus inséparables. Elle avait été présente quand il avait fêté son
diplôme de technicien ambulancier d'urgence, puis
d'auxiliaire médical. Il lui avait rendu visite à Bozeman,
où elle étudiait, provoquant une hécatombe chez ses
camarades de chambre. Quand elle rentrait chez elle,
l'été, ils ne se quittaient pratiquement plus.

Le jour de son vingt et unième anniversaire, il la
demanda en mariage. Bien qu'ils soient encore très
jeunes, elle avait accepté avec joie, n'imaginant pas
l'avenir sans lui.

Avec un soupir de nostalgie, elle se rappela le
frémissement de tout son être quand il l'embrassait à
cette époque.

Et soudain elle se rendit compte avec surprise que,
tout en rêvassant, elle avait désherbé toute l'allée qui
longeait Main Street.

Sa mère attendait certainement avec impatience
qu'elle revienne s'occuper de ses enfants. Elle se releva
et s'étira, massant ses reins douloureux, quand elle
entendit un véhicule se garer derrière elle.

Pourvu que ce ne soit pas Taft, pensa-t-elle. Elle
était déjà suffisamment perturbée par leur précédente
entrevue et le rappel de tous ces souvenirs enfouis.

Elle se retourna et vit une jeune femme sauter à bas

d'un pick-up. Après quelques instants, elle reconnut Caidy, la jeune sœur de Taft.

— Bonjour, Laura ! Me reconnais-tu ? Caidy Bowman.

— Bien sûr que je te reconnais !

Elle n'eut que le temps d'ôter ses gants de jardinage, Caidy s'élança vers elle et la serra dans ses bras.

— Comment vas-tu ? lui demanda Laura.

En dépit des six ans qui les séparaient, elles avaient été très proches, et l'idée d'avoir Caidy pour sœur lui faisait autrefois chaud au cœur.

Jusqu'à la mort de leurs parents, Caidy avait été une adolescente enjouée, affectueuse, à l'aise dans sa position de petite sœur chouchoutée par trois grands frères. Mais son univers avait basculé quand elle avait assisté à l'assassinat de ses parents.

— Bien, répondit Caidy.

Laura l'espérait sincèrement. Caidy avait traversé des moments très sombres après le drame. Le traumatisme d'avoir été le témoin impuissant de l'agression de ses parents l'avait laissée si terrorisée qu'il lui était devenu impossible de faire quoi que ce soit. Durant des mois, elle avait refusé de quitter le ranch, insistant pour avoir un de ses frères près d'elle vingt-quatre heures sur vingt-quatre.

Laura fut soudain prise d'un accès de mélancolie. L'état de Caidy avait été à l'époque une autre raison de son désir de reculer le mariage prévu en juin, six mois après le décès brutal des Bowman. Néanmoins, Taft avait insisté pour conserver cette date, arguant que ses parents n'auraient pas voulu qu'ils changent leurs projets.

Dix ans après, tout cela n'avait plus d'importance, conclut-elle. Caidy était devenue une belle jeune femme, brune comme ses frères et possédant les mêmes yeux verts, une marque de fabrique familiale.

— Tu es superbe ! lui lança-t-elle.

En grimaçant, Caidy lui donna de nouveaux baisers.

— Toi aussi. Vraiment, je n'arrive pas à croire que tant de temps se soit écoulé depuis que nous nous sommes perdues de vue !

— Que deviens-tu ? Es-tu entrée à l'école vétérinaire comme tu le souhaitais ?

Quelque chose vacilla dans les profondeurs du regard de Caidy, mais elle haussa négligemment les épaules.

— Non, j'y ai fait deux semestres avant de décider que les études n'étaient pas pour moi. Depuis, je vis principalement sur le ranch. J'aide Ridge à élever sa fille et je fais un peu de dressage à côté. Chevaux et chiens.

— C'est formidable, dit Laura, quoiqu'un peu triste que Caidy ait renoncé à son rêve.

Caidy avait toujours adoré les animaux et elle entretenait un rapport mystérieux avec eux. Adolescente, elle ne parlait que de devenir vétérinaire et de revenir exercer à Pine Gulch.

Un seul moment avait bouleversé le cours de tant d'existences, pensa Laura. L'assassinat des Bowman lors du cambriolage de leur importante collection d'art avait secoué toute la ville. Il paraissait difficile de croire qu'une telle tragédie ait pu se dérouler à Pine Gulch. Le dernier crime y remontait aux années 1930, quand deux ouvriers agricoles s'étaient battus à mort pour une fille.

Chacun des membres de la fratrie Bowman avait réagi à sa manière. Ridge s'était jeté à corps perdu dans la gestion du ranch et l'éducation de ses cadets. Trace était devenu encore plus sérieux, et Caidy s'était recroquevillée dans sa coquille, luttant contre une peur panique du monde extérieur.

Quant à Taft, il avait soigneusement dissimulé ses émotions et prétendu que tout allait bien tandis qu'intérieurement il bouillonnait de chagrin et de colère, repoussant toutes ses tentatives pour le réconforter.

— Je cherche Taft, reprit Caidy. Je dois me rendre au magasin d'aliments pour animaux ce matin et j'ai pensé m'arrêter pour lui demander s'il voulait m'accompagner au Gulch manger une omelette et boire un café.

La mention de l'établissement ranima les souvenirs de Laura. Elle aimait beaucoup l'endroit et s'étonna de n'y avoir pas remis les pieds depuis son retour. Une image du bar-restaurant se forma dans son esprit, avec son plafond d'étain, ses tabourets pivotants rouges alignés devant le comptoir à l'ancienne, et une odeur de bacon frit et de café probablement incrustée dans les lambris.

Un de ces matins, elle y emmènerait ses enfants.

— Désolée, Taft est parti il y a environ une demi-heure. Je crois qu'il se rendait à la caserne. Il a parlé de finir son service à 18 heures.

— Oh ! d'accord. Eh bien, merci !

Caidy demeura quelques instants silencieuse tout en posant sur elle un long regard indéchiffrable, comme aurait pu le faire son frère.

— Tu n'aurais pas envie de venir prendre le petit déjeuner au Gulch avec moi ? demanda-t-elle soudain.

Elle dévisagea Caidy, aussi émue que surprise par l'invitation. Au fil des ans, Taft n'avait donc pas expliqué aux membres de sa famille que c'était elle qui avait rompu leurs fiançailles ? Parce que, si Caidy avait su, elle ne se montrerait pas aussi amicale.

Dans la famille Bowman, on se serrait les coudes.

Les quitter lui avait d'ailleurs beaucoup coûté. Sa rupture avec Taft avait signifié la perte non seulement de ses rêves, mais aussi de la grande famille unie et turbulente qu'elle avait toujours désiré avoir, elle qui était l'enfant unique de parents vieillissants, absorbés l'un par l'autre et par leur métier.

La tentation d'accompagner Caidy au Gulch l'effleura. L'eau lui venait à la bouche rien que de penser aux délicieux petits pains de Lou Archuleta. Et puis elle serait ravie de cette occasion de renouer avec Caidy. Mais elle n'eut pas le temps de répondre : ses enfants sortirent en courant du cottage, Maya devant, pour une fois, Alex sur les talons.

— Maman ! Grandma fait des crèmes. C'est bon ! déclara Maya.

Alexandro rattrapa sa sœur.

— Pas des crèmes ! Des crêpes. On ne mange pas des crèmes au petit déjeuner, Maya ! Maman, nous sommes venus te dire de rentrer pour que tu puisses te laver avant de manger. Dépêche-toi, Grandma dit que je pourrai faire sauter la prochaine !

— J'arrive.

Caidy sourit à ses enfants, visiblement séduite.

— Caidy, je te présente ma fille, Maya, et mon fils, Alexandro. Les enfants, voici mon amie Caidy. C'est la sœur de Chef Bowman.

— J'aime bien Chef Bowman, déclara Alexandro. Il a dit que si je mettais encore le feu il me mettrait en prison. Vous croyez qu'il le ferait ?

Caidy hocha gravement la tête.

— Crois-moi, mon frère pense toujours ce qu'il dit. Tu ferais mieux de te tenir à carreau, si tu veux mon avis.

— Je sais, je sais. On n'arrête pas de me le répéter.

Maman, est-ce que je peux rentrer pour faire sauter les crêpes avec Grandma ?

Comme elle hochait la tête, Alex s'élança vers le cottage, sa sœur dans son sillage.

— Tes enfants sont superbes, Laura.

— C'est bien mon avis, dit-elle en souriant.

A ce moment, il lui sembla voir quelque chose qui ressemblait à de l'envie passer dans le regard de Caidy. Pourquoi Caidy n'avait-elle pas fondé de famille ? Vivait-elle toujours dans la peur ?

Instinctivement, elle désigna le cottage.

— A moins que tu ne tiennes absolument aux petits pains à la cannelle du Gulch, pourquoi ne viendrais-tu pas prendre ton petit déjeuner avec nous ? Ma mère te sortira volontiers une assiette.

— Je ne veux pas déranger, dit Caidy.

— Mais pas du tout ! Les crêpes de ma mère sont délicieuses. En réalité, d'ici à une semaine, nous proposerons le petit déjeuner à nos clients. L'idée, c'est de commencer avec des spécialités de maman, comme les crêpes et le pain perdu, mais aussi de commander des plats à l'extérieur, de manière à mettre en valeur la production locale. J'ai déjà pris contact avec Java Hut pour qu'ils livrent leur café, et les Archuleta proposeront leurs pâtisseries à nos clients.

— Quelle belle idée !

— Tu seras donc notre cobaye ! Viens goûter aux crêpes de maman. Je suis sûre qu'elle sera ravie de te voir.

Et moi aussi, pensa-t-elle. Il lui manquait d'avoir une amitié féminine. Sa meilleure amie d'autrefois avait déménagé au Texas et, depuis son retour à Pine Gulch, elle n'avait pas eu l'occasion de se faire de relations.

Même si elle correspondait encore par mail avec ses amis madrilènes qui l'avaient soutenue dans les moments difficiles, ce n'était pas la même chose que de boire un café en mangeant des gâteaux et en se racontant des histoires avec quelqu'un qui la connaissait quasiment depuis l'enfance.

— Rien ne saurait me faire plus plaisir ! s'exclama Caidy. Et Taft est assez grand pour se trouver de la compagnie s'il en a envie.

A en croire ce qu'on racontait sur son ex-fiancé, Laura n'en doutait pas un instant.

Au grand soulagement de Laura, tout au long du petit déjeuner, ses enfants se montrèrent charmants avec Caidy. Dès qu'il sut que leur invitée vivait sur un vrai ranch d'élevage de bétail, Alex la submergea de questions sur les cow-boys et les chevaux, et il tint à savoir si elle avait déjà vu un vrai Indien.

Elle allait devoir expliquer à son fils que la réalité américaine n'avait rien à voir avec les westerns qu'il regardait avidement en compagnie de leur femme de ménage à Madrid, et qu'il n'était pas acceptable de considérer les Indiens comme des animaux de foire.

De son côté, Maya semblait avoir décidé qu'elle pouvait accorder sa confiance à Caidy, fait assez rare pour être souligné. Elle s'était assise près d'elle et lui adressait ses gentils sourires. Ensuite, elle lui offrit la moitié de l'orange que Caidy lui avait épluchée.

— Merci, trésor, dit Caidy, que le geste parut toucher.

Chaque fois qu'une nouvelle personne entrait en contact avec Maya, Laura éprouvait un pincement au cœur tant elle redoutait que sa fille soit rejetée.

Elle supposait que cette angoisse provenait de la réaction de Javier quand, à la clinique où elle venait d'accoucher, des médecins à la mine grave leur avaient annoncé que Maya présentait des signes de trisomie 21 et qu'ils allaient procéder à des tests génétiques.

Son mari était resté longtemps dans le déni, prétendant que Maya allait parfaitement bien. Après tout, comment aurait-il pu avoir un enfant qui ne serait pas parfait, selon les critères habituels bien sûr ? Même après que les tests eurent confirmé ce que Laura savait déjà au fond de son cœur, Javier avait refusé de parler de la condition de Maya ou des répercussions sur leurs vies.

Toutefois, déni ou pas, il avait aimé sa fille. Il avait fait preuve d'une infinie patience avec elle et, parfois, il avait été le seul capable de calmer les pleurs du bébé. Aujourd'hui, Maya ne comprenait pas très bien ce que signifiait la mort, et il arrivait qu'elle réclame obstinément son père. Ces jours-là, le chagrin de Laura se teintait de rancœur envers Javier.

Ses enfants avaient besoin de lui, et il avait troqué son avenir avec eux contre un fugitif moment de plaisir avec sa dernière conquête. Mêlée à sa colère et à sa souffrance, il y avait aussi de la culpabilité. Si elle avait mieux essayé d'ouvrir son cœur à Javier et de l'aimer sincèrement, peut-être n'aurait-il pas eu besoin de séduire d'autres femmes.

Elle faisait son possible, se rappela-t-elle. N'avait-elle pas traversé la moitié du globe pour procurer un foyer chaleureux et stable à ses enfants ?

— C'était vraiment sympa, dit Caidy, la ramenant à la réalité. Merci pour l'invitation mais, à présent, il faut que je rentre. Un acheteur doit venir examiner aujourd'hui un de mes border collies.

— Tu vas vendre ton chien ? s'exclama Alex, que l'idée semblait horrifier.

Il rêvait d'en posséder un.

— Sue n'est pas vraiment mon chien, expliqua Caidy avec un sourire. Je l'ai recueillie quand elle n'était qu'un chiot et je l'ai dressée pour qu'elle aide quelqu'un à s'occuper de ses bêtes sur un autre ranch. Nous avons suffisamment de chiens à River Bow.

Alex ne sembla pas comprendre ce que signifiait élever et dresser des chiens.

— Tu n'es pas triste de donner ton chien ?

Les paupières de Caidy battirent légèrement puis, après une courte pause, elle hocha la tête.

— Si, un peu. C'est un bon chien, et je la regretterai. Mais tu peux être certain que je ne la laisserai pas partir n'importe où. Je tiens à ce qu'elle ait de bons maîtres.

— Nous serions de bons maîtres, n'est-ce pas, Grandma ? dit Alex en se tournant vers Jan.

Celle-ci lui sourit.

— Je le pense, mon petit.

— Tu sais très bien que nous ne pouvons pas prendre de chien maintenant, Alex, intervint Laura.

Il fallait arrêter l'enfant avant qu'il ne se mette à vanter les mérites de leur famille, tel un vendeur de voitures d'occasion s'efforçant de conclure un marché.

— Nous en avons déjà parlé, reprit-elle. Pendant que nous nous installons à Pine Gulch et vivons avec grand-mère à l'auberge, ce n'est pas pratique.

La lèvre inférieure de l'enfant avança dans une mimique qui ressemblait fort à l'expression de son père quand les choses n'allaient pas comme il le souhaitait.

— Tu n'arrêtes pas de le répéter. Mais je veux vraiment, vraiment, vraiment, un chien.

— Pas maintenant, Alexandro. Nous ne prendrons pas de chien. Peut-être dans un an, quand notre situation sera un peu éclaircie.

— Mais j'en veux un maintenant !

— Ecoute, Alex, intervint Caidy, Sue ne serait pas heureuse ici. Tu comprends, c'est un chien de berger, et son occupation préférée, c'est de conduire les bêtes où nous voulons qu'elles aillent. Et tu ne ressembles pas à un bœuf. Où sont tes cornes ?

Alex paraissait sur le point de céder à une de ces violentes colères qui le submergeaient parfois depuis la mort de son père, mais la plaisanterie l'en détourna.

— Je ne suis pas un bœuf, dit-il en faisant les gros yeux.

Puis, un instant un plus tard, il s'enquit :

— Qu'est-ce que c'est un bœuf ?

Caidy rit.

— C'est un autre nom pour le mâle de la vache.

— Je croyais que c'était un taureau.

— C'est-à-dire…

Du regard, Caidy appela Laura à l'aide.

Tandis que Jan pouffait de rire, Laura secoua la tête.

— Tu as raison, reprit Caidy. Il y a deux sortes de mâles bovins. Il y a le taureau, et puis il y a le bœuf.

— Quelle est la différence ?

— Les bœufs chantent d'une voix plus aiguë, répondit Caidy, et sur cette charmante note je vais retourner m'occuper des taureaux et des bœufs de River Bow. Merci pour le petit déjeuner. La prochaine fois, c'est moi qui invite !

— Alex et Maya, voulez-vous aider Grandma à débarrasser la table pendant que j'accompagne Caidy à sa voiture ? Je ferai la vaisselle en revenant.

Avec soulagement, elle vit son fils se laisser définitivement distraire par sa mère, qui proposait de les emmener au parc, Maya et lui, l'après-midi.

— Je suis désolée pour cette ébauche de crise de colère, dit-elle à Caidy une fois dehors. Je dois surveiller ce trait de caractère, car mon fils aime en faire à sa guise.

— Comme la plupart des enfants. Ma nièce, qui a presque dix ans, s'imagine toujours qu'elle est le centre de l'univers. Je ne pensais pas déclencher une telle scène en parlant de chiens.

— Cette discussion revient régulièrement depuis trois ans. A Madrid, son meilleur ami possédait un vieux chien qu'Alex adorait, tout galeux qu'il était, et il voulait absolument en avoir un. Mon mari s'y opposait énergiquement et, à sa mort, je ne sais pourquoi, Alex s'est mis en tête qu'il n'y avait plus de raison pour qu'il n'ait pas de chien.

— Ecoute, pourquoi n'amènerais-tu pas tes enfants au ranch pour qu'ils s'amusent au moins avec mes chiens ? Et nous pourrions aussi faire une promenade. Nous avons des chevaux très doux, qui seraient parfaits pour eux.

— Ce serait avec plaisir. Je suis sûre qu'ils adoreraient.

Il s'agissait certainement d'une invitation en l'air, songea-t-elle tristement. Aussi fut-elle surprise d'entendre Caidy ajouter aussitôt :

— Pourquoi ne viendriez-vous pas le week-end prochain ? Ridge serait heureux de vous voir.

Ridge était le membre de la fratrie avec qui elle avait eu le moins de relation. A l'époque où elle était fiancée avec Taft, Ridge était déjà un homme, et les rares fois où elle le croisait, il lui faisait l'effet d'un être un peu sévère et dépourvu d'humour.

Malgré tout, il s'était montré gentil avec elle. Elle ne pouvait en dire autant de celle qui était devenue par la suite son ex-femme, une personne brusque et autoritaire avec les habitants du ranch.

— C'est sympa, dit-elle, mais tu as sûrement autre chose à faire que de t'occuper d'une bande de débutants.

— J'en serais ravie, assura Caidy. Je trouve tes enfants adorables et je ne peux te dire combien je suis heureuse que tu sois de retour parmi nous. Pour tout dire, je manque de conversations entre filles, du moins de conversations qui ne tournent pas autour du bétail !

Elle devait refuser. Son histoire avec Taft rendrait pénibles ses rapports avec les membres de la famille. Pourtant, comme Caidy, elle souhaitait vivement ranimer leur ancienne amitié, et Alex et Maya seraient follement heureux de faire une promenade à cheval et de jouer avec les chiens du ranch.

— Dans ce cas, d'accord. Ce sera un jour à marquer d'une pierre blanche. Merci !

— Je t'appelle mercredi ou jeudi pour confirmer. Je me réjouis à l'avance !

Caidy lui sourit, si fraîche et si jolie avec sa queue-de-cheval et son semis de taches de rousseur sur le nez.

Puis elle grimpa dans son pick-up et démarra avec un geste de la main et un sourire.

Laura la regarda s'éloigner, le cœur beaucoup plus léger que le matin, quand le précédent membre de la fratrie Bowman était parti.

Il avait de la visite.

Le vrombissement de la ponceuse ne couvrait pas tout à fait rires et trottinements en provenance du couloir. Il fit semblant de se concentrer sur la fenêtre qu'il ponçait tout en gardant un œil sur les petites créatures qui passaient de temps à autre la tête par la porte puis retournaient vite se cacher.

Avec le matériel électrique entreposé dans la pièce, il ne pouvait pas baisser la garde. Il imaginait les reproches de Laura si un de ses turbulents enfants se blessait. Elle l'accuserait probablement de l'avoir laissé volontairement se couper un doigt.

Le petit jeu de cache-cache se prolongea encore quelques minutes, jusqu'à ce qu'il arrête la ponceuse. Sans cesser de jeter des coups d'œil vers la porte, il passa un doigt sur le bois pour vérifier qu'il était bien lisse, puis saisit la fenêtre et la souleva pour vérifier ses mesures.

— Vas-y, chuchota une petite voix suivie de rires.

Un instant plus tard, la fille de Laura entrait dans la pièce.

Maya était une jolie enfant avec sa peau mate, ses cheveux bruns bouclés coiffés en couettes et ses grands yeux bleus taillés en amande, pareils à ceux de Laura.

— *Hola*, murmura-t-elle avec un timide sourire.

— *Hola, señorita*, répondit-il.

Une chance qu'il lui reste des bribes des cours d'espagnol du lycée qu'il avait eu tant de mal à ingurgiter.

— Tu fais quoi ?

— Je remplace le cadre de la fenêtre. Tu vois ?

Il plaça le cadre à l'endroit prévu pour lui montrer, puis le reposa sur son plan de travail.

— Pourquoi ? demanda-t-elle en se grattant l'oreille.

Il regarda vers la porte, où le petit garçon continuait d'apparaître par instants pour se cacher de nouveau dans l'ombre.

— Le vieux bois pourrissait, expliqua-t-il. Comme ça, ce sera plus joli, comme le reste de la pièce.

Le visage d'Alex apparut de nouveau dans l'embrasure de la porte et, cette fois, il eut le temps de lui adresser un sourire d'encouragement. Le petit garçon sembla hésiter un instant, puis se glissa furtivement dans la chambre.

— Fort, fit Maya en désignant la ponceuse avec fascination.

— C'est vrai. J'ai quelque chose pour atténuer le bruit, si tu veux.

Il n'était pas certain qu'elle comprenne, mais elle hocha vigoureusement la tête. Alors, il tendit la main vers ses protections d'oreille posées sur la caisse à outils.

Elles étaient conçues pour adulte et donc bien trop grandes pour elle. Le bas des oreillettes lui arrivait à l'épaule. Il essaya malgré tout de les ajuster du mieux possible. Elles étaient toujours trop grandes, mais du moins couvraient-elles ses oreilles.

Devant le sourire ravi de Maya, il éclata de rire.

— Tu as fière allure avec ça !

— Veux voir, dit-elle.

Elle se dirigea vers le miroir suspendu derrière la porte de la salle de bains. Là, elle tourna la tête d'un côté et de l'autre pour mieux s'admirer. Elle n'aurait pas fait plus de manières s'il lui avait offert une tiare de diamants.

C'était vraiment une petite enchanteresse.

— Je peux avoir un casque ? demanda Alexandro.

Captivé par celui que portait sa sœur, il avait fini par entrer dans la pièce.

— Je n'en ai qu'un. Tu comprends, je ne m'attendais pas à avoir de la compagnie. Désolé. La prochaine fois je penserai à en prendre deux. Mais il doit y avoir des boules Quies dans la caisse à outils.

L'enfant haussa les épaules.

— C'est bon. Le bruit ne me gêne pas. Maya craint les bruits forts mais pas moi.

— Comment cela se fait-il ? Je veux dire : que Maya soit dérangée par le bruit ?

La petite se promenait à travers la pièce et fredonnait tout en essayant de s'entendre à travers ses oreillettes.

— C'est comme ça, répondit Alex. Maman dit que c'est parce qu'elle a tant de choses qui tournent dans sa tête que parfois elle oublie le reste du monde et que les gros bruits la ramènent brutalement à nous. Enfin, quelque chose comme ça.

— Tu aimes beaucoup ta sœur, n'est-ce pas ?

Il haussa les épaules et lui parut soudain plus âgé que ses six ans.

— Il faut bien que je veille sur maman et elle, maintenant que notre papa est parti.

Taft aurait voulu le serrer dans ses bras et dut ravaler la boule qui lui obstrua brusquement la gorge. Il pensa à l'épreuve qu'avait représentée la disparition de ses propres parents. Sauf qu'il avait vingt-quatre ans à l'époque. Alex n'était qu'un gosse et il avait déjà perdu son père. Pourtant, il semblait accepter cela avec stoïcisme.

— Je parie que tu fais du bon travail en les protégeant toutes les deux.

Le garçon prit un air coupable.

— Parfois. Mais je n'ai pas été à la hauteur le jour de l'incendie.

— Nous avons décidé que c'était un accident, d'accord ? C'est fini, et tu ne recommenceras plus. Crois-moi, petit, ne t'appesantis pas sur tes erreurs passées. Va plutôt de l'avant en essayant de faire mieux la prochaine fois.

Alex ne sembla pas très bien comprendre son discours, ce qui n'avait rien d'étonnant. Taft se morigéna intérieurement. La philosophie et un petit garçon de six ans n'étaient sans doute pas faits l'un pour l'autre.

— Tu veux essayer de te servir de la ponceuse ? proposa-t-il.

Les yeux noirs d'Alex s'éclairèrent.

— Vraiment ? Je peux ?

— Pourquoi pas ? Tous les hommes doivent savoir faire fonctionner une ponceuse.

Avant de commencer la leçon, Taft jugea utile d'aller voir Maya, assise par terre à quelque distance de là. Elle traçait du bout des doigts des dessins dans la sciure qu'il n'avait pas eu le temps de balayer. Sa mère n'apprécierait probablement pas mais, étant donné que le mal était fait, il décida d'épousseter ses vêtements plus tard, quand ils auraient fini.

Il souleva une des protections d'oreille de manière qu'elle l'entende.

— Nous allons mettre en route la ponceuse, Maya. D'accord ?

— Fort.

— Avec ce casque, beaucoup moins. Promis.

Elle plissa les paupières, comme si elle se demandait si elle pouvait le croire puis, sur un hochement de tête, elle retourna à ses jeux.

Il contempla un instant sa nuque fragile sous le grand casque, sidéré par la confiance qu'elle lui accordait sans discussion.

A présent, il devait s'en montrer digne.

Il mit en marche la ponceuse, espérant que, bien que

trop grandes, les protections joueraient leur rôle. Maya leva les yeux, et une expression de totale stupéfaction se peignit sur son joli petit visage. Elle souleva une oreillette afin de constater que la ponceuse était bien en marche, mais la remit très vite en place. Une minute après, elle la souleva de nouveau, puis la replaça, l'air aussi émerveillé que si elle assistait à un tour de magie.

En riant, il se retourna vers Alex, qui rongeait son frein près de l'engin.

— Bon, le plus important maintenant, c'est de ne pas t'arracher les doigts. Je ne crois pas que ta mère apprécierait.

— Sûrement pas, assura Alex d'un ton grave.

Taft ravala sa gaieté.

— Nous allons donc devoir nous montrer prudents. Premier point, il faut toujours démarrer la ponceuse avant de toucher le bois pour ne pas laisser de marques. Ici, c'est l'interrupteur. Maintenant, pose tes mains sur les miennes, nous travaillerons ensemble. Voilà.

Durant les minutes qui suivirent, ils polirent la pièce de bois jusqu'à ce qu'il s'estime satisfait de son aspect ainsi que de la douceur du toucher. Il préférait terminer le ponçage à la main, à l'ancienne, mais la ponceuse était un outil bien commode pour couvrir les grandes surfaces.

Quand ils eurent terminé, il coupa le contact et posa la ponceuse.

— Bien, dit-il en se retournant vers le garçon. Maintenant, il faut souffler pour retirer la sciure. Comme ça.

Il fit une petite démonstration, puis tendit le morceau de bois à Alex.

Alors, gonflant ses joues, le petit garçon se mit à

souffler tel le grand méchant loup tentant de faire s'envoler la maison en paille des trois petits cochons.

— Parfait, dit Taft avec un sourire. Tu sens comme c'est doux maintenant ?

Alex fit courir son doigt sur la surface du bois.

— Ça alors ! J'ai fait ça ?

— Parfaitement. C'est du beau travail. Maintenant, quand tu viendras dans cette chambre, tu regarderas la fenêtre et tu te souviendras que tu as aidé à la restaurer.

— Super ! Pourquoi il faut polir le bois ?

— Le bois poli a un plus bel aspect, et on obtient de meilleurs résultats quand on le peint ou le vernit.

— Comment ça marche ?

— La courroie est en papier de verre. Tu vois ? Et comme c'est dur, quand on frotte le bois, ça enlève les irrégularités.

— Est-ce qu'on peut poncer autre chose que du bois ?

— C'est sûrement possible, mais les ponceuses sont faites pour le bois. Elles abîmeraient les autres matériaux. La plupart des outils ont une utilité bien précise et, si tu les utilises pour autre chose, tu risques d'avoir des problèmes.

— J'ai fini, fit une voix anormalement forte.

Avec ses oreillettes, Maya ne jugeait pas de la force de sa voix.

— D'accord, d'accord ! Tu n'as pas besoin de hurler, dit Alex, échangeant avec Taft un regard qui se voulait complice.

En un clin d'œil, ces deux enfants avaient conquis son cœur. En partie parce qu'ils étaient ceux de Laura, mais essentiellement parce qu'ils étaient tout simplement charmants.

— Je peux ? demanda-t-elle d'une voix tonitruante.

Il souleva une oreillette pour se faire entendre.

— Bien sûr, trésor. Je vais chercher une autre planche à polir. Viens.

Sans enthousiasme, Alex recula pour laisser la place à sa sœur.

Taft fut encore plus précautionneux avec Maya, gardant ses mains fermement refermées sur les siennes tandis qu'ils polissaient le bois.

Quand ce fut fait, il lui retira le casque antibruit.

— Bon, maintenant, comme je disais à ton frère, c'est le plus important. Il faut que tu enlèves la sciure en soufflant dessus.

Elle avança comiquement la bouche et souffla de toutes ses forces.

— Très bien. Maintenant, touche.

— Oooh ! Doux.

Un sourire lui fendit la bouche jusqu'aux oreilles. Il le lui retourna tendrement.

Quelqu'un cria alors leurs prénoms.

— Alex ? Maya ? Où êtes-vous ?

La voix de Laura en provenance du couloir semblait inquiète et un peu enrouée. Elle appelait probablement depuis un moment.

Les deux enfants échangèrent un regard, comme pour se donner du courage avant d'affronter l'orage.

— C'est notre mère, dit inutilement Alex.

— Oui, j'ai entendu.

— Alex, Maya, venez immédiatement !

— Ils sont ici ! cria-t-il, appréhendant lui aussi les reproches qui n'allaient pas manquer de pleuvoir.

Il repensa à sa discussion avec Laura, quelques jours plus tôt, quand elle lui avait paru si fraîche et si jolie, jardinant dans les parterres de l'auberge. Ce matin-là,

elle avait ouvert une brèche dans son cœur aussi sûrement que si elle avait utilisé son plantoir.

Elle entra dans la chambre au pas de charge.

— Que fabriquez-vous ici ? Pourquoi ne m'avez-vous
pas répondu ? Je vous ai appelés dans tout l'hôtel !

Il décida de se sacrifier.

— Je crains que ce ne soit ma faute. Nous avons
fait marcher ma ponceuse. On n'entendait plus rien.

— Regarde, maman. Doux.

Maya tendit à sa mère la pièce de bois qu'elle avait
aidé à poncer.

— Touche !

Laura s'avança, manifestement réticente. Instantanément,
son parfum fleuri et printanier l'assaillit.

Elle passa une main sur le morceau de bois comme
sa fille le lui demandait.

— C'est vrai, c'est doux.

— Je l'ai fait, déclara fièrement Maya.

Laura réussit l'exploit de lui présenter un visage
désapprobateur, puis se retourna vers sa fille, l'air,
cette fois, très intéressé.

— Tu l'as fait, vraiment ? Avec la ponceuse ?

— La prochaine fois, je leur apprendrai à utiliser
la scie circulaire, intervint-il. Franchement, qu'est-ce
qui peut leur arriver avec ce genre d'outil ?

Elle le considéra, paupières plissées, cherchant
visiblement à savoir s'il plaisantait ou non. Qu'était-il
arrivé à son sens de l'humour ? se demanda-t-il. Le lui
avait-il dérobé, ou bien était-ce son imbécile de mari ?

— Je plaisante, se reprit-il. Je leur ai tenu les mains
tout le temps. Maya portait même un casque antibruit.
N'est-ce pas, Maya ? Montre à ta maman.

La petite mit le casque sur sa tête et se mit à chanter

une chanson de son cru, très fort, en soulevant de temps à autre les oreillettes pour vérifier la puissance de sa voix.

— Ça semble en effet très amusant, dit Laura, retirant le casque de la tête de sa fille pour le lui tendre.

Quand il le prit, leurs mains s'effleurèrent, et il eut la sensation de recevoir une décharge électrique qui se propagea au plus profond de lui.

Elle retira vivement ses mains, sans toutefois croiser son regard.

— Il ne faut pas te laisser ennuyer par ces galopins, poursuivit-elle. Et vous, je vous avais bien recommandé de rester à l'écart de Chef Bowman quand il travaille !

Pourquoi diable se sentait-elle obligée de se conduire ainsi ? se demanda-t-il, agacé. Le croyait-elle indigne de confiance quand il s'agissait de ses enfants ? Il était capitaine de la brigade de sapeurs-pompiers de Pine Gulch, tout de même ! Entraîné à donner les premiers soins médicaux d'urgence, par-dessus le marché ! La sécurité publique, c'était son affaire.

— C'était amusant, déclara Alex. Je me suis servi de la ponceuse en premier. Touche ma planche, s'il te plaît, maman.

Elle se plia de mauvaise grâce à la demande de son fils.

— C'est parfait. Mais, la prochaine fois, tu dois m'obéir et ne pas ennuyer Chef Bowman quand il travaille.

— Ils ne m'ont pas ennuyé, dit-il. Ce sont de charmants petits compagnons.

— Tu es assez occupé comme ça. Je ne veux pas qu'ils représentent une charge.

— Puisque je te dis qu'ils ne me dérangent pas !

Elle ne parut pas convaincue.

— Venez, vous deux. Remerciez Chef Bowman de vous avoir laissés utiliser ses dangereux outils électriques et promettez-lui de ne jamais y toucher tout seuls.

— Nous promettons, dit solennellement Alex.

— Promis, fit sa sœur en écho.

— Et merci de m'avoir montré comment on se sert d'une ponceuse, ajouta Alex. Maintenant, il m'en faudrait une.

Cette fois, un vrai drame naissait. Mais comme il n'était pas responsable de l'enfant, ainsi que sa mère l'avait clairement souligné, il la laisserait régler toute seule le problème.

— Merci pour le coup de main, dit-il. Je n'aurais pas terminé sans vous.

— Est-ce que je pourrai encore t'aider ? demanda Alex d'une voix frémissante d'espoir.

Il sentit Laura se crisper près de lui : elle allait refuser la permission. Cela le contraria beaucoup et lui donna envie d'accepter, juste pour l'embêter. Mais, comme il ne pouvait pas aller de manière aussi flagrante contre sa volonté, il choisit la manière adulte de se dérober.

— Nous verrons, les enfants, répondit-il.

— Bon, maintenant, prends ta sœur par la main, Alex, et filez retrouver Grandma à la réception. Et sans faire de détour, c'est compris ?

Le petit menton têtu d'Alex s'avança.

— Mais nous nous sommes bien amusés !

— Chef Bowman est ici pour faire des réparations, pas pour vous servir de baby-sitter.

— Je ne suis pas un bébé, grommela Alex.

Laura sembla réprimer un sourire.

— Je le sais bien. C'est juste une expression, *mi hijo*. Quoi qu'il en soit, tu dois aller rejoindre ta grand-mère.

Alex prit sa sœur par la main puis, traînant des pieds de façon exagérée pour bien manifester son désaccord, quitta la pièce en laissant Laura seule avec lui.

Alors qu'il pressentait qu'elle n'était pas satisfaite d'avoir trouvé ses enfants avec lui et qu'il se préparait à affronter son mécontentement, une part de lui-même était ravie de la revoir.

Ridicule, il le savait, mais il ne pouvait s'en empêcher.

Comment avait-il pu oublier ce bondissement de bonheur qui emplissait sa poitrine quand il la revoyait après une absence d'aussi courte durée soit-elle ?

Même avec ses cheveux noués à la va-vite derrière sa tête, sa chemise trop grande et son jean délavé, elle était belle, et il avait envie de rester simplement ici, au milieu de la sciure et des chutes de bois, à la contempler.

Elle ne lui laissa pas cette chance.

— Je te prie d'excuser le comportement des enfants, dit-elle avec raideur. Je croyais qu'ils regardaient un dessin animé dans la chambre 12 pendant que je nettoyais les carreaux de la salle de bains. Quand je suis sortie, ils avaient disparu…

— Tu n'as qu'à utiliser la chaîne de sécurité pour les enfermer.

Il ne plaisantait qu'à moitié, et tout à coup ce besoin de la titiller laissa place à une terrible envie de la prendre dans ses bras et d'endosser les soucis que lui causaient ses enfants fugueurs, le nettoyage des carreaux de salles de bains, et tout ce qui pesait sur elle comme un fardeau.

— Une bonne idée, répliqua-t-elle. Seulement, vois-tu, je l'ai déjà mise en pratique. Au bout d'une demi-heure, Alex avait trouvé le moyen de soulever sa petite sœur pour qu'elle libère la chaîne. Et ils sont venus à bout du verrou en un quart d'heure. Il faut juste que je me rappelle que je ne peux pas les quitter des yeux une seconde. Mais ne t'inquiète pas. Je trouverai bien le moyen de les tenir hors de tes jambes.

— Je t'assure qu'ils ne me dérangent pas. Ils sont tellement mignons.

Il le pensait vraiment, même si son expérience avec les enfants, hormis l'exposé sur la sécurité en matière d'incendie qu'il donnait tous les ans à l'école primaire, se limitait à ses rapports avec sa nièce Destry, la fille de Ridge.

— Je trouve aussi, dit-elle.

— Alex est un petit garçon très curieux. Ce qu'il peut poser comme questions !

Elle poussa un soupir désolé tout en repoussant une mèche de cheveux derrière son oreille délicate. Autrefois, elle adorait qu'il l'embrasse dans le cou, à cet endroit précis, se rappela-t-il. Mais, comme le désir jaillissait en lui, il regretta la résurgence de ce souvenir.

— Oui. Mon fils est un passionné de technique, reprit-elle, visiblement sans avoir remarqué sa réaction. Et il a eu six ans pour peaufiner ses questions.

— Il paraît que Trace et moi posions aussi beaucoup de questions quand nous étions enfants. Ma mère disait que, entre nous deux, elle n'avait pas une seconde pour reprendre sa respiration entre deux réponses.

Laura fit courir ses doigts sur l'appui de la fenêtre. Avant, elle lui caressait le torse de cette manière…

— Je me rappelle les histoires que ta mère me racontait à propos de Trace et toi, et des ennuis que vous

vous attiriez. Pour tout avouer, aujourd'hui, je compatis à son calvaire. Je n'imaginerais pas avoir deux Alex.

— C'est un bon petit garçon. Il déborde juste d'énergie. Quant à Maya, c'est une briseuse de cœur.

Elle retira sa main de l'appui de la fenêtre, son expression soudain fermée.

— Elle n'a pas besoin de ta pitié.

— Tu es folle ! Pourquoi aurais-je pitié d'elle ? demanda-t-il, éberlué.

— A cause de sa trisomie. Beaucoup de gens la plaignent.

— Dans ce cas, tu ne devrais pas perdre ton temps avec eux. Trisomie ou non, c'est la plus charmante enfant que j'aie jamais rencontrée. Tu aurais dû la voir manier la ponceuse, sérieuse et déterminée, mâchonnant sa lèvre dans son effort de concentration, comme toi quand tu étudiais.

— Arrête ça !

Il tressaillit, surpris par la véhémence du ton qu'elle avait employé.

— Tu veux que j'arrête quoi ?

— D'essayer de m'embobiner en te montrant gentil et en feignant de t'intéresser à mon sort. Ce truc marche peut-être avec tes amies du Bandito, mais je ne suis pas aussi stupide !

— Que vas-tu chercher là ? Je n'ai jamais pensé que tu étais stupide !

— Ça en fait au moins un, marmonna-t-elle.

Il souhaita passionnément pouvoir remonter le temps et agir différemment. Il l'avait blessée en refusant de partager sa souffrance avec elle, en voulant surmonter tout seul, à sa façon, son chagrin et son sentiment de culpabilité.

Mais elle aussi, elle l'avait blessé. Si seulement elle lui avait accordé un peu plus de temps et de confiance, il aurait fini par résoudre ses problèmes. Au lieu de ça, elle était partie pour l'Espagne, avait rencontré son mari, ce pauvre type, et eu deux enfants adorables.

— Laura, souffla-t-il, ne sachant trop ce qu'il allait dire.

Mais elle secoua vivement la tête.

— Je suis désolée que mes enfants t'aient importuné et je veillerai à ce que ça ne se reproduise pas.

— Comment faut-il te le dire ? Ils ne m'ont pas dérangé !

— Moi, ça me dérange. Je ne veux pas qu'ils s'attachent à toi alors que tu n'es que de passage dans leur vie.

Il ne connaissait pas ses enfants une semaine plus tôt, alors pourquoi l'idée de ne plus les voir lui serrat-elle le cœur à ces mots ? Bouleversé par ses propos, il lui jeta un long regard.

— Pour quelqu'un qui prétend ne pas me détester, tu t'arranges bien pour prouver le contraire. Tu ne veux même pas que tes enfants m'approchent, comme si j'allais leur refiler je ne sais quelle maladie !

— Tu exagères. Seulement, après toutes ces années, tu es devenu un étranger. Je ne te déteste pas ; je ne ressens rien pour toi. C'est tout.

Il se rapprocha, humant l'odeur champêtre de son shampoing.

— Menteuse.

Il la vit frissonner sous l'impact du mot, comme s'il lui avait caressé la joue.

Elle commença à reculer, puis s'arrêta.

— Oh ! arrête avec ça ! lança-t-elle. C'est vrai, tu m'as brisé le cœur. J'étais jeune et assez folle pour croire que tu étais sincère quand tu prétendais m'aimer et vouloir passer ta vie avec moi. En nous mariant, nous étions censés nous aimer pour le meilleur et pour le pire, mais tu n'as pas voulu partager le pire avec moi. Au lieu de ça, tu as préféré t'enivrer au Bandito en criant sur tous les toits que tu allais bien. J'étais terrassée par le chagrin, je ne le cache pas. J'ai cru que je n'y survivrais pas.

— Je suis désolé, soupira-t-il.

Elle balaya la remarque d'un geste.

— Je te dois des remerciements, Taft. Si tu ne m'avais pas fait tant de mal, je serais restée une femme stupide et faible. Grâce à toi, je suis devenue forte. J'ai mis mon chagrin dans ma poche et je suis partie chercher la grande aventure en Europe où j'ai mûri et appris le monde au lieu de me cantonner à Pine Gulch. Et maintenant j'ai deux beaux enfants pour en témoigner.

— Pourquoi as-tu renoncé aussi facilement à nous deux ?

Un pli de colère durcit ses lèvres.

— Tu as raison ! J'aurais dû m'obstiner dans ce mariage et attendre en me tordant les mains que tu relèves la tête et sortes du trou. Mais, à en croire mes oreilles, j'aurais pu attendre dix ans en vain.

— Je m'en veux terriblement de t'avoir fait souffrir, dit-il, souhaitant encore une fois pouvoir faire un bond en arrière et réparer le mal qu'il lui avait fait. Plus que tu ne saurais croire.

— Tes regrets viennent dix ans trop tard. Je te l'ai dit, ça n'a plus d'importance.

— Ça en a manifestement, sinon tu ne hérisserais pas tes piquants dès que j'approche.

— Je ne…, lâcha-t-elle pour s'interrompre brusquement.

— Je ne te le reproche pas. Je me suis mal conduit
avec toi, je suis le premier à le reconnaître.

— Le deuxième, riposta-t-elle aigrement.

Si cette conversation n'avait pas été si cruciale, il
aurait souri. Mais il avait le sentiment que l'occasion
se présentait peut-être d'améliorer leur relation, et il
ne voulait pas la laisser passer.

— D'accord. Pour info, les membres de ma famille
s'inscriraient volontiers pour voter eux aussi. Ils pensent
le plus grand mal de moi.

Il vit ses lèvres frémir. Que devrait-il faire pour lui
arracher un vrai sourire ?

— Je sais qu'on ne peut pas revenir en arrière et
reprendre ses erreurs, dit-il lentement, mais n'est-il pas
possible que nous nous montrions au moins courtois ?
Nous étions de grands amis autrefois, avant de devenir
amants. Notre amitié me manque beaucoup.

Comme elle demeura quelques instants silencieuse,
les bruits que produisait la vieille demeure lui parvinrent distinctement. Les craquements du vieux bois,
le grincement d'un plancher quelque part, le frottement
d'une branche mal taillée contre un carreau.

— A moi aussi notre amitié me manque, murmura-
t-elle.

Et sa voix n'aurait pas été plus étouffée si elle avait
avoué quelque honteux secret.

A ces mots, quelque chose parut se dénouer en lui.
Il contempla les pommettes hautes, le mignon petit
nez, les yeux du bleu de l'ancolie, sa fleur préférée, ces
traits qui, un jour, lui avaient été aussi connus que les

siens, et il fut pris d'une violente envie de l'embrasser, de la serrer dans ses bras et de ne plus jamais la lâcher.

Il se maîtrisa tant bien que mal, et fort heureusement elle reprit la parole, d'une voix à peine audible.

— Impossible de revenir en arrière, Taft.

— Certes, mais nous pouvons aller de l'avant. C'est encore mieux, non ? Regardons les choses en face. Nous vivons dans la même petite ville. Pire, en ce moment, nous vivons sous le même toit. Comment veux-tu que nous nous évitions ? Mieux vaudrait dissiper cette gêne entre nous, tu ne crois pas ? J'aimerais vraiment que nous essayions de trouver ensemble le moyen d'y parvenir. Qu'en dis-tu ?

Elle le dévisagea un long moment, une expression incertaine dans ces yeux qu'il aimait tant. Puis elle sembla prendre une décision.

— Tu as raison. Il faut essayer de redevenir amis.

Elle lui adressa un sourire hésitant. Un vrai sourire, cette fois, pas ce rictus poli qu'il en était venu à détester. De nouveau, sa poitrine se contracta douloureusement.

— Je dois retourner travailler, dit-elle. A plus tard.

— A plus tard, Laura.

Sur un dernier petit sourire, elle sortit en hâte de la chambre.

Il la regarda partir, ébranlé par ses échanges avec elle et ses enfants. Il voulut se remettre à l'ouvrage, mais fut pris d'un sentiment incongru de mélancolie. Il avait pourtant réalisé un progrès. Commencer par renouer leur amitié était un bon début.

Il se força à prendre une planche dans la pile. Il connaissait la cause de sa frustration. Il voulait davantage qu'une amitié avec Laura. Il voulait ce qu'ils avaient connu, les rires et le bonheur qui semblait sourdre en lui chaque fois qu'ils étaient ensemble.

Alors, il devait progresser à petits pas. Commencer par l'amitié et voir comment les choses évolueraient.

De temps en temps, il fallait savoir se montrer patient.

Ses mains tremblaient encore quand elle quitta la chambre et longea le couloir. Lorsqu'elle fut certaine d'être hors de la vue de Taft, Laura s'appuya au mur tapissé de papier à fleurs et porta une main à son cœur.

Quelle idiote elle faisait, aussi faible qu'un agneau en sa présence ! Il en avait toujours été ainsi. Même quand elle avait du travail urgent à faire à la maison, si Taft l'appelait parce qu'il avait besoin d'aide pour son espagnol, elle laissait tout en plan pour voler à son secours.

Et, quand il décidait d'exercer son pouvoir de séduction, il devenait redoutable. Ce serait si facile de renoncer à lutter et de laisser son charme opérer jusqu'à ce qu'elle oublie ses raisons de lui résister.

Il voulait savoir s'ils pourraient redevenir amis, mais elle n'avait pas la moindre idée de comment répondre à cette question. Elle espérait s'être remise du naufrage de ses rêves d'avenir, mais craignait de regarder au-delà des cicatrices pour voir si la guérison était vraiment totale.

Allons, elle était solide et capable de rebondir. N'avait-elle pas survécu à un mauvais mariage et à la perte du mari qu'elle n'avait pas su aimer ? Elle pouvait sûrement supporter d'entretenir des rapports civilisés avec Taft les rares fois où ils se rencontreraient.

Où serait le mal ? Rétablir une relation amicale

avec lui ne signifiait pas qu'elle doive retomber folle amoureuse de lui.

Et puis la vie à Pine Gulch serait beaucoup plus facile si elle ne perdait pas les pédales dès qu'elle se retrouvait en sa présence.

Elle s'écarta du mur et rajusta son chemisier. De toute façon, c'était ridicule. Quelle importance qu'elle soit faible en sa présence ? Elle n'aurait probablement pas l'occasion de tester sa volonté. D'après la rumeur, Taft trouvait assez de jeunes créatures dociles au Bandito pour ne pas se compliquer la vie avec une veuve de trente-deux ans, mère de deux enfants dont l'un souffrait d'un handicap qui nécessitait des soins à vie.

Elle n'était pas la même que celle qui était partie pour l'Europe. Deux maternités avaient marqué son corps, elle n'avait plus le temps de soigner sa coiffure, ni son maquillage, les trois quarts du temps inexistant, et, entre les enfants et l'auberge, elle était perpétuellement stressée.

Pourquoi diable un homme comme Taft, beau et viril, voudrait-il davantage que de l'amitié de sa part ?

Sans trop savoir pourquoi, cette idée la déprimait et la ramenait à l'époque où, gauche collégienne de cinquième affublée d'un appareil dentaire, elle mourait d'amour pour un garçon de troisième qui se montrait gentil avec elle.

Elle n'avait tout de même pas envie de devoir résister à Taft Bowman ? Mieux valait de beaucoup qu'il la voie en mère peu soucieuse de son apparence.

Mais elle avait beau raisonner, une stupide part d'elle-même souhaitait avoir l'occasion de tester sa volonté face à lui.

6

— Dépêche-toi, maman !

Alex sauta de son siège à l'instant où elle coupa le moteur de son véhicule garé dans l'allée du River Bow Ranch.

— Chiens ! cria Maya, se débattant avec les ceintures de son siège.

Si elle n'avait pas sauté hors du pick-up pour courir derrière son frère, c'était que, à son grand dépit, elle n'arrivait pas à détacher sa ceinture toute seule.

— Pas si vite, tous les deux !

L'excitation de ses enfants la fit sourire malgré l'émotion qui la saisissait de se retrouver à River Bow après tant d'années.

— A la façon dont vous vous conduisez, on dirait que vous n'avez pas vu de chien de votre vie !

— Moi, j'ai déjà vu un chien, déclara Alex. Mais là, c'est pas pareil. Mlle Bowman a dit qu'elle avait beaucoup de chiens. Et des chevaux aussi. Je pourrai vraiment en monter un ?

— C'est ce qui est prévu, mais attendons de voir.

Elle n'avait pas envie de faire des promesses qui ne dépendaient pas d'elle. Probablement un résidu de son mariage : ses enfants avaient si souvent été déçus que leur père manque un dîner, un spectacle à l'école ou une sortie.

— J'espère que je saurai, dit Alex. Oh ! oui ! J'espère !

Il sautait en tous sens autour du vieux pick-up.

Tout en détachant Maya et en l'extrayant de son siège, elle sourit de l'enthousiasme de son fils.

Maya passa ses bras potelés autour de son cou.

— T'aime, dit sa fille.

Le geste spontané de tendresse l'émut, comme toujours.

— Je t'aime aussi, ma chérie. Plus que la lune, les étoiles et la mer.

— Moi aussi, dit Alex.

Elle le serra contre elle de son bras libre.

— Je vous aime tous les deux. Ne suis-je pas la plus heureuse maman du monde d'avoir deux enfants aussi merveilleux à aimer ?

— Si, affirma Alex avec une totale absence d'humilité qui la fit sourire.

Si ses enfants grandissaient avec une telle certitude de l'amour qu'elle leur portait, elle ne devait pas être une si mauvaise mère.

Entendant un bruit de pattes et des souffles haletants, elle leva la tête.

— Devinez un peu qui arrive, dit-elle à Alex et Maya. Ce sont les chiens !

Alex se retourna brusquement pour découvrir Caidy : elle approchait avec trois chiens qui la suivaient comme son ombre. Laura identifia deux d'entre eux comme étant des border collies avec leur poil noir et blanc, leurs oreilles aux aguets et leur expression intelligente. La race du troisième, avec une fourrure fauve et une tête de berger allemand, lui était inconnue, à moins qu'il ne s'agisse d'un bâtard d'origine indéterminée.

Maya, qui n'avait aucune expérience des chiens, se crispa nerveusement et resserra l'étreinte de son bras autour de son cou. Alex, lui, se préparait à s'élancer vers les animaux, mais elle le retint d'une main. Il aurait couru dans l'enclos d'un lion s'il avait eu le moindre espoir de le caresser.

— Attends que Caidy t'assure qu'il n'y a pas de danger, lui ordonna-t-elle.

— Aucun danger, lança Caidy.

Vêtue d'un jean, d'un T-shirt jaune, de boots et d'un chapeau de paille, la sœur de Taft paraissait fraîche et jolie tandis qu'elle leur adressait un sourire de bienvenue.

— Le seul danger venant de mes chiens, c'est d'être léché à n'en plus pouvoir ! Ou peut-être renversé par une queue qui s'agite !

Alex éclata de rire, ce qui parut enchanter Caidy.

— Ta mère a raison néanmoins, reprit-elle. On ne doit jamais approcher un animal inconnu sans qu'on te dise qu'il n'y a rien à craindre.

— Je peux en caresser un ?

— Bien sûr. King, approche !

Un border collie vint vers eux et renifla avec intérêt les jambes d'Alex. Celui-ci se mit à caresser le chien avec un pur bonheur.

— C'est vraiment une idée formidable, dit Laura, souriant de la joie de son fils. Mille fois merci pour l'invitation, Caidy.

— Vous êtes les bienvenus. Crois-moi, je suis heureuse de cette pause dans la routine quotidienne. Le printemps est une saison épuisante sur le ranch, et j'attendais ce moment avec impatience.

Elle s'interrompit un instant, puis reprit :

— Il faut que je te dise, je suis vraiment contente

que tu acceptes d'avoir encore des contacts avec les Bowman après ce qui s'est passé avec Taft.

Laura réprima un mouvement d'agacement. Elle n'avait aucune envie de parler de Taft. Que le passé jette son ombre sur le présent avait été sa crainte quand Caidy les avait invités.

— Il n'y a pas de raison. Taft et moi sommes restés en bons termes.

Et ce serait tout ce qu'il y aurait jamais entre eux.

— Ce n'est pas parce que la vie n'a pas permis que nous donnions suite à nos projets que je dois éviter sa famille, reprit-elle. Je vous aime beaucoup. Mon seul regret, c'est de ne pas être restée en contact avec vous toutes ces années. Je ne vois pas pourquoi nous ne pourrions pas être amies maintenant… A moins que tu ne sois trop mal à l'aise à cause… à cause de tout ça ?

— Pas du tout ! s'exclama Caidy.

Elle sembla vouloir ajouter quelque chose, mais Alex l'interrompit.

— Il m'a léché. Ça chatouille !

Caidy sourit devant le plaisir évident d'Alex. Les trois chiens l'entouraient maintenant, et il les caressait à tour de rôle.

— Nous avons des chiots. Tu veux les voir ? proposa Caidy.

— Chiots ! cria Maya, toujours dans ses bras, tandis qu'Alex battait des mains.

— Des chiots, dit-il d'un ton révérencieux. Oh ! maman, on peut ?

Son sens du mélodrame la fit rire.

— Bien sûr ! Tant que Caidy est d'accord, je n'y vois pas d'inconvénient.

— Ils sont dans l'écurie. Je viens juste d'aller voir

la petite famille, et il semble que certains chiots soient réveillés et d'humeur à jouer.

— Oh ! oui, oui, s'exclama Alex.

Encore une fois, son enthousiasme débordant amusa Caidy.

En la suivant dans l'écurie, Laura eut la sensation d'opérer un retour vers le passé. A l'intérieur, cela sentait le foin, le cuir et une odeur animale. Ce mélange familier raviva une avalanche de souvenirs. Ils surgissaient d'endroits de sa mémoire où elle les avait stockés après son départ de Pine Gulch et ils se bousculaient pour se frayer un chemin jusqu'à sa conscience avant qu'elle n'ait la chance de les bloquer.

Autrefois, elle venait souvent au ranch faire des promenades à cheval avec Taft, et leurs sorties se terminaient là, dans l'écurie. Il lui expliquait les différentes sortes de harnachements qui existaient, la manière de les utiliser ; il lui apprenait à desseller un cheval et à le soigner.

Un après-midi venteux de janvier, se rappela-t-elle tout à coup, elle les avait aidés, son père et lui, à mettre au monde un poulain. Elle revoyait encore avec acuité son étonnement devant le petit être dégingandé et maladroit, miracle de la nature.

Spontanément, elle se souvint aussi que l'écurie, avec la relative intimité qu'elle leur procurait, avait été un de leurs endroits favoris pour s'embrasser. De longs baisers passionnés, fébriles, qui les laissaient plus affamés que jamais…

Comme si elle avait vraiment besoin de raviver les souvenirs du brûlant amour qu'elle avait éprouvé pour Taft ! Au prix d'un gros effort, elle les repoussa dans un coin de sa mémoire et claqua la porte sur eux pour pouvoir se consacrer à ses enfants, à Caidy et aux chiots.

La petite famille de chiens était installée dans un box vide, au bout de l'allée. Allongée sur le flanc, sur une vieille couverture de selle, la mère sommeillait tout en surveillant ses petits qui jouaient dans la paille. A l'approche de Caidy, elle leva les yeux et agita sa queue en signe de bienvenue.

— Eh oui, Betsy, me revoilà. Comment va ma chienne depuis tout à l'heure ? Tu vas pouvoir te reposer un peu. J'ai amené des petits camarades de jeu pour tes chiots.

La chienne semblait comprendre les paroles de sa maîtresse. Un soulagement s'alluma même dans ses yeux bruns quand Caidy déverrouilla la porte du box et l'ouvrit.

Laura sourit intérieurement. Le soir, quand ses enfants fermaient enfin les yeux, elle se laissait tomber sur le canapé avec probablement le même genre de regard.

— Tu es sûre que je peux ? demanda Alex, du seuil, contenant difficilement sa nervosité.

— Aucun problème, répondit Caidy. Ils adorent la compagnie, tu peux me croire !

Il entra et, comme prévu, Maya s'agita pour descendre de ses bras.

— Moi aussi !

— Bien sûr, chérie, lui souffla-t-elle à l'oreille.

Elle posa à terre sa fille, et celle-ci se glissa près de son frère.

— Asseyez-vous, dit Caidy en désignant un banc rudimentaire formé d'une planche posée sur deux seaux retournés. Je vais vous apporter un chiot à chacun.

Elle prit dans ses mains un petit chien noir et blanc à la masse grouillante qui jappait et elle le posa sur les genoux d'Alex. Puis elle retourna en chercher un plus petit, presque tout noir, pour Maya.

Laura sentit l'émotion l'étreindre. A présent, elle aurait des souvenirs de cette écurie très différents, mais infiniment précieux, à ajouter à son album. Ses enfants étaient complètement subjugués par les petits chiens. Ils riaient follement tandis que les jeunes animaux se tortillaient sur leurs genoux, reniflant et léchant ce qui passait à leur portée.

Maya serra le sien contre son cœur avec autant d'enthousiasme que lorsqu'elle avait étreint sa mère un peu plus tôt.

— Merci, dit Laura à Caidy tandis qu'elles contemplaient, attendries, le petit groupe. Tu leur fais un plaisir immense.

— Je crains que les chiens ne soient pas très propres et ne sentent pas très bon. Ils sont encore trop jeunes pour les bains.

— La saleté ne me dérange pas, confia Laura. Je me suis toujours dit que si mes enfants n'étaient pas sales de temps en temps quelque chose clochait.

— Eh bien, tu peux être rassurée, reprit Caidy. Tes enfants sont formidables.

— Merci.

— Ce ne doit pas être facile de les élever seule.

A vrai dire, même si Javier avait aimé ses enfants, elle s'était toujours sentie un peu seule à Madrid. Il était sans cesse occupé entre l'hôtel, ses amis et, bien sûr, ses maîtresses. Mais, si elle en avait malencontreusement parlé à Taft, elle n'avait pas envie de partager ce genre d'information avec sa sœur.

— Ma mère m'aide beaucoup, tu sais. C'est ma bouée de sauvetage.

Revenir à Pine Gulch avait été une bonne décision. Bien sûr, cela lui avait coûté d'arracher ses enfants à la moitié de leur héritage, et probablement pour toujours. Mais, de toute façon, les parents de Javier ne l'avaient jamais très bien accueillie. Et ils s'étaient montrés encore plus distants après la naissance de Maya, comme si elle était responsable de son handicap.

— Je vais juste te confier une chose, d'accord ? dit Caidy après quelques instants. J'aurais vraiment voulu que tu épouses Taft. Comme ça, maintenant, nous serions sœurs.

— Merci, dit-elle, infiniment touchée.

— Je le pense vraiment, tu sais. Tu es ce qui lui est arrivé de meilleur. Nous en sommes tous persuadés. Comparée aux femmes qu'ils... enfin, il n'y a pas une fille avec qui il soit sorti qui t'arrive à la cheville. Je n'arrive toujours pas à croire que mon frère ait été assez stupide pour te laisser filer entre ses doigts. Et tu peux croire que je lui ai dit et répété le fond de ma pensée !

Elle ne savait trop que répondre, ni pourquoi elle éprouvait soudain le besoin de défendre Taft. Il n'était qu'un gosse perdu à l'époque. Pas du tout prêt pour le mariage.

Et elle non plus n'était pas prête, même s'il lui avait fallu plusieurs années pour le reconnaître. A vingt et un ans, elle était encore assez naïve pour s'imaginer que son amour suffirait à guérir Taft du chagrin et de la colère d'avoir perdu ses parents dans des circonstances aussi dramatiques, alors qu'il n'avait même pas eu le soulagement de voir les assassins arrêtés et traduits en justice.

Une jeune femme romantique, idéaliste, et un jeune homme révolté, amer, auraient fait un terrible couple, pensa-t-elle, assise dans la paisible écurie, près de ses enfants absorbés par leurs jeux, avec en bruit de fond l'ébrouement occasionnel d'un cheval.

— J'ai un autre aveu à te faire, dit Caidy. Mais promets-moi d'abord de ne pas m'en vouloir !

Elle eut soudain l'impression de se retrouver devant la Caidy d'autrefois, l'adolescente espiègle et gaie qui se croyait capable de se sortir de n'importe quelle situation.

— Qu'as-tu fait ? demanda-t-elle, son amusement le disputant à une vague appréhension.

Une voix masculine résonna alors dans l'écurie.

— Caidy ? Tu es là ?

Laura eut la sensation que son cœur se décrochait, et son appréhension se mua en anxiété.

Caidy grimaça.

— Eh bien… Par inadvertance, j'ai signalé à Taft que tes enfants et toi veniez au ranch aujourd'hui et que nous irions faire une promenade à cheval.

Laura n'en crut pas ses oreilles. Dire qu'elle avait cru malin de fuir l'auberge pour les éloigner de Taft, elle et ses enfants, pendant qu'il effectuait les réparations…

— Es-tu fâchée ? demanda Caidy.

Elle se força à sourire alors qu'elle avait juste envie de s'allonger dans la paille et de pleurer.

Bien sûr, quand elle avait décidé de revenir vivre à Pine Gulch, elle avait su les retrouvailles avec Taft inévitables. Simplement, elle ne s'était pas attendue à se heurter à lui à chaque pas.

— Pourquoi serais-je fâchée ? Ton frère et moi sommes restés amis.

Du moins s'efforçait-elle de le croire. De toute façon, c'était le ranch de sa famille. En acceptant l'invitation de Caidy, elle savait prendre le risque de le croiser.

— Tant mieux. Je craignais que vos relations soient tendues.

Mais tu l'as tout de même invité à nous accompagner ? eut-elle envie de demander. Elle se contint toutefois, jugeant la question un peu brutale.

— Non, non, ne t'inquiète pas, mentit-elle.

— J'ai pensé qu'il serait bien utile pour encadrer les enfants. Il est très patient. C'est lui qui a appris à monter à Gabrielle, la fille de Rebecca. Quoi qu'il en soit, c'est toujours plus prudent d'avoir un cavalier expérimenté sous la main quand on part en promenade avec des enfants qui ne sont jamais montés à cheval.

— Caidy ? appela de nouveau Taft.

— Nous sommes avec les petits chiens ! cria-t-elle en retour.

Un instant plus tard, Taft apparut au bout de l'allée, et à sa vue il lui sembla que tout son être frissonnait.

Franchement, ça devenait ridicule. Depuis son retour à Pine Gulch, elle l'avait vu en tenue de sapeur-pompier, le jour de l'incendie, puis en bleu de travail, une ceinture à outils sur ses hanches minces, quand il effectuait des réparations à l'auberge, et maintenant en jean élimé, bottes et Stetson, qui lui donnaient un air farouche et inquiétant.

Essayait-il par hasard de lui donner un aperçu des différents aspects de sa musculature ? Taft Bowman ne demandait qu'à satisfaire les fantasmes féminins, c'était bien connu.

— Vous voilà ! dit-il avec son irrésistible sourire.

Soudain, il lui sembla que l'atmosphère de l'écurie devenait irrespirable. C'était déloyal. Depuis dix ans, les cheveux de Taft auraient pu commencer à s'éclaircir, ou bien il aurait pu prendre un peu de ventre.

Mais non. Il était superbe, et elle se sentait toute petite devant lui.

Il se pencha pour embrasser sa sœur sur la joue puis, après un instant de gêne, à sa grande consternation, il l'embrassa à son tour. Elle ne put que subir le contact de ses lèvres sur sa peau, et son odeur familière de grand air et de virilité submergea ses sens, suscitant une nouvelle vague d'émotions.

Elle peinait à retrouver l'usage de la parole, quand les enfants remarquèrent sa présence.

— Bonjour, Chef ! s'exclama Maya avec un sourire ravi.

— Bonjour, ma puce, comment ça va ?

— Regarde ! Des chiens !

Elle lui tendit son chiot, qui faisait preuve d'une patience exemplaire, et Taft le prit dans ses mains.

— Il est mignon. Comment s'appelle-t-il, Caidy ?

— Numéro 5. Je ne leur donne pas de nom quand ils sont destinés à être vendus avant d'être éduqués. Je préfère laisser leurs nouveaux maîtres choisir.

— Regarde celui-ci, dit Alex, poussant sa sœur pour montrer à Taft son propre petit ami canin.

— Il est mignon aussi.

Taft s'agenouilla dans la paille et fut bientôt couvert de petits chiens et d'enfants. Même la mère, qui semblait si fatiguée, vint chercher sa part de caresses.

— Salut, Betsy. Comment t'en sors-tu avec ta nichée ? demanda-t-il en grattant la chienne entre les oreilles.

Celle-ci lui jeta un regard d'adoration que Laura trouva exaspérant.

— Merci d'être venu, dit Caidy.

— Pas de problème. Il n'y a rien que je préfère à une balade en montagne au printemps.

Caidy se tourna vers elle.

— Nous n'irons pas très loin. De toute façon, à cette époque de l'année, il y a encore pas mal de neige là-haut.

— Es-tu sûre qu'Aspen Leaf soit ouvert ? demanda Taft.

— Oui. Destry et moi avons vérifié. A ce propos, ajouta Caidy, elle était déçue de manquer la promenade, mais Rebecca les emmène, Gabrielle et elle, à Idaho Falls pour les essayages de leur robe de demoiselle d'honneur.

— Et tu manques ces amusantes réunions entre filles ? demanda Taft en se relevant.

Laura le suivit du regard. Elle se sentit soudain enveloppée par sa force, sa chaleur, et... sa virilité.

— Je n'y perds pas vraiment au change ! Cette promenade sera mille fois plus drôle. Laura, tu sais, n'est-ce pas, que Trace se marie en juin ?

— A la nouvelle avocate de Pine Gulch, ajouta Taft. Vraiment, qui aurait pu se douter ?

Elle savait et se félicitait du bonheur de Trace. Il s'était toujours montré gentil avec elle. Trace, chef de la police locale, et tellement plus sérieux que son jumeau, était le genre de personne à réfléchir avant de parler et de s'engager.

Pour deux êtres identiques, Taft et Trace possédaient des personnalités bien différentes et, même s'ils étaient plus proches que la plupart des frères, ils menaient des vies séparées, probablement grâce à la sage influence de leur mère.

— Si nous laissions les enfants jouer encore un peu avec les chiens ? suggéra Caidy. J'ai déjà sellé deux chevaux qui me semblent convenir.

— Et moi, est-ce que je dois seller Joe ? s'enquit Taft.

— Il est prêt aussi.

Taft sourit.

— En somme, tout ce que j'avais à faire aujourd'hui, c'était de montrer le bout de mon nez ?

— C'est toute l'histoire de ta vie, non ? lança Caidy, faussement bourrue. Si tu veux, je te laisserai desseller et panser tout le monde. Est-ce que ça calmera tes scrupules ?

— Parfait. Merci.

Le petit chien de Maya réussit à sauter de ses genoux et atterrit dans la paille.

— Regardez ! s'exclama-t-elle, extasiée. Pipi !

Taft éclata de rire.

— Je crois qu'il est temps pour eux de manger et de dormir. Nous, on va aller voir les chevaux.

— Oui ! s'écrièrent les deux enfants en chœur.

Avec un sourire jusqu'aux oreilles, Maya se précipita sur Taft et lui prit la main. Il en eut l'air très surpris, puis referma sa grande main sur la sienne.

Alex se leva à contrecœur et posa son chien dans la paille.

— Au revoir, murmura-t-il avec tristesse.

— Il paraît que cet enfant veut un chien, souffla Taft à l'oreille de Laura. Tu sais que tu vas devoir finir par céder, bien sûr ?

Elle soupira.

— Tu ne me crois pas de taille à résister à un gamin de six ans ?

— Je ne suis pas certain qu'un criminel endurci soit en mesure de résister à *cet* enfant-là.

Il avait raison, naturellement, pensa-t-elle. Elle allait devoir céder et permettre à Alex d'avoir son chien. Pas un border collie ; c'étaient des chiens trop actifs pour la vie qui lui serait destinée, mais elle trouverait quelque chose.

Comme ils sortaient de l'écurie, elle vit les yeux d'Alex s'illuminer à la vue de quatre chevaux sellés qui les attendaient. Fantastique. Maintenant, il allait sans doute lui réclamer un cheval.

Pourtant, elle devait l'admettre, elle aussi ressentait un pincement d'excitation en s'approchant des animaux. Elle aimait les chevaux, qu'elle avait appris à connaître grâce à Taft. Contrairement à la plupart de ses camarades d'école qui vivaient dans des ranchs disséminés sur la vaste superficie de la commune de Pine Gulch, c'était une fille de la ville. Et même si, enfant, elle avait aimé les chevaux — quelle petite fille ne les aimait pas ? —, ses parents lui avaient expliqué avec beaucoup de patience qu'ils n'avaient pas la place pour accueillir un cheval chez eux.

Elle avait adoré monter à cheval avec des amis vivant à la campagne, mais s'était considérée comme une débutante jusqu'à ce qu'elle se lie d'amitié avec Taft. Avant même qu'ils ne commencent à sortir ensemble, elle allait souvent chez lui et sillonnait les montagnes à cheval avec lui. Parfois, Caidy se joignait à eux.

Ce serait donc comme au bon vieux temps, ce qui, en y réfléchissant, n'était pas forcément une bonne chose.

— Ils sont vraiment grands, dit Alex d'une petite voix.

De son côté, suspendue à la main de Taft, Maya semblait inquiète.

— Qu'ils soient grands ne les rend pas redoutables, expliqua Taft d'une voix rassurante. Ce sont de très gentils chevaux, et ils ne vous feront aucun mal, je puis vous le certifier. Le vieux Pete, le cheval que tu vas monter, Alex, est si paresseux que tu auras de la chance si tu passes le coin de l'écurie avant qu'il ne décide de s'arrêter pour faire un somme.

Alex rit, mais un peu nerveusement, et Taft se baissa vers lui.

— Tu veux le rencontrer ?

Du bout de ses bottes de cow-boy flambant neuves, achetées au magasin d'équipement agricole juste avant de venir, Alex traça des dessins dans la poussière.

— Oui, dit-il d'une voix mal assurée. Mais tu es sûr qu'ils ne mordent pas ?

— Certains chevaux mordent, mais aucun de ceux de River Bow, je te le garantis.

Il souleva Maya dans ses bras et prit Alex par la main pour les conduire vers la plus petite des montures, un cheval à la robe grise avec une figure paisible.

— Voici Pete, lança-t-il. C'est le plus doux des chevaux. Il sera gentil avec toi, tu peux en être certain.

Comme ils arrivaient à sa hauteur, le cheval baissa la tête et agita ses lèvres sur l'épaule d'Alex. Celui-ci se figea, les yeux écarquillés et pleins de frayeur.

Taft posa une main rassurante sur son épaule.

— Ne crains rien. Il cherche seulement à savoir si tu as une friandise pour lui.

— Je n'en ai pas, dit Alex d'une voix un peu tremblante.

Laura s'approcha de son fils. Ces moments de vulnérabilité, rares chez son petit garçon habituellement si hardi, la surprenaient toujours bien qu'elle les sache parfaitement normaux du point de vue du développement psychologique.

Taft fouilla dans sa poche et en sortit de belles petites pommes rouges.

— Tu as de la chance. J'apporte toujours quelques pommes sauvages au vieux Pete. Ce sont ses favorites, sans doute parce que je ne l'autorise à en manger que quelques-unes à la fois. C'est comme quand tu manges de la pizza. Un peu, c'est bien, mais trop te rendrait malade. C'est la même chose pour Pete et les pommes sauvages…

— Mais où trouves-tu des pommes en avril ? demanda Laura.

— C'est mon petit secret.

Caidy émit un reniflement.

— Tu parles d'un secret ! Tous les ans, mon cher frère ramasse deux ou trois boisseaux de pommes sous un pommier qui pousse le long de l'allée et il les entrepose dans le cellier. Personne d'autre n'y touche, elles sont bien trop amères, même cuites, à moins d'y mettre une tonne de sucre. Mais le vieux Pete les adore. Chaque année, Taft en fait provision pour pouvoir en apporter au vieux bougre.

Laura se pinça les lèvres. Elle n'aurait pas dû trouver si touchant d'imaginer Taft ramassant des pommes pour les donner à un vieux cheval, ni de voir ses oreilles devenir aussi rouges que ses pommes sous son chapeau.

Taft tendit un morceau de pomme à Alex et lui montra comment le présenter au cheval sans risquer qu'il ne lui emporte un doigt par inadvertance. Alex tendit alors la main bien à plat, et Pete attrapa le fruit avec ses grosses lèvres.

— Il me chatouille comme le chien ! s'exclama Alex.

— Mais ça ne fait pas mal, n'est-ce pas ? demanda Taft.

Alex secoua la tête en souriant.

— Pas du tout. Ça chatouille juste. Bonjour, Pete !

Le cheval sembla apprécier de faire sa connaissance, surtout quand il lui donna d'autres quartiers de pommes fournis par Taft.

— Prêt à grimper dessus, maintenant ? s'enquit celui-ci.

Comme Alex hochait la tête, Caidy s'approcha, deux casques d'équitation à la main.

— Il faut remplacer ton chapeau par ce casque, d'accord ?

— J'aime bien mon chapeau. Je viens juste de l'avoir !

— Tu le remettras dès notre retour. Mais, quand on apprend à monter à cheval, porter un casque est plus prudent.

— Comme quand tu as appris à faire du vélo, intervint Laura.

— Pas de casque, pas de cheval, dit sévèrement Taft.

A contrecœur, Alex retira son chapeau et le lui tendit. Puis il permit à Caidy de lui mettre la bombe sur la tête et de l'attacher correctement. Ensuite, Caidy se pencha sur Maya et lui mit également une bombe.

Laura suivait tout cela du regard, se sentant rassurée de voir ses enfants aussi bien pris en main.

Taft souleva ensuite Alex comme une plume et le posa sur la selle. L'expression de ravissement de son fils l'emplit d'un étrange mélange de joie et d'appréhension. Il grandissait et acceptait courageusement de prendre des risques. Elle n'était pas sûre d'être encore prête à ça.

Caidy vint ajuster ses étriers.

— Voilà, cow-boy, dit-elle quand ce fut fait. Ce devrait être plus confortable.

— Qu'est-ce que je fais maintenant ? demanda Alex.

A voir le regard impatient qu'il portait sur les montagnes, Laura l'aurait dit prêt à aller traquer sur-le-champ des hors-la-loi.

— Ce qui est bien avec Pete, expliqua Taft, c'est qu'il a bon caractère. Il est content de suivre les autres chevaux, et cela en fait un bon cheval pour débutant. Je me mettrai devant lui pour que tu n'aies pas à t'occuper de le guider. La prochaine fois que tu viendras, je t'apprendrai les bases. Mais aujourd'hui tu n'as qu'à savourer le plaisir.

« La prochaine fois ? » Elle se rembrunit, contrariée qu'il donne à son fils l'impression qu'il y aurait une autre fois, et qu'il ferait encore partie de l'aventure. Les enfants n'oublient pas de telles paroles. Alex les considérerait comme une promesse et serait très déçu si elles ne se concrétisaient pas.

Décidément, les choses ne se passaient pas du tout comme prévu. Caidy et elle étaient censées emmener les enfants faire une petite promenade mais, comme d'habitude, Taft avait pris la direction des opérations.

Sur ces entrefaites, Caidy s'éloigna du groupe pour répondre à un appel téléphonique sur son portable.

Au bout de quelques instants, Maya tira sur le jean de Taft.

— Et moi ? demanda-t-elle tout en examinant les animaux.

Laura la regarda tendrement : la joyeuse impatience de sa fille chassa sa passagère contrariété. Et Taft sourit à Maya avec une telle gentillesse que son cœur se serra.

— Je pensais que nous pourrions monter tous les deux sur mon vieil ami Joe, proposa-t-il. Qu'en dis-tu, ma puce ? Nous te ferons essayer un poney une autre fois, d'accord ?

Elle parut peser sa proposition, regardant le grand

hongre noir qu'il lui désignait. Puis elle se tourna de nouveau vers Taft et lui adressa un sourire dévastateur.

— D'accord, s'écria-t-elle.

Question charme, Taft Bowman avait peut-être bien rencontré son maître, songea Laura.

— Il ne reste plus que moi, dit-elle en examinant les deux chevaux restants.

La jument pommelée gris et blanc appartenait certainement à Caidy, ce qui lui laissait le bai.

— Veux-tu aussi une pomme pour briser la glace ? lui demanda Taft avec un sourire si séduisant qu'elle détourna la tête.

— Je crois que je vais me débrouiller toute seule, riposta-t-elle plus froidement qu'elle ne l'aurait voulu. Comment s'appelle-t-il ?

— Lacey.

— Bonjour, Lacey, dit-elle en tapotant l'encolure du cheval.

Elle fut récompensée par un doux ébrouement qui fit rire Alex.

— On dirait qu'il fait des pets avec sa bouche ! s'exclama-t-il.

— C'est sa façon de me saluer, précisa-t-elle à son fils.

Le regard de Taft croisant le sien, elle vit la gaieté s'allumer dans ses yeux verts et eut envie de se perdre dans leurs profondeurs.

Maudit soit cet homme !

Se ressaisissant, elle glissa un pied dans l'étrier, se propulsa sur la selle et retint un gémissement causé par la raideur de muscles qui n'avaient pas été sollicités depuis longtemps.

Taft détacha les rênes et les fit passer par-dessus l'encolure. Quand elle les prit, leurs mains se frôlèrent, et elle rejeta les siennes sur le côté. Puis, refoulant son trouble, elle se concentra sur l'animal en dessous d'elle.

Cela lui avait tellement manqué, pensa-t-elle, se réaccoutumant peu à peu à la sensation unique d'être à cheval. Tout lui avait manqué, le jeu des muscles de l'animal, la chaleur du soleil sur sa tête nue, le spectacle des majestueux sommets des monts Tetons dans le lointain.

— Tu es prête ? demanda Taft à Maya.

Elle hocha la tête quoiqu'elle paraisse soudain un peu perdue.

— Tout va bien se passer, lui assura-t-il. Je te le promets.

Il détacha les rênes de son cheval, ainsi que la longe du licol du vieux Pete, puis installa Maya sur la selle. Laura les observait, un brin inquiète. Sa fille paraissait toute petite et fragile à une telle hauteur, mais elle devait faire confiance à Taft.

— Pendant que je m'installe derrière toi, accroche-toi là, lança-t-il. On appelle ça le pommeau, tu as compris ?

— Compris, dit-elle. Pommeau.

— Très bien. Tiens-toi maintenant. Je vais monter, mais je garde une main sur toi.

Laura craignit que Maya ne glisse quand il se mettrait en selle, mais ses inquiétudes se révélèrent vaines. Taft s'enleva sans effort sur l'étrier et se laissa retomber tout en douceur dans la selle. Alors, il passa un bras autour de son enfant.

— Caidy ? Tu viens ? appela-t-il.

Jetant un regard par-dessus son épaule, Laura vit Caidy mettre fin à sa conversation et venir vers eux, l'air contrarié.

— Il y a un problème, dit-elle.

— Que se passe-t-il ? s'enquit Taft.

— C'était Ridge. Un fou du volant a heurté un chien, pas très loin de l'entrée du ranch. Ridge était juste derrière cet imbécile, il a tout vu.

— Un de tes chiens ? s'enquit Taft.

La natte de Caidy virevolta quand elle secoua la tête.

— Non. Ce doit être le chien perdu que j'ai vu rôder autour du ranch ces derniers temps. J'ai bien essayé de l'attirer, mais il est plutôt peureux. Il semble qu'il ait une patte cassée, et Ridge ne sait pas trop quoi faire.

— Il ne peut pas l'emmener chez le véto ?

— Il n'arrive pas à joindre Doc Harris. Et le vétérinaire de garde est en pleine chirurgie équine à Cold Creek Ranch. Il faut que j'aille à la rescousse de Ridge. Pauvre bonhomme.

— Ridge ou le chien ?

— Les deux. Ridge n'est pas dans son élément avec les chiens. Il sait s'y prendre avec les chevaux ou le bétail mais, devant un animal plus petit qu'un veau, il est tout déconcerté.

Laura sentit une pointe d'agacement monter en elle, mais Caidy lui jeta un regard navré.

— Je suis désolée de te laisser tomber après t'avoir invitée, mais crois-tu que tu supporteras d'avoir seulement mon frère pour guide pendant que je vais m'occuper de cet animal blessé ?

Sans l'expression ennuyée du regard de Caidy, elle aurait soupçonné son amie d'avoir manigancé toute l'affaire pour leur offrir, à Taft et elle, une occasion d'être ensemble. Mais, soit Caidy était une actrice hors pair, soit sa contrariété était sincère.

— Bien sûr. Ne t'inquiète pas pour moi. Mais tu as peut-être besoin d'aide ?

Caidy secoua la tête.

— J'en doute. Pour être honnête je ne suis pas certaine d'être utile à quelque chose, mais je dois essayer. Je trouve juste inélégant de t'inviter à passer la journée avec moi et puis de te laisser en plan.

— Ne te tracasse pas. Tout se passera bien. Nous n'irons pas très loin, n'est-ce pas ?

— Non, répondit Taft. A environ deux kilomètres, il y a un endroit sympa où pique-niquer. Caidy a tout préparé.

Laura se força à sourire. Elle ne se sentait pas d'humeur à déjeuner sur l'herbe avec Taft, mais ne voyait pas le moyen d'y échapper, d'autant que les enfants semblaient si heureux.

— Merci de ta compréhension, dit Caidy tout en entreprenant de desseller sa jument. Je te revaudrai ça !

— Inutile, lui lança-t-elle.

Impatient de partir en promenade, son cheval fit quelques pas de côté.

— Et prends soin du pauvre chien pour nous, ajouta-t-elle.

— Je ferai de mon mieux, répondit Caidy. Peut-être que je pourrai vous rejoindre. Mais, si je n'y arrive pas, je te verrai à votre retour de balade.

En lançant son cheval vers le ranch, elle jeta un coup d'œil au ciel.

— Faites attention, vous deux. On dirait que des nuages se rassemblent sur les sommets. J'espère qu'il ne va pas pleuvoir pendant votre balade.

— Ils sont encore hauts, répliqua Taft. Nous devrions avoir quelques heures de répit. Bonne chance avec le chien. Quant à nous, prêts pour le départ ?

Laisser Caidy derrière eux paraissait un peu égoïste,

songea Laura, mais elle ne voyait pas d'autre solution. Les enfants seraient terriblement déçus si elle renonçait à faire la promenade, et Caidy avait raison. En quoi pourraient-ils l'aider ?

Elle soupira. Bien sûr, tout cela signifiait que les enfants et elle seraient seuls avec Taft...

C'était sûrement une bonne chose que Taft n'éprouve plus aucun attrait amoureux pour elle, car elle avait le sentiment qu'elle serait encore plus faible que d'habitude en sa compagnie, à dos de cheval dans les montagnes, alors que remontaient en elle tant de souvenirs d'une autre époque et d'autres promenades qui finissaient généralement par de folles étreintes.

— Oui, lui répondit-elle enfin. Allons-y.

Plus vite ils seraient en chemin, plus vite ils reviendraient. Ses enfants et elle pourraient alors reprendre le cours de leur vie tel qu'il était avant que Taft n'y fasse irruption de façon si insistante.

7

Laura observa la petite équipe. A quelques mètres d'elle, Taft ouvrait le chemin. Maya était perchée devant lui, tandis que le cheval d'Alex avançait en longe juste derrière eux. Elle, elle fermait la marche, respirant la légère brise qui agitait l'air. Ils traversaient des pâturages verdoyants pour rejoindre le sentier qui s'élevait dans la montagne surplombant le ranch.

L'après-midi avait un petit air de déjà-vu, et elle en comprit bientôt la raison. Quand elle était jeune et pleine de rêves, elle les imaginait souvent, Taft et elle, se promenant à cheval avec leurs enfants par un délicieux après-midi de printemps semblable à celui-ci. Ils échangeraient des plaisanteries, parleraient de tout et de rien et s'arrêteraient ici et là pour échanger un fougueux baiser.

D'accord, ils avaient chevaux et enfants, et un bel après-midi de printemps, mais pour le reste il ne fallait pas y compter.

Elle concentra son attention sur le sentier, écoutant Alex discourir à propos de tout ce qu'il voyait : les pins aux doubles troncs qui bordaient le chemin, le chien de Caidy qui les accompagnait, son amour pour le vieux Pete. L'idée générale, comme elle l'avait prévu, était que, maintenant, il voulait un cheval bien à lui.

L'air sentait bon la résine, la sauge, l'humus et la jeune herbe. L'odeur des montagnes lui avait manqué. Madrid possédait ses propres odeurs, de fleurs, d'épices et de pains en train de cuire, mais celle-ci, c'était celle de son pays.

Ils chevauchèrent pendant environ trois quarts d'heure durant lesquels le bavardage incessant d'Alex s'éteignit progressivement. Ce n'était pas une mince affaire de rester sur le dos d'un cheval. Et, même si ses autres muscles n'étaient pas douloureux, ceux de sa mâchoire devaient l'être, songea-t-elle en souriant intérieurement.

La trompeuse perspective des montagnes aurait pu faire croire qu'ils progressaient peu en altitude, mais ils finirent par atteindre une clairière qui s'ouvrait au milieu des pins et des trembles. De là, on voyait le ranch, la rivière qui lui avait donné son nom, et l'endroit où son cours formait une boucle presque refermée sur elle-même. L'eau scintillait au soleil de l'après-midi, et les montagnes et les arbres environnants s'y reflétaient.

Elle admirait la vue du haut de son cheval, soulagée de cette pause, quand elle se rendit compte que Taft était descendu de sa monture et soulevait Maya pour la poser à terre.

— J'imagine que ton postérieur n'est pas contre un peu de repos, dit-il à Alex.

Celui-ci se mit à rire.

— *Sí*, répondit-il, revenant à l'espagnol comme cela lui arrivait parfois. Mes fesses me font mal, et j'ai envie de faire pipi.

— Le problème devrait pouvoir se résoudre. Assieds-toi là, Maya, pendant que j'aide ton frère.

Il déposa la petite sur un rocher puis retourna aux

chevaux. Il souleva alors Alex de sa selle et le posa à terre, se tournant ensuite vers Laura.

— Besoin d'aide ?

— Je vais y arriver, répondit-elle.

Elle ne tenait pas du tout à se retrouver dans ses bras.

Ses muscles étaient endoloris, et elle fut heureuse de pouvoir se dégourdir les jambes.

— Viens, Alex, lança-t-elle. Je t'emmène derrière les buissons. Maya, tu veux venir aussi ?

Sa fille secoua la tête, trop occupée à cueillir des fleurs.

— Je garde un œil sur elle, dit Taft. A moins que tu n'aies besoin de moi pour l'expédition tronc d'arbre.

— Je pense pouvoir gérer, dit-elle, amusée par l'expression.

Tout en s'éloignant, elle refusa de penser à la bonne équipe qu'ils feraient tous les deux, et que ce qu'elle vivait ressemblait beaucoup à ses rêves d'autrefois.

Alex apprécia tant de se soulager contre un arbre qu'il ne protesta même pas quand elle sortit un spray désinfectant de sa poche et lui ordonna de se nettoyer les mains.

Quand ils rejoignirent les autres, King, le chien de Caidy, tenait dans sa gueule un bâton qu'il vint lâcher aux pieds d'Alex, sachant apparemment reconnaître une bonne âme lorsqu'il en croisait une.

Alex ramassa le bâton et le lança aussi loin que ses forces le lui permettaient. Le chien s'élança sous les applaudissements nourris de Maya.

— Moi ! dit-elle.

Laura les suivait du regard. Les deux enfants étaient ravis de jouer avec le chien, et elle fut heureuse de s'adosser à un rocher de granit chauffé par le soleil pour se reposer un peu.

Le chant d'une alouette se fit entendre. Sa mère prétendait toujours que les oiseaux chantaient : *L'Idaho est un coin charmant*, et ce souvenir la fit sourire.

— Je te revois ici quand tu étais plus jeune, dit Taft. Tes cheveux étaient plus longs, mais tu n'as pas changé.

Il s'appuyait avec sa hanche au rocher qui lui servait de siège, et sa proximité mit son corps en émoi. Elle s'écarta légèrement, pour éviter que son épaule ne frôle la sienne. Avait-il remarqué son geste ? Elle préféra lui ôter ses illusions.

— Je crains que tu ne te trompes sur ce point ! Je ne suis plus la même. Qui ne change pas en dix ans ?

— Oui, tu as raison. Je ne suis pas non plus le même homme. J'aime à penser que j'ai plus de plomb dans la cervelle et que je sais discerner ce qui est important et me battre pour ne pas le laisser échapper.

— Est-ce que tu montes souvent à cheval ?

Elle scruta son regard. Il avait très bien compris qu'elle ne voulait pas s'engager dans cette discussion.

— Pas autant que je le souhaiterais, reprit-il. Destry adore monter et, comme Gabrielle a attrapé le virus, elles font de leur mieux pour décider l'un de nous à les accompagner en promenade. Mais je ne suis pas très disponible ces derniers temps.

Il aimait visiblement sa nièce. Elle avait déjà remarqué cette douceur dans sa voix quand il parlait d'elle. Rien d'étonnant à ça. Les Bowman formaient une famille aimante avant la disparition brutale de leurs parents. Et ils avaient bien sûr accueilli Rebecca et sa fille avec la même chaleur.

— Trop occupé par tes sorties ? lança-t-elle.

Une pointe de jalousie rendit son ton plus sarcastique qu'elle ne l'aurait voulu, mais il ne parut pas s'en formaliser.

Il se mit même à rire.

— Tout dépend de ce que tu appelles sorties. Si tu parles du temps que je passe à la construction de ma maison sur un terrain à l'orée de Cold Creek Canyon, c'est vrai que depuis six mois j'y consacre tout mon temps libre et qu'il ne me reste pas beaucoup de temps pour d'autres activités !

— Tu la construis tout seul ?

— Pour le plus gros. J'ai de l'aide de temps à autre pour la plomberie, la climatisation, ce genre de choses. Et, comme je n'ai pas assez de patience pour faire un bon travail d'isolation, j'ai engagé une entreprise. Mais je me suis chargé de la charpente, de la menuiserie et de presque toute l'installation électrique. Je peux te donner de bonnes adresses de sous-traitants en qui j'ai confiance si tu décides de faire davantage de travaux à l'auberge.

— Pourquoi une maison ?

Il parut réfléchir sérieusement à la question tout en observant les enfants qui jouaient avec le chien.

— J'en avais assez de jeter l'argent du loyer par la fenêtre et de vivre dans un appartement où je n'avais pas la place de m'étirer. Je possède ce bout de terrain depuis longtemps, et il m'a semblé que le moment était venu.

— Tu construis une maison. C'est du permanent. Est-ce que ça veut dire que tu as l'intention de t'installer à Pine Gulch ?

Il haussa les épaules et, malgré les efforts qu'elle

déployait pour conserver autant de distance que possible entre eux, il l'effleura.

— Où irais-je ? J'aurais peut-être dû saisir l'occasion de partir pour un endroit plus exotique quand j'en ai eu l'occasion. Combien paie-t-on les pompiers à Madrid ?

— Je n'en ai aucune idée. Mais j'y ai des amis à qui je peux poser la question.

Il s'intégrerait bien là-bas, pensa-t-elle. Et les *madrileñas* tomberaient folles de ses yeux verts et de son sourire moqueur.

De ce charme qu'il utilisait efficacement sur elle aujourd'hui.

— Tu es si pressée de te débarrasser de moi ?

N'ayant pas de réponse à cela, elle changea de nouveau de sujet de conversation.

— Où as-tu dit que se trouvait ta maison ?

— A un peu plus de trois kilomètres d'ici, près de l'entrée de Cold Creek Canyon. J'y possède environ deux hectares de terrain. C'est suffisant pour y installer mes chevaux.

Il s'interrompit et la dévisagea avec une étrange intensité.

— Tu devrais venir la visiter un jour. Je laisserai même Alex planter quelques clous s'il le désire.

Elle ne pouvait se permettre de passer davantage de temps avec lui. Il grignotait avec trop de facilité ses défenses.

— Je suis sûre qu'à l'auberge nous avons tous les clous qu'Alex souhaite.

— Oui, naturellement.

Il hocha la tête en feignant la nonchalance, mais elle eut le sentiment de l'avoir blessé.

Aussitôt, elle voulut réparer sa maladresse, lui dire

qu'elle aimerait lui rendre visite chaque fois qu'il voudrait les accueillir, mais elle ravala ces mots avant qu'ils ne franchissent ses lèvres.

Taft avait cueilli une fleur sauvage à floraison précoce et la faisait tournoyer entre ses doigts, son regard sur les jeux d'Alex et Maya. Cette fois, ce fut lui qui fit dévier la conversation.

— Comment les enfants vivent-ils leur installation à Pine Gulch ?

— Pour le moment, ils sont ravis. Surtout d'avoir leur grand-mère près d'eux.

— Et toi ?

Elle s'absorba un instant dans la contemplation des montagnes qui se découpaient dans le lointain.

— Il y a beaucoup de choses que j'apprécie de retrouver, des choses qui me manquaient plus que je ne le pensais en Espagne. Ces montagnes, par exemple. J'avais oublié combien c'est paisible et silencieux ici.

— C'est un de mes endroits préférés.

— Je me souviens.

Ces mots demeurèrent quelques instants suspendus dans l'air, et elle souhaita pouvoir les rattraper. Une soudaine tension s'installa entre eux. Lui aussi se rappelait certainement ce que signifiait cet endroit pour eux autrefois.

C'était dans cette prairie piquetée de fleurs qu'ils s'étaient embrassés pour la première fois quand il était revenu de cette terrible mission où il avait frôlé la mort. Elle avait toujours considéré que cette clairière leur appartenait. Chaque fois qu'elle y était venue ensuite, elle s'était rappelé sa joie délirante quand, enfin, il avait vu en elle davantage qu'une amie.

Ils étaient souvent revenus dans cette prairie. C'était

même là qu'il l'avait demandée en mariage alors qu'ils étaient allongés sur une couverture, dans l'herbe verte.

Et soudain elle comprit ! Ce n'était pas par hasard qu'il s'était arrêté ici. Un vent de colère souffla alors sur elle. Comment osait-il raviver des rêves, des espoirs, des émotions enfouis au plus profond d'elle-même après son départ de Pine Gulch ?

Elle sauta brusquement à bas du rocher.

— Il faut rentrer.

La bouche de Taft se pinça, et il parut sur le point de dire quelque chose mais se ravisa.

— Tu as raison. Le ciel est menaçant.

Elle leva les yeux vers les nuages sombres qui envahissaient le ciel, en accord si parfait avec son humeur qu'elle aurait pu les faire apparaître.

— D'où viennent-ils ? Il y a une minute, il faisait un beau soleil.

— C'est ça le printemps en Idaho. Tu peux avoir un aperçu des quatre saisons en un après-midi. Caidy nous avait prévenus qu'il risquait de pleuvoir, mais je n'ai pas tenu compte de son avertissement. Vous êtes prêts, les enfants ? Nous allons rentrer.

Alex, occupé avec Maya à se rouler dans l'herbe avec le chien, se rembrunit.

— Déjà ?

— A moins que tu ne veuilles redescendre au ranch dans un torrent de boue, oui.

— On pourrait faire ça ? demanda Alex avec un regain d'intérêt.

Taft rit.

— Pas cette fois. Notre rôle, à nous autres hommes, est de veiller à ce que les dames rentrent saines et sauves à la maison. Tu es prêt ?

— Oui, monsieur, répondit Alex en gonflant exagérément la poitrine.

Si elle n'avait pas été contrariée à cause de Taft, elle aurait ri tant était drôle l'attitude de son fils.

— Alors, en selle, fiston, lança Taft.

Joignant le geste à la parole, il souleva Alex et le déposa sur la selle. Puis il ajusta sa bombe sur sa tête et se tourna vers Maya.

— Et toi, ma puce ? Tu es prête ?

Avec un grand sourire, Maya courut à lui. Les regarder ne fit qu'affermir la résolution de Laura de prendre ses distances avec Taft. Il fallait qu'au moins une personne de la famille lui résiste et, au train où allaient les choses, elle seule en était capable.

Enfin, il fallait l'espérer.

Ils étaient à cinq cents mètres du ranch quand les nuages crevèrent, déversant sur eux une de ces pluies de printemps si froides et si brutales qu'on n'avait pas le temps de s'y préparer.

Le temps qu'ils arrivent au ranch, Alex tremblait de tous ses membres et les cheveux de Laura se hérissaient comme des baguettes de tambour. Taft se reprocha amèrement de n'être pas redescendu plus vite. Du moins, protégée par le poncho qu'il gardait en permanence dans ses sacoches, Maya était-elle au sec.

Il s'arrêta devant la maison et déposa Maya sous le porche, puis retourna rapidement aux chevaux pour faire mettre pied à terre à Alex.

— Va vite rejoindre ta sœur sous le porche, lui enjoignit-il.

Il s'assura que l'enfant avait obéi, puis vint prendre

Laura par la taille sans lui demander son avis et la déposa à son tour à terre. Il grimaça en sentant sa frêle silhouette trembler.

— Désolé, fit-il. Cet orage m'a pris par surprise.

Elle claquait des dents, et ses lèvres avaient un ton violacé qui ne lui plaisait pas du tout.

— Ça va, dit-elle. J'ai un bon chauffage dans la voiture. Nous nous réchaufferons en un rien de temps.

— Il n'est pas question que vous rentriez trempés comme des soupes. Je n'aurais pas fini d'en entendre de la part de Caidy. Crois-moi, ses colères sont redoutables, et elle m'arracherait les yeux si je vous laissais repartir dans cet état. Viens. Les chevaux attendront une minute.

Il prit les enfants dans ses bras, ce qui les mit en joie et, pour mettre fin à la discussion, les emporta dans la maison. Qu'ils puissent encore rire alors qu'ils se trouvaient en si piteux état le toucha.

Il aimait déjà ces enfants. Alex, avec ses questions incessantes, Maya, avec son caractère aimant et son adorable sourire, s'étaient subrepticement glissés dans son cœur. Et il avait la nette impression qu'ils n'en sortiraient pas de sitôt.

Il voulait encore des après-midi comme celui-ci, plein de rires et de gaieté, et du sentiment que sa place était avec eux. Bon sang ! Il n'était pas difficile. Il prendrait tous les moments qu'il pourrait passer avec Laura et ses enfants.

Mais Laura semblait bien décidée à garder ses distances. Chaque fois qu'il croyait avoir accompli un progrès, elle ajoutait des pierres à son mur. Il ne savait plus que faire.

— Voici comment nous allons procéder, dit-il alors

qu'elle le suivait visiblement de mauvais gré à l'intérieur. Tu retires leurs vêtements mouillés aux enfants et tu les enveloppes dans des couvertures chaudes. Il y a une cheminée à gaz dans la salle télé. Vous pourrez vous réchauffer devant en un instant. Pendant ce temps, je vais voir ce que je peux trouver pour que tu te changes.

— C'est ridicule, Taft ! Franchement, rentrer et nous changer ne nous prendra pas plus de temps.

Il lui jeta un regard sévère.

— Oublie ça ! Je ne te laisserai quitter ce ranch que dans des vêtements secs, point final. Je suis auxiliaire de santé, entraîné à la sécurité publique. Peux-tu me dire à quoi ça ressemblerait si le capitaine des sapeurs-pompiers de Pine Gulch se tournait les pouces pendant que des habitants de sa ville luttaient contre l'hypothermie ?

— N'exagérons rien ! Nous n'allons pas mourir de froid, maugréa-t-elle.

Il la conduisit dans la salle multimédia du ranch, un espace vaste et confortable, meublé de canapés en cuir et de fauteuils inclinables.

C'était une de ses pièces préférées. Ses frères et lui s'y rassemblaient fréquemment pour regarder des matchs de football universitaire ou de basket-ball.

Quand il mit en marche la cheminée, la soufflerie se déclencha, propulsant une chaleur bienvenue dans la pièce. Puis il sortit d'un placard des plaids pour les enfants.

— Voilà. Vous, les petits, déshabillez-vous et enveloppez-vous dans les plaids.

— Vraiment ? fit Alex, les yeux écarquillés par la surprise. On peut, maman ?

— Oui, le temps de passer vos vêtements au sèche-linge.

— Et pour toi, ajouta-t-il, je reviens tout de suite avec des habits de Caidy.

Dans le dressing impeccablement rangé de la chambre de sa sœur, il trouva rapidement un pantalon de survêtement et un sweat-shirt à capuche. Le temps qu'il revienne, les enfants s'étaient blottis sur un canapé, emmitouflés dans les couvertures. Il posa les vêtements de rechange près de Laura.

— Tiens, lui dit-il. Caidy ne se formalisera pas, j'en suis sûr. Ce qui la mettrait vraiment en colère, étant donné la situation, serait que je ne te procure pas de vêtements secs.

Il vit ses lèvres se pincer, comme si elle se préparait à répliquer, mais elle n'en fit rien. Les mèches de cheveux mouillés qui pendaient autour de son visage la rendaient encore plus belle. Elle paraissait délicate et vulnérable à la lumière clignotante du feu, et il désira la prendre contre lui, la garder à jamais en sécurité dans ses bras.

Mais quelque chose lui disait qu'il ferait mieux d'oublier cette envie.

— Donne-moi quelques minutes que je m'occupe des chevaux et je passe vos vêtements au sèche-linge.

— A mon avis, je trouverai toute seule la laverie, murmura-t-elle. J'y porterai nos affaires quand je serai changée.

Il acquiesça et quitta la pièce, un brin perturbé.

S'occuper des chevaux lui prit plus de temps qu'il n'avait escompté. Sans doute avait-il un peu perdu la main, et puis il y avait trois animaux à desseller et à bouchonner.

Quand il en eut fini avec eux, une demi-heure plus tard, il pleuvait toujours à verse, et les torrents d'eau soulevés par les rafales de vent l'assaillirent brutalement sur le chemin de la maison.

Caidy ne serait pas contente de voir dans quel état il avait mis le parquet, mais elle lui pardonnerait sûrement en voyant qu'il avait fait de son mieux pour prendre soin des chevaux et de ses invités. Cela lui éviterait de tomber en disgrâce.

Il alla ensuite chercher un jean et un pull secs dans la chambre de Ridge. Il s'y changea rapidement, puis regagna pieds nus la salle télévision.

Quand il en ouvrit la porte, Laura lui désigna le canapé en posant un doigt sur ses lèvres. Suivant son geste, il découvrit Alex et Maya, endormis, blottis l'un contre l'autre comme les chiots de Caidy, pendant qu'un dessin animé passait en sourdine à la télévision.

— Eh bien, ça a été rapide. Comment as-tu fait ?

Elle se leva et s'approcha de lui. Elle avait passé les vêtements de Caidy et attaché ses cheveux humides sur sa nuque. Dans son sweat à capuche trop grand, elle paraissait toute jeune et mignonne comme la fille dont il était autrefois tombé amoureux.

— Leur après-midi a été rempli d'événements excitants, et Maya n'avait pas fait la sieste. Quant à Alex, il prétend qu'il est trop grand pour se reposer l'après-midi. Mais ça ne l'empêche pas, de temps en temps, de s'endormir devant la télé.

— J'ai aussi ce problème quelquefois.

— Vraiment ? Avec toute la compagnie dont, paraît-il, tu jouis ? Ce doit être frustrant pour ces demoiselles.

Il se rembrunit.

— J'ignore ce que tu as entendu dire, mais les rumeurs sur ma vie amoureuse sont largement exagérées.

— Pas possible ?

Il n'avait pas envie d'aborder le sujet. Ce qu'il aurait voulu, c'était la prendre dans ses bras, la pousser contre le mur et l'embrasser pendant des heures. Mais il n'était pas question d'agir ainsi, et il préféra s'expliquer une bonne fois pour toutes.

— Après notre rupture et ton départ pour l'Espagne, je… j'ai un peu perdu les pédales, je l'admets.

Il avait surtout cherché à s'étourdir pour les oublier, elle et le vide douloureux qu'elle laissait dans sa vie. Mais il n'était pas prêt à le lui avouer. Et puis, quelques années plus tard, quand il avait appris qu'elle s'était mariée à Madrid et attendait un enfant, il n'avait plus vu de raisons de s'assagir.

— J'ai davantage bu et fait la fête que de raison, c'est certain, poursuivit-il. Et je ne suis pas particulièrement fier de celui que j'étais alors. Le problème, à Pine Gulch, c'est que, lorsque ta réputation est faite, elle te colle à la peau pour l'éternité. Je ne me conduis plus ainsi depuis longtemps.

— Tu n'as pas de compte à me rendre, dit-elle avec raideur.

— Je n'ai pas envie que tu voies en moi le don Juan de Pine Gulch.

— Quelle importance ?

— Pour moi, ça en a une…

Instinctivement, il lui prit la main. Les doigts de Laura étaient encore froids, et il referma sa main sur la sienne.

— Tu as les mains glacées, laisse-moi au moins te les réchauffer ! Je m'en veux de ne pas avoir surveillé le ciel. J'aurais dû avoir des gants en réserve.

— Ce n'est pas la fin du monde ! Je suis réchauffée, je t'assure.

Elle croisa son regard, mais détourna très vite la tête, et il sentit sa main trembler dans la sienne.

— Quoi qu'il en soit, je ne crois pas que la pluie ait beaucoup gêné les enfants. Pour eux, ça faisait partie de l'aventure. Alex m'a déjà raconté qu'il se prenait pour un shérif texan traquant un bandit ! Pluie ou pas, cette journée restera gravée dans leur mémoire.

Une vague de tendresse pour elle et ses enfants passa sur lui, telle une pluie bienfaisante irriguant des endroits desséchés depuis beaucoup trop longtemps.

— Tu es incroyable, dit-il.

Une légère rougeur colora les joues de Laura.

— Pourquoi ?

— Tu trouves toujours le côté positif d'une situation. Je me souviens, si tu avais un pneu crevé, tu disais que ça te donnait l'occasion d'admirer le paysage. Si tu te cassais un ongle, ça te fournissait une bonne excuse pour une séance de manucure.

— C'est ennuyeux, n'est-ce pas ? Je me demande comment les gens me supportent.

Avec un rire embarrassé, elle tenta de lui reprendre ses mains, mais il les retint fermement.

— C'est merveilleux, au contraire. Je ne m'étais pas rendu compte jusqu'à présent combien ta tournure d'esprit me manquait.

Les lèvres légèrement ouvertes, elle leva sur lui ses yeux d'un ravissant bleu ancolie, et ses doigts tremblèrent dans les siens. Son parfum suave l'enveloppa, et il prit conscience de la soudaine tension née entre eux.

Il mourait d'envie de l'embrasser. Il ne se rappelait pas avoir jamais rien désiré avec cette force sauf, peut-être, leur premier baiser échangé dans la montagne, des années auparavant.

Mais se laisser aller à sa dévorante pulsion ne ferait qu'accréditer auprès d'elle la thèse selon laquelle il était un coureur de jupons. Elle s'imaginerait qu'il profitait de la situation.

Déjà qu'elle ne l'appréciait guère… Mieux valait attendre et conserver la chance de lui réapprendre à le connaître et à lui faire confiance.

Ce serait le plus sage. Mais les mains de Laura frémissaient dans les siennes. Il était incapable de sagesse quand il s'agissait d'elle, comprit-il avec une sombre résignation.

Aussi, bouillonnant, il l'attira à lui et prit ses lèvres.

Ce fut magique. Tout simplement magique. Elle avait la plus douce, la plus tendre des bouches, et il n'arrivait pas à croire qu'il ait pu oublier à quel point son corps semblait fait pour ses bras.

Elle lui avait manqué. Tellement manqué…

Durant de longues secondes, elle demeura immobile tandis qu'il dévorait sa bouche. Et, durant ces merveilleux instants, il s'attendit à tout moment à ce qu'elle le repousse. Mais elle ne bougea pas. Et même, soudain, comme parvenue au terme d'une lutte intérieure ou peut-être parce qu'elle n'y tenait plus, elle non plus, elle lui rendit son baiser, sa bouche tiède et douce pleine d'envie.

C'était le signal qu'il attendait pour approfondir leur baiser. Tel l'éclair, le désir flamboya en lui. Il lâcha ses mains pour l'étreindre passionnément et crut devenir fou en sentant son corps collé au sien.

Il avait déjà ressenti cela, mais en même temps c'était légèrement différent d'autrefois, peut-être parce que les formes de Laura s'étaient épanouies. Deux enfants et dix années pouvaient provoquer ce résultat, supposa-t-il.

Il l'étreignit encore plus fort et savoura la différence quand ses seins s'incrustèrent dans sa poitrine.

Une petite plainte jaillit de la gorge de Laura, et elle noua ses bras autour de son cou. Alors, cédant à son fantasme, il la poussa contre le mur.

Elle lui rendit son baiser avec une fougue qui le laissa tout abasourdi.

Laura. Il la voulait, ici, tout de suite.

Ses errances des dernières années trouvaient enfin leur but, là, dans les bras de cette femme. Il la voulait, elle, et il voulait ses enfants dans sa vie. Non. Ce n'était pas seulement un caprice. Il avait *besoin* d'eux. Il imaginait les moments de gaieté partagée, les promenades à cheval dans la montagne, les nuits d'hiver près du feu de cheminée, dans la maison de rondins qu'il était en train de construire.

Pour elle.

Il construisait cette maison pour elle, il s'en rendait compte seulement maintenant. Les plans, l'aménagement, le moindre détail avaient été conçus afin de créer le foyer qu'ils imaginaient autrefois pour abriter leur amour.

C'était complètement fou. Bien sûr, il avait appris le décès de son mari quelques mois plus tôt et il s'était apitoyé sur son sort, mais il n'avait pas envisagé qu'elle revienne s'installer à Pine Gulch jusqu'à ce qu'il la découvre le jour de l'incendie en se présentant à l'auberge.

Il pensait construire une maison selon ses goûts, mais à présent il se rendait compte à quel point elle serait parfaite pour ses enfants et pour elle.

Doucement, Bowman, s'intima-t-il. Ce n'était pas parce qu'ils échangeaient un baiser qu'ils allaient passer leur vie ensemble. Il l'avait profondément blessée en refusant sa compassion après la mort de ses parents, et il allait lui falloir plus que quelques étreintes, aussi brûlantes soient-elles, pour se racheter.

Qu'importait. Il avait toujours aimé les défis, qu'il s'agisse d'escalader une pente abrupte, de faire du kayak dans des rapides ou de venir à bout d'un feu incontrôlable. Il avait été assez stupide pour la laisser partir une fois, il ne recommencerait certainement pas la même sottise.

Une plainte s'échappa de nouveau de la gorge de Laura, et il se souvint combien il trouvait sexy ces petits bruits. Son baiser était si érotique qu'un désir primitif et brutal le submergea.

Il était sur le point de la pousser vers un endroit plus confortable que le mur du couloir quand le bruit de la porte d'entrée qui s'ouvrait parvint jusqu'à sa conscience. Un instant plus tard, la voix suraiguë de sa sœur résonna dans la maison.

— J'espère qu'ils ne tomberont pas malades ! Franchement, je n'arrive pas à croire que Taft ne soit pas rentré avant la pluie ! Et s'il leur était arrivé quelque chose ?

— Il s'est certainement occupé d'eux, fit la voix de Ridge, calme comme à son habitude. Inutile de te mettre dans tous tes états.

Son frère et sa sœur seraient là dans quelques instants, comprit-il. Et, bien que le geste lui soit particulièrement pénible, il devait lâcher Laura.

Avec ses joues roses, ses lèvres enflées et ses yeux fiévreux, elle était tout simplement superbe.

Il s'éclaircit la gorge.

— Laura…, souffla-t-il.

Les idées tourbillonnaient dans sa tête, et il ne trouva

pas les mots à temps. Ridge et Caidy apparaissaient au bout du couloir. Le moment s'évapora.

En les voyant, Caidy poussa un petit cri et s'arrêta net. Elle les dévisagea tour à tour, plissant les paupières, et il se recroquevilla sous son regard accusateur, comme s'il était quelque seigneur exerçant son droit de cuissage sur la plus jolie des paysannes.

D'accord, il l'avait embrassée, mais elle n'avait guère opposé de résistance.

— Vous êtes rentrés sans problème ?

— Oui, répondit Laura d'une petite voix.

Elle s'éclaircit la gorge, puis poursuivit :

— Mais pas tout à fait secs. En redescendant, nous avons été surpris par un véritable déluge. Taft m'a prêté des vêtements à toi. J'espère que ça ne te dérange pas.

— Pas du tout, voyons ! Tu peux les garder. Et les enfants, comment vont-ils ?

— Ils sont ravis.

Le sourire de Laura semblait contraint, songea Taft, mais les autres ne s'en rendraient probablement pas compte.

— C'est l'aventure la plus excitante qui leur soit arrivée depuis notre installation à Pine Gulch, reprit-elle. Et ce n'est pas peu dire étant donné qu'Alex a tout de même déclenché un début d'incendie avec intervention des pompiers. Ils se sont tellement régalés qu'ils se sont endormis complètement épuisés devant la télé. Tout cela est idiot. Nous aurions été à la maison en un quart d'heure, mais Taft a insisté pour que nous nous séchions d'abord.

Taft se sentit presque gêné.

Son frère Ridge lui adressa un sourire inquisiteur, puis se tourna vers Laura.

— Et il a eu raison ! Heureux de te revoir, Laura.

Il s'avança vers elle et l'embrassa sur les deux joues. Elle lui adressa un lumineux sourire. Taft sentit alors la jalousie monter en lui : elle ne lui en avait pas accordé un semblable depuis son retour.

— Bienvenue à Pine Gulch, poursuivit Ridge. Comment se passe ton installation ?

— Bien. Revenir à la maison est… toute une aventure.

— Comment va le chien ? l'interrompit Taft.

— Il s'en sort bien, répondit Caidy. Juste une patte cassée. Doc Harris est revenu vite fait d'une réunion à Pocatello et il a pu s'en occuper. Il le garde en observation pour la nuit.

— Brave homme, ce Dr Harris, soupira-t-il.

— C'est sûr. Je ne sais pas ce que nous deviendrons quand il prendra sa retraite.

— Tu devras trouver un autre véto qui accourra au moindre signe de toi, déclara-t-il en plaisantant.

Caidy lui tira la langue, puis revint à Laura.

— Les enfants et toi allez rester dîner avec nous, n'est-ce pas ? Je vais préparer une soupe. Elle sera prête dans une demi-heure.

Tout en ayant très envie qu'elle accepte, il savait déjà ce qu'elle allait répondre.

— Merci pour l'invitation, mais ce soir je suis de service à la réception. Désolée. D'ailleurs, il faut même que j'y aille. Nos vêtements doivent être secs à présent. Une autre fois peut-être ?

— Oui, bien sûr, dit Caidy. Je vais chercher tes vêtements.

— Je peux le faire ! protesta Laura.

Mais Caidy, qui avait grandi dans une famille de garçons où il fallait avoir de bons réflexes si on voulait la dernière part de tarte ou se resservir de salade de pommes de terre, la devança.

En l'absence de Caidy, Ridge et Laura parlèrent de l'auberge et de ses projets de rénovation.

— Voilà ! annonça Caidy en revenant, les bras chargés de vêtements. Tout secs !

— Parfait, dit Laura. Je vais réveiller les enfants. Et, dès qu'ils sont habillés, je vous débarrasse de notre présence.

— Voyons, vous ne nous gênez pas, Laura. Je suis si heureuse que tu nous aies rendu visite. Mon seul regret, c'est de n'avoir pas été là pour la promenade, d'autant que c'était moi qui t'avais invitée. D'habitude, je ne suis pas si impolie.

— Tu as volé au secours d'un pauvre chien, tu es tout excusée. C'est plus important qu'une promenade qu'on peut faire à tout moment.

Caidy sortit de la salle télévision, et Laura la suivit en jetant à Taft un dernier regard plein d'émotion.

Resté seul avec lui, Ridge l'observa un long moment, lui rappelant désagréablement leur père quand il découvrait que ses deux plus jeunes fils avaient commis quelque méfait.

— Fais attention, lui dit enfin son frère.

Il avait trente-quatre ans et n'était pas d'humeur à subir un sermon de la part d'un aîné qui se prenait pour un patriarche universel.

— Attention à quoi ? riposta-t-il d'un ton bourru.

— J'ai des yeux, figure-toi. Et je sais reconnaître une femme qui vient d'être embrassée.

Il n'avait pas du tout envie de parler de Laura avec Ridge. S'il respectait son frère pour avoir endossé la responsabilité de Caidy et du ranch après la disparition de leurs parents, Ridge n'était pas leur père, et il n'avait pas de compte à lui rendre.

— Où veux-tu en venir ? demanda-t-il, plus sèchement qu'il n'en avait l'intention.

Ridge fronça les sourcils.

— J'espère que tu sais ce que tu fais en recommençant à tourner autour de Laura ?

Si je le savais, je te le dirais volontiers.

— Tout ce que j'ai fait, c'est de les emmener, ses enfants et elle, faire une promenade à cheval.

Ridge demeura un moment silencieux.

— J'ignore ce qui s'est passé autrefois entre vous, et pourquoi tu ne l'as pas épousée alors qu'il paraissait évident à tout le monde que vous étiez fous amoureux.

— Quelle importance ? C'est de l'histoire ancienne.

— Pas si ancienne. Et, crois-en un expert, nos choix passés peuvent nous hanter toute notre vie.

Ridge était bien placé pour le savoir. Il avait épousé une femme complètement inapte à la vie sur le ranch, qui avait fini par causer le malheur de ses proches.

— A en croire le comportement que tu as eu avec les femmes par la suite, poursuivit son frère, je parierais volontiers que tu es responsable de la rupture. Il faut reconnaître que tu n'as pas passé trop de temps à te lamenter sur la fin de vos fiançailles.

Ce qui prouvait que son frère le connaissait très mal.

— Nous avons pris la décision d'un commun accord, mentit-il.

— Si je me souviens bien, tu as dragué Jane Turner une semaine ou deux seulement après que Laura a quitté la ville. Et Sonia Gallegos, quelques semaines après.

Il se souvenait très bien de ces jours sombres qui avaient suivi le départ de Laura, du vide vertigineux qui s'était alors ouvert sous ses pas et qu'il avait tenté de combler en jouant les séducteurs alors qu'il n'avait qu'une envie : courir après elle, la ramener à la maison et l'y garder.

— Et alors ?

— Cela va sans dire…, marmonna Ridge.

— Et pourtant, tu le dis quand même.

— Ecoute, Taft, Laura n'est pas une de tes petites amies du Bandito ! C'est une femme bien, mère de deux enfants, dont une fille qui réclame beaucoup d'attention. N'oublie pas qu'elle vient de perdre son mari. Elle n'a probablement pas besoin que tu lui compliques la vie alors qu'elle essaie de se reconstruire ici.

Il ne sut que répondre. Ces paroles l'atteignaient au plus profond de lui-même.

Il désirait Laura avec force, mais qu'il désire une chose ne signifiait pas qu'il la mérite. Tout jeune, il avait appris cette leçon quand sa mère exigeait que Trace et lui sortent la poubelle ou portent le linge sale à la laverie s'ils voulaient obtenir un gâteau supplémentaire.

S'il désirait une seconde chance avec elle après la façon dont il l'avait traitée — et, bon sang ! il la voulait —, il allait devoir la mériter. Il ne savait pas encore comment. Mais il devrait consacrer toute son énergie à devenir l'homme gentil et bon qu'il aurait dû être autrefois.

8

Laura lui en voudrait-elle de son initiative ?

Cinq jours s'étaient écoulés depuis sa promenade avec elle dans la montagne quand Taft arriva un soir à l'auberge, un paquet sous le bras, un sac de provisions confié par sa sœur à la main. Il posa le sac à terre et fit passer le paquet sous son bras gauche afin d'utiliser sa main droite pour introduire sa carte magnétique dans la fente, seul moyen pour entrer par la porte latérale après l'heure de fermeture.

— Nous y sommes presque, mon vieux, dit-il alors qu'un gémissement émanait du paquet.

Il glissa la carte dans la fente et attendit que la petite lumière verte s'allume. Mais elle resta obstinément rouge. Aurait-il été trop vite ? Trop lentement ? Pestant contre ces maudits gadgets, il recommença l'opération, sans plus de succès.

Soit le code magnétique avait changé, soit la carte était démagnétisée.

Il soupira. Il fallait que le destin lui joue ce tour justement ce soir-là.

— Désolé, mon vieux. Accroche-toi encore un peu et je t'installe confortablement, promis.

Le petit bâtard noir et marron dressa ses immenses oreilles et lui adressa un regard perplexe.

Il essaya encore dans le vain espoir que cinq ou six fois étaient nécessaires pour que la magie opère. Puis il renonça et se résolut à passer par la réception. Il jeta un coup d'œil à sa montre : il était 23 h 30. La réception fermant à minuit, à part un imprévisible obstacle d'ici à la porte principale, l'affaire devrait être bientôt conclue.

Il ramassa le sac contenant la nourriture pour chien et entreprit de contourner l'auberge plongée dans l'obscurité.

La nuit étant froide, comme parfois au printemps en altitude, il glissa le chiot sous sa veste. L'air était parfumé de l'odeur des fleurs plantées par Laura et des bourgeons qui éclataient sur les arbres bordant la Cold Creek River.

Au passage, il vit la pancarte qui annonçait que les animaux étaient les bienvenus dans l'établissement. Puissent les propriétaires être sincères !

L'hôtel était silencieux. A en juger par le peu de voitures garées sur le parking, la fréquentation était faible. D'ailleurs, depuis deux jours, il n'avait pas aperçu un seul client dans l'aile qu'il occupait. Sa chambre était en effet toute proche de la porte latérale. Cela lui simplifierait la vie s'il devait sortir d'urgence avec le chien accidenté que sa sœur lui avait confié. Laura ne serait peut-être pas d'accord avec son idée…

D'ailleurs, était-elle de service ce soir ? Cela lui arrivait après avoir mis les enfants au lit. Mais, depuis qu'il habitait l'auberge, la plupart du temps, c'était une des étudiantes qu'employait Mme Pendleton qui assurait le dernier service. L'une d'entre elles le trouvait à son goût, et il avait fort à faire pour décourager ses avances.

Il était partagé entre le désir de tomber sur Laura et celui de l'éviter encore un peu. Enfin, il ne l'évitait pas volontairement… Il avait eu des horaires impossibles ces derniers temps et n'avait guère été à l'hôtel que pour dormir.

Cependant, même s'il ne l'avait pas revue depuis l'après-midi où elle avait fondu dans ses bras, elle ne quittait pas son esprit. Découvrir qu'il était attaché à elle autant qu'avant lui avait causé un choc.

Il pénétra dans le hall de l'auberge. Celui-ci avait connu de grands changements durant les semaines qui avaient suivi le retour de Laura. Divans et fauteuils à fanfreluches propices aux causeries avaient disparu, remplacés par des tables et des chaises probablement destinées au service du petit déjeuner dont il avait entendu parler.

Des bouquets de fleurs fraîches disposés ici et là conféraient à la salle une ambiance printanière, œuvre, évidemment, de Laura.

Il s'avança et aperçut une tête blonde penchée sur un ordinateur. Une vague de chaleur le parcourut immédiatement. Elle lui avait manqué. Etrange, si l'on songeait que cinq jours seulement s'étaient écoulés depuis qu'il ne l'avait vue, mais c'était ainsi.

Le chien gémit doucement dans ses bras. Décidant que la discrétion était de mise, il resserra les pans de sa veste autour de l'animal. Pas besoin de provoquer Laura plus que nécessaire.

Il ne contrevenait pas, à proprement parler, au règlement puisque, si l'on en croyait la pancarte, les animaux étaient acceptés. Mais il avait le sentiment que les règles de l'établissement ne s'appliquaient pas à lui.

Il s'approcha avec circonspection du bureau. Comme si elle avait senti sa présence, Laura leva les yeux de l'ordinateur avec un sourire tout prêt, sourire qui, à sa vue, s'effaça. Cette réaction lui porta un coup au cœur.

— Oh ! bonsoir, dit-elle avec une désinvolture qu'il soupçonna être feinte.

— Bonsoir, répondit-il en serrant un peu plus fort Lucky Lou contre lui. Navré de te déranger, mais soit ma carte magnétique ne fonctionne plus, soit la porte du côté a un problème. J'ai essayé de passer par là, mais la lumière reste obstinément rouge.

— Pas de problème. Je vais reprogrammer ta carte.

Sa voix était sèche, impersonnelle. Leur stupéfiant baiser aurait-il anéanti jusqu'à l'amitié qu'il tentait de ressusciter ?

— J'aime le nouvel ameublement, dit-il.

— Merci. Il vient d'être livré. Les couleurs me plaisent. Nous devrions être prêtes à servir le petit déjeuner dès la semaine prochaine.

— Vos clients vont adorer.

— Je l'espère.

Qu'ils en soient venus à échanger des propos aussi banals l'affectait terriblement. Par le passé, ils partageaient tout, et ces échanges lui manquaient.

Dans ses bras, le paquet remua, et elle le considéra avec curiosité.

— Euh… voici ma carte, dit-il en la lui tendant.

Elle la glissa dans un lecteur, puis la lui rendit.

— Elle devrait marcher maintenant. Tiens-moi au courant.

— Merci. Bon, eh bien, bonne nuit.

— Bonne nuit à toi aussi.

Il s'apprêtait à se diriger vers l'escalier quand Lucky Lou émit un discret aboiement et glissa sa tête hors des pans de la veste, ses oreilles surdimensionnées soulevées avec intérêt.

Laura ouvrit des yeux surpris.

— Qu'est-ce que…

— Ça ? Ah, oui ! Je crains que tu ne doives l'ajouter à la liste de tes clients. C'est Lucky Lou.

En entendant son nouveau nom, l'animal s'extirpa un peu plus de la veste. Avec ses immenses oreilles, il ressemblait à un croisement de lémurien et d'extra-terrestre.

— Qu'il est chou ! s'écria Laura.

Elle ne se mettait pas en colère. Un bon signe.

— Oui. Ce n'est pas le plus viril des chiens, mais il est sympa.

— Est-ce que c'est celui qui a été heurté par une voiture l'autre jour ?

— Exactement.

A sa grande surprise, Laura contourna le bureau pour venir examiner le chien de plus près. Il écarta alors la couverture qui l'enveloppait, découvrant son plâtre.

— Le pauvre ! s'exclama-t-elle.

Elle tendit la main pour le caresser, et le chien réagit exactement comme il fallait en posant sa tête dans sa main. Jusque-là, les choses s'arrangeaient plutôt bien, songea-t-il. Elle n'allait pas l'étrangler finalement.

— Il va mieux ? reprit-elle.

— Il a eu de la chance. Comme son nom l'indique…

Elle laissa échapper un rire léger, dont le son l'enveloppa tel un sortilège.

Il s'éclaircit la gorge.

— Il s'en sort avec juste une patte cassée. Il en a pour quelques semaines de plâtre, et pendant cette période il faut le surveiller pour qu'il ne se blesse pas.

Surtout, il ne peut pas fréquenter les autres chiens du ranch, qui ont tendance à jouer brutalement, ce qui pose un gros problème.

— Quel genre de problème ?

— L'emploi du temps est très chargé en ce moment à River Bow avec les semis de printemps, sans parler du mariage de Trace. Caidy a cherché qui pourrait s'en occuper, et c'est tombé sur moi.

En réalité, sa sœur avait exercé un chantage sur lui pour l'obliger à prendre le chien en disant qu'il lui devait bien ce service étant donné qu'elle lui avait parlé de la promenade à cheval avec Laura et ses enfants.

— Est-ce que tu acceptes que je le garde avec moi à l'auberge ? La plupart du temps, il sera à la caserne ou dans le pick-up, mais les nuits où je ne suis pas de service je devrai le prendre avec moi.

Elle gratta la tête du chien.

— Il faudrait que j'aie un cœur de pierre pour mettre à la porte un chien aussi gentil.

Il pouvait être reconnaissant à sa sœur. Jamais il n'aurait pensé que le meilleur moyen d'atteindre le cœur de Laura était de passer par un pauvre chien perdu.

Mais soudain, comme si elle se rendait compte qu'elle était toute proche de lui, Laura s'écarta. Le chien poussa un petit gémissement de regret, et Taft eut envie de l'imiter.

— Notre assurance couvre l'accueil d'animaux familiers, expliqua-t-elle. D'habitude, nous demandons un dépôt de cent dollars pour couvrir d'éventuels dommages mais, dans ton cas, je pense que nous pouvons nous passer de cette formalité.

— Je ferai en sorte qu'il se tienne tranquille. Il semble

bien élevé. D'ailleurs, je me demande ce qui a bien pu se passer pour qu'il se retrouve perdu en pleine nature.

— Il s'est peut-être enfui.

— C'est une explication, mais il n'a pas de collier. Et puis Caidy a signalé au véto, à la mairie et à tous les gens à qui elle a pensé qu'elle l'avait trouvé. Personne n'a signalé la disparition d'un chien correspondant à sa description. C'est à se demander s'il n'a pas été abandonné volontairement sur cette route.

— Que va-t-il devenir ? Quand il sera guéri, je veux dire.

— Caidy envisage de le retaper, puis de lui chercher de bons maîtres. Je lui sers juste de gardien le temps de sa convalescence.

— Et tu peux l'emmener à la caserne avec toi ?

— Je suis le chef, rappelle-toi. Qui peut me dire ce que j'ai le droit ou non de faire ?

Elle leva un sourcil.

— Je ne sais pas, moi. Peut-être le maire, ou bien les conseillers municipaux.

Il éclata de rire en imaginant les politiciens locaux se penchant sur un problème aussi futile que la présence d'un chien à la caserne.

— Nous sommes à Pine Gulch, répliqua-t-il. Ici, les gens s'embarrassent peu de ce genre de détails. Et puis nous pourrons toujours en faire notre mascotte : Lucky Lou, chien-pompier.

Les oreilles du chien se soulevèrent, comme s'il voulait signifier qu'il était prêt à relever le défi.

— L'idée te plaît, n'est-ce pas ? dit-il en lui grattant la tête.

Cela lui valut un regard d'adoration de la part de son nouvel ami.

Levant les yeux, il vit Laura l'observer avec intérêt, mais quand il croisa son regard elle rosit et tourna la tête.

— Comme je disais, reprit-il, il ne semble pas enclin à aboyer à tout propos. J'essaierai de le faire tenir tranquille quand je serai là, pour qu'il ne gêne pas les clients.

— Merci, c'est gentil. Non qu'il y ait beaucoup de clients à déranger.

Le découragement de la voix de Laura lui donna envie de la serrer contre lui et de prendre ses soucis à son compte.

— Les affaires reprendront à l'arrivée de l'été, affirma-t-il.

— Je l'espère. L'auberge n'a pas très bonne réputation. Maman a fait de son mieux après le décès de mon père, mais je crains que l'entreprise ne soit sur le déclin.

C'était triste mais vrai. En cas de besoin, la plupart des habitants de Pine Gulch aiguillaient parents et amis vers d'autres établissements. Deux nouveaux *Bed and Breakfast* avaient vu le jour récemment, et les gîtes se multipliaient dans les ranchs du canyon. Aucun établissement, cependant, ne jouissait d'un emplacement et d'un cadre aussi intéressants que Cold Creek Inn. Avec les spectaculaires travaux de rénovation entrepris par Laura, l'auberge retrouverait bientôt sa clientèle passée.

— Accorde-toi un peu de temps, poursuivit-il. Tu n'es là que depuis quelques semaines.

Elle soupira.

— Je sais. Mais, quand je pense à la somme de travail et d'énergie qu'il faudra pour remonter la pente, j'ai envie de pleurer.

Il était bien placé pour savoir à quel point il est difficile de faire revenir les gens sur leurs mauvaises opinions.

— Si quelqu'un peut y arriver, c'est bien toi. Un diplôme d'hôtellerie, des années d'expérience internationale. Ce sera un jeu d'enfant pour toi.

Elle lui adressa un sourire un peu triste, mais un sourire quand même. Il souhaita pouvoir poser le chien à terre et la prendre dans ses bras. Il y songeait même sérieusement quand Lucky émit un son qui semblait le mettre en garde contre une telle idée.

— Ce qu'il te faut, c'est un chien, dit-il brusquement. Un chien *chanceux*.

— Oh ! non, Chef Bowman, s'exclama-t-elle en riant. Tu peux oublier tout de suite. Je suis trop maligne pour me laisser embobiner par un adorable toutou.

— Tu parles de moi ou du chien ? lança-t-il.

Tout en secouant la tête, elle lui adressa un sourire qui lui réchauffa le cœur.

— Va te coucher, Taft. Et emmène ton chien chanceux avec toi.

Je préférerais t'emmener, toi.

Les mots frémirent entre eux, non dits, mais elle n'en rougit pas moins, comme si elle avait lu dans ses pensées.

— Bonne nuit, dit-il à contrecœur. Je veux bien déposer une caution pour le chien.

— Mais non. C'est ma façon de participer aux soins de Lucky Lou.

— Merci. Je ferai en sorte que tu ne le regrettes pas.

Il replaça le chien sous son bras, prit sa carte sur le comptoir et se dirigea vers l'escalier.

Il éprouvait assez de regrets pour deux.

*
* *

Laura était bien obligée de le constater : ses enfants s'étaient entichés de Lucky Lou.

— C'est le chien le plus sympa du monde ! déclara Alex, ses yeux noirs brillant d'excitation. Et si mignon ! Quand je le caresse, il me lèche.

— Lou chatouille, dit Maya, le visage tout réjoui.

— Il s'appelle Lucky Lou a dit Chef Bowman, renchérit son frère.

Perché sur le comptoir de la cuisine, Alex sortait les provisions d'un sac, pour l'aider, théoriquement, mais il faisait surtout du désordre. Evidemment, elle n'allait pas décourager son initiative pour autant.

— Et où était votre grand-mère quand Chef Bowman vous a permis de jouer avec son chien ? demanda-t-elle.

Sa mère devait surveiller les enfants pendant qu'elle était allée faire des courses, mais tout indiquait qu'ils s'étaient promenés dans l'hôtel et avaient encore été se fourrer dans les jambes de Taft.

— Elle répondait au téléphone dans le bureau. Nous, on faisait des coloriages sur la nouvelle table du hall, comme Grandma nous avait dit. Je coloriais un cheval, et Maya gribouillait. Elle ne colorie pas bien.

— Elle s'efforce de faire des progrès, n'est-ce pas, *mi hija* ?

Maya rit en entendant les mots aimés, et Laura sentit sa fatigue s'évaporer comme par magie. Elle travaillait dur pour permettre à sa famille de mener une vie agréable à Pine Gulch. Ce n'était peut-être pas parfait, mais sûrement mieux que celle qu'ils auraient menée s'ils étaient restés à Madrid.

— Donc, vous coloriiez, reprit-elle. Et ?

— Et Chef Bowman est arrivé avec son chien dans

les bras. Il a d'immenses oreilles. Comme celles d'un âne !

Elle sourit devant l'exagération de son fils.

— Vraiment ? Je n'avais pas remarqué ce détail chez Chef Bowman.

Alex éclata de rire.

— Le chien, maman ! Le chien a d'immenses oreilles. Il s'appelle Lucky Lou et il a une patte cassée. Tu savais qu'il avait été renversé par une voiture ? C'est triste, non ?

— Très triste, concéda-t-elle.

— Chef Bowman dit que tant qu'il a son plâtre il ne peut pas courir avec les autres chiens.

— C'est moche.

— Il peut seulement rester assis et se faire caresser, mais Chef Bowman dit que je peux le faire quand je veux.

— C'est gentil de sa part, dit-elle, certaine que son petit garçon de six ans ne décèlerait pas l'ironie du ton.

Elle voyait clair dans le jeu de Taft. Il cherchait un pigeon pour le débarrasser du chien.

— Il est supergentil.

— Qui ? Le chien ? reprit-elle d'un ton amusé.

— Non ! Chef Bowman ! Il dit que je peux venir voir Lou quand je veux. Et, quand on lui retirera son plâtre, je pourrai même l'emmener faire une promenade.

La note d'adoration qu'elle décelait dans la voix d'Alex la contraria beaucoup. Son fils avait besoin d'une influence masculine, elle le comprenait. Seulement, Taft ne resterait pas éternellement à l'auberge. Un jour, sa maison serait terminée, et il y emménagerait en emmenant le petit chien avec lui.

La pensée la déprima bien qu'elle sache dangereux de s'intéresser autant aux faits et gestes de Taft Bowman.

— Et devine quoi d'autre ! dit Alex.

— Quoi ?

— Chef Bowman dit que Lou va avoir besoin de bons maîtres quand il sera guéri.

Nous y voilà, pensa-t-elle. Pas besoin d'être spécialiste de l'enfance pour deviner ce qui allait suivre.

Penchant la tête sur le côté, Alex lui adressa un regard faussement naturel.

— Alors, j'ai pensé que nous pourrions devenir ses maîtres.

Pour ce qui était de penser, Alex n'avait pas son pareil, se dit-elle avec résignation. Et elle se prépara à contrer les arguments qui n'allaient pas manquer de pleuvoir.

— C'est un superbon chien, et il n'a pas aboyé une seule fois ! Je suis sûr que je saurai m'occuper de lui, maman. Je le sais.

— Je le sais, répéta Maya avec enthousiasme, bien qu'elle n'ait probablement pas suivi la conversation, occupée comme elle l'était à jouer à la dînette sur la table de la cuisine.

Comment se sortir de cette situation sans passer pour une horrible mère ? Le chien était vraiment mignon, elle ne pouvait le nier. Avec ses grandes oreilles, son poil frisé et son expression perpétuellement interrogative, il était à croquer.

D'ici à quelques semaines, elle serait peut-être en meilleure position pour prendre un animal mais, en ce moment, elle tenait à peine le coup, travaillant dix-huit heures par jour entre les soins à donner à ses enfants et la réhabilitation de l'auberge.

Quelle que soit la somme de travail à fournir, il

fallait que l'auberge retrouve son attrait passé. Elle ne supporterait pas un échec de plus. D'abord la rupture de ses fiançailles, ensuite son malheureux mariage. Voir l'auberge continuer de se détériorer serait le coup de trop.

Un chien, surtout un chien fragilisé, compliquerait tout.

— J'aimerais vraiment, vraiment avoir un chien, insista Alex.

— Chien. Moi aussi ! renchérit Maya.

Maudit soit Taft pour l'avoir placée dans cette situation ! Il devait bien savoir que, dès qu'il leur présenterait son chien, ses enfants craqueraient et la supplieraient de l'adopter.

Un mouvement à la fenêtre de la cuisine retint son attention. A travers la pluie, elle distingua Taft, en imperméable, un parapluie à la main, qui se dirigeait vers le coin de pelouse réservé aux chiens. Quand il posa Lucky Lou à terre, elle vit que le plâtre de l'animal était enveloppé de plastique.

Elle regarda Taft tenir le parapluie au-dessus du petit bâtard, tandis qu'il faisait ses besoins.

A la vue de cet homme athlétique entourant d'attention le petit animal, son cœur se gonfla de tendresse, et elle eut bien du mal à se ressaisir. Il était hors de question que Taft reprenne une place dans son cœur. Elle ne pouvait pas se le permettre.

C'était Taft Bowman, un homme à femmes, comme Javier. « Plus on est de fous, plus on rit » était apparemment sa devise en ce qui concernait les femmes. Elle avait déjà vécu ça et n'était pas prête à réitérer l'expérience.

De son point d'observation privilégié, Alex avait également vue sur la fenêtre.

— Tu vois, dit-il avec un regard implorant. C'est vraiment un bon chien. Chef Bowman dit qu'il ne fait jamais ses besoins dans la maison.

En soupirant, elle prit la petite main de son fils dans la sienne et essaya d'adoucir la cruauté de ses paroles.

— Chéri, je ne crois pas que ce soit le meilleur moment pour que nous prenions un chien. Je suis navrée. Je ne peux pas te donner de réponse tout de suite. Il faut que je réfléchisse avant de prendre la décision. Mais n'espère pas trop, d'accord ?

Tout en prononçant ces paroles, elle se rendit compte de leur inutilité. A voir l'expression attendrie d'Alex, qui regardait le petit chien par la fenêtre dégoulinante de pluie, il avait déjà donné un foyer à l'animal, comprit-elle.

Certes, les choses auraient pu être pires. Le chien était propre, gentil et de taille raisonnable. Et il ne perdait pas ses poils.

De toute façon, sa cause était perdue d'avance. Taft Bowman savait très bien convaincre les gens de faire des choses qu'ils n'auraient jamais envisagé de faire.

Une chose était sûre. Elle avait trop de bon sens pour retomber amoureuse de lui. C'était, du moins, ce qu'elle se disait.

9

Laura étendit la couette toute neuve sur le lit de la chambre qui avait été endommagée par l'incendie et recula pour admirer son œuvre.

Pas si mal, se dit-elle. Elle était surtout fière des murs qu'elle avait peints et auxquels la superposition d'un ton ocre sur un fond beige donnait une texture façon villa toscane.

Engager quelqu'un pour effectuer les travaux de peinture lui aurait épargné du temps et des tracas, bien sûr. Son dos la faisait souffrir rien qu'à l'idée des chambres qui restaient à peindre. Et il lui faudrait peut-être encore un mois pour terminer les autres pièces. Mais son budget était serré, et elle économiserait ainsi quelques milliers de dollars qu'elle pourrait consacrer à l'amélioration des services offerts par l'auberge. Sans compter les travaux effectués par Taft !

Et puis ces travaux de rénovation étaient son idée pour insuffler de la vie dans le vieil établissement. Elle avait l'intention de faire de chaque chambre une pièce unique, pleine de charme. Et ce premier résultat était prometteur. La pièce était chaleureuse, accueillante. Elle était impatiente de la présenter à des clients.

De la main, elle caressa l'encadrement de la fenêtre,

notant le parfait ajustement des joints et la finesse du grain du bois qu'on percevait à travers les finitions.

— Fantastique ! fit une voix derrière elle.

Elle se retourna et découvrit Taft sur le seuil, appuyé au chambranle de la porte. Il paraissait las. Une barbe de fin de journée bleuissait ses joues, et il avait des cernes sous les yeux.

Plus que las : il paraissait au bout du rouleau, comme s'il s'était arrêté là parce qu'il ne pouvait faire un pas de plus pour gagner sa chambre.

— Incroyable la différence que font une couche de peinture et un peu d'amour, n'est-ce pas ? dit-elle, secrètement inquiète pour lui.

— Absolument. Je m'installerais volontiers ici.

— Mais tu es installé ici ! Enfin, pas dans cette chambre précisément, mais dans l'auberge.

— A en juger par le résultat, le reste de l'hôtel sera superbe quand tu auras terminé la décoration. Et on se battra pour obtenir une chambre ici !

— Je l'espère, répondit-elle avec un sourire.

C'était exactement ce qu'elle souhaitait. Que cette demeure ancienne reprenne vie.

— T'arrive-t-il de dormir ? demanda-t-il.

— Je pourrais te poser la même question. Tu sembles épuisé.

— La journée a été difficile.

Son air sombre la dérouta. Taft était doté d'un caractère aimable. Il aimait plaisanter et rire. On le voyait rarement abattu.

— Que s'est-il passé ?

Il se laissa choir sur le canapé neuf, dérangeant les coussins qu'elle venait juste de disposer. Mais elle ne s'en formalisa pas, car il avait vraiment la mine d'un homme qui a besoin de se poser quelques instants dans un endroit tranquille pour respirer.

— Un accident de voiture sur High Creek Road, répondit-il. Un idiot de touriste qui a pris trop vite un virage en épingle à cheveux. La voiture a quitté la route et atterri dix mètres plus bas.

— S'en est-il sorti ?

— Le conducteur a un bras cassé et quelques égratignures, mais son fils de dix ans n'a pas eu autant de chance. Nous avons réussi à le ranimer pendant la demi-heure qui s'est écoulée en attendant l'arrivée de l'hélicoptère et, aux dernières nouvelles, il a survécu au vol jusqu'à l'hôpital pour enfants de Salt Lake City. Mais il est dans un état très préoccupant.

Le cœur de Laura se serra.

— Quelle tragédie !

— Je ne supporte pas les accidents où des enfants sont impliqués. Quand je vois ça, j'ai envie de demander aux parents que je connais de serrer très fort leurs enfants contre eux et de ne plus les lâcher. Si je ne craignais pas la réaction de Ridge, je filerais au ranch réveiller Destry, juste pour lui donner un gros baiser et lui dire que je l'aime.

L'amour de Taft pour sa nièce lui réchauffa le cœur. Il fallait qu'il ait une bonne dose de compassion pour que cet accident le mette dans cet état. De par son métier, n'avait-il pas appris à contrôler ses émotions quand il se trouvait confronté à des situations dramatiques ?

— Je suis vraiment désolée que tu aies dû subir ce drame.

Il haussa les épaules.

— Ça fait partie du métier. Parfois, je me dis que

ma vie aurait été plus facile si j'avais choisi d'élever du bétail avec Ridge.

Ces moments où Taft dévoilait qu'il n'était pas seulement l'homme de bonne composition, aimant plaisanter, qu'il prétendait être la surprenaient toujours. Il ressentait profondément les choses, elle l'avait toujours su, mais on l'oubliait facilement devant son personnage de séducteur gai et plein d'allant.

Après avoir balancé quelques instants entre sa raison qui lui conseillait de ne pas trop se rapprocher de lui et son cœur qui la poussait à lui offrir son réconfort, elle finit par s'asseoir à son côté.

— Tu as fait ton possible pour sauver cet enfant, assura-t-elle.

— C'est ce qu'on se dit pour pouvoir dormir la nuit mais, en réalité, on se pose toujours la question de savoir si on ne pouvait pas faire davantage.

Elle réprima un soupir. Il rentrait au ranch après avoir passé la soirée avec elle, ce terrible soir de décembre où ses parents avaient été assassinés, quand Caidy, terrifiée, avait appelé les secours. Taft avait entendu l'appel sur sa radio alors qu'il franchissait l'entrée de la propriété et il s'était précipité dans la maison pour trouver son père abattu de plusieurs balles et sa mère baignant dans son sang.

Il n'en avait jamais parlé avec elle, mais un membre des services d'urgence qui s'était trouvé sur place lui avait raconté avoir trouvé Taft couvert de sang et pratiquant avec rage la réanimation cardio-pulmonaire sur sa mère. Il avait fallu l'arracher de son corps.

Il était dévoré par la culpabilité de n'avoir pu ramener sa mère à la vie, c'était certain. S'il était arrivé cinq minutes plus tôt, il aurait peut-être réussi à la sauver.

Elle se disait aussi, bien qu'il ne lui en ait jamais soufflé mot, qu'il reprochait inconsciemment à Caidy de n'avoir pas appelé tout de suite les secours. Caidy était à la maison le soir où les cambrioleurs, croyant la maison vide, s'y étaient introduits dans le but de dérober la collection d'art de leurs parents. Et après le drame, terrorisée, ne sachant si les intrus étaient ou non partis, elle était restée cachée dans un placard pendant un moment. Laura sentit une sourde tristesse s'emparer d'elle. Il lui avait fallu un certain temps à l'époque pour comprendre que Taft avait bloqué ses émotions pour ne pas culpabiliser de n'avoir pas su sauver ses parents.

Bien qu'il ait prétendu surmonter son deuil, son chagrin avait été immense. Si seulement il avait accepté de différer le mariage, peut-être le temps lui aurait-il permis de retrouver un peu de sérénité et peut-être auraient-ils pu s'unir sans cet énorme nuage planant au-dessus de leurs têtes.

Il était cependant inutile de s'attarder sur un passé révolu. Ce soir, Taft souffrait, et sa nature compatissante la poussait à soulager, autant que possible, sa peine.

— Ton action est primordiale, Taft, si pénible soit-elle parfois. Penses-y dans ces termes. Sans toi et tes hommes, ce garçon n'aurait eu aucune chance de s'en sortir. Sans vos soins, il n'aurait pas pu attendre l'arrivée de l'hélicoptère, et c'est seulement une personne parmi les centaines, peut-être les milliers, que vous avez secourues. Tu es un rouage essentiel de notre communauté. Combien de gens peuvent en dire autant ?

Il se tut pendant un long moment, son expression était indéchiffrable.

— Voilà que tu recommences à chercher le côté positif des choses, dit-il enfin.

— Est-ce que ça ne vaut pas mieux que de se focaliser sur le malheur ?

— Si. Mais parfois la vie est vraiment moche, et une couche de peinture ne suffit pas à réparer les dégâts.

Ravivant une blessure mal cicatrisée, ces paroles l'atteignirent plus cruellement qu'elles n'auraient dû.

Javier disait d'elle qu'elle était *dulce y inocente*. Douce et innocente. Il la traitait en gamine un peu sotte, la tenant à l'écart de ses problèmes financiers, de ses difficultés avec l'hôtel, de ses maîtresses, comme si elle était trop fragile pour affronter les dures réalités de la vie.

— Je ne suis pas une enfant, Taft, crois-moi. Je sais combien le monde peut être laid et cruel. Et préférer croire que, en fournissant un petit effort, les gens peuvent améliorer mutuellement leurs existences ne me rend pas plus stupide pour autant. Nous pouvons toujours essayer de faire que demain soit un peu meilleur qu'aujourd'hui, non ? A quoi bon vivre si on ne voit que le mauvais côté des choses au lieu d'embrasser la joie de chaque jour nouveau ?

Elle devait ressembler à une midinette dégoulinante de bons sentiments, se dit-elle, mais ça lui était complètement égal.

— Je n'ai jamais dit que tu étais stupide, répondit Taft, accompagnant ses paroles d'un regard pénétrant. Qui t'a traitée ainsi ?

Elle aurait dû ignorer la question. En quoi cela le regardait-il ? Cependant, la vieille auberge était paisible autour d'eux, et l'impression d'intimité qui émanait de cette chambre poussait aux confidences.

— Mon mari. Il me traitait comme si j'étais trop enfant pour supporter certaines réalités. C'était un des nombreux points de friction entre nous. Il ne voulait jamais voir les problèmes et s'obstinait à prétendre que tout allait bien.

Il l'étudia un long moment, puis soupira.

— Je suppose que ce n'est pas si différent de la façon dont je t'ai traitée après la mort de mes parents.

— Non, effectivement, répondit-elle.

Qu'il aborde le sujet et reconnaisse qu'il n'avait peut-être pas très bien agi vis-à-vis d'elle ne manquait pas de la surprendre.

— S'il n'y avait pas eu notre… histoire, j'aurais sans doute moins mal vécu l'attitude de Javier. Mais j'avais déjà vécu ça et je refusais d'être traitée en enfant qu'il faut à tout prix protéger.

Il approcha alors sa main de la sienne et la lui attrapa, sans qu'elle ait le temps de réagir. C'était une main grande et chaude. Ses doigts étaient râpeux d'années de travail manuel, sur le ranch, dans l'exercice de son métier, sur sa maison. L'espace d'un instant, elle eut envie de s'y agripper très fort et de ne jamais la lâcher.

— Je m'en veux tellement de t'avoir fait du mal, Laura. C'était égoïste et mal de ma part. J'aurais dû remettre notre mariage jusqu'à ce que je surmonte un peu mieux la mort de mes parents.

— Pourquoi as-tu refusé ? Quelques mois auraient peut-être suffi à faire toute la différence.

— Parce que j'aurais dû reconnaître que je n'avais toujours pas fait mon deuil six mois plus tard. J'étais un pompier aguerri, Laura. J'avais affronté des incendies de forêt, des immeubles en flammes. Et je refusais de montrer le moindre signe de faiblesse. C'était… difficile pour moi de reconnaître que les assassins de mes parents avaient totalement chamboulé ma vie. Alors je jouais les bravaches, trop égoïste et immature pour envisager que tu aies raison, que j'avais besoin de plus de temps.

Elle ferma les yeux. Qu'aurait été sa vie si elle avait, malgré ses doutes, épousé Taft ? Peut-être auraient-ils fini par dépasser toutes ces difficultés si elle avait été plus certaine qu'il surmonterait sa rage et son chagrin.

D'un autre côté, même si elle l'avait aimé de tout son cœur, elle aurait été malheureuse dans une union où on refusait de partager l'important avec elle. Ils auraient probablement fini par divorcer, se détestant, avec un ou deux enfants traumatisés pris dans la tourmente.

Il serra ses doigts tout en cherchant son regard. Quelque chose brillait au fond de ses yeux verts, une émotion qu'elle n'arrivait pas à identifier. De toute façon, elle n'était pas sûre d'en avoir envie.

— Je veux que tu saches, murmura-t-il, que la vie a perdu ses couleurs depuis ton départ. Tu m'as manqué, Laura.

Elle le dévisagea, son sang battant follement dans ses veines. Elle ne voulait pas entendre ces mots. Son instinct de survie lui disait de bondir hors du canapé et de s'enfuir à toutes jambes, mais elle se sentit comme paralysée.

— J'aurais dû partir à ta recherche, reprit-il. Le problème, c'est que le temps que je remette assez d'ordre dans mon cerveau pour réfléchir, tu étais mariée et attendais un enfant. Alors, j'ai compris que j'avais laissé échapper ma chance.

— Taft…

Elle ne reconnaissait pas sa voix, un peu rauque, et

n'arrivait pas à rassembler suffisamment ses idées pour ajouter quelque chose.

Il ne lui en laissa pas le temps. Le regard intense, il se pencha sur elle et l'embrassa.

Elle aurait dû le repousser pendant qu'elle en avait encore la force, mais ses membres refusaient de lui obéir, perdue qu'elle était dans la joie d'être de nouveau dans ses bras.

Il l'embrassa doucement, savourant ses lèvres.

— Tu me manques, Laura, murmura-t-il contre sa bouche.

Tu me manques aussi. Tellement...

Ces derniers mots résonnèrent dans sa tête sans qu'elle réussisse à les prononcer. Pas maintenant. Pas déjà.

En cet instant, elle ne pouvait que s'immerger dans la bouleversante tendresse de son baiser qui ressuscitait les sentiments qu'elle avait enfouis au plus profond d'elle-même.

Finalement, alors qu'elle s'abandonnait, submergée par ce puissant flot d'émotions, Taft se fit plus pressant.

Maintenant.

Il fallait s'écarter maintenant, avant que les choses n'aillent trop loin. Mais elle n'en avait pas la force. Réagissant instinctivement à son contact, comme tant de fois par le passé, elle pressa sa bouche contre la sienne.

Pendant un long moment, rien n'exista plus que la force de Taft, sa chaleur, sa bouche ferme et décidée sur la sienne, ses bras qui la tenaient étroitement serrée, sa tendresse qui la berçait.

Sans qu'elle s'en soit rendu compte, il l'avait déplacée. A présent, elle était allongée sur le dos, la tête reposant sur le bras du canapé, et il était étendu sur elle. Les souvenirs de l'époque où ils faisaient l'amour ensemble, corps et âmes mêlés, l'assaillirent.

Elle l'aimait toujours.

La constatation pénétra petit à petit sa conscience, comme de l'eau s'infiltrant insidieusement dans la faille d'un rocher.

Elle aimait Taft et n'avait probablement jamais cessé de l'aimer.

Cette découverte la confondit. Elle avait aimé son mari. Forcément, elle l'avait aimé. Elle ne l'aurait pas épousé si elle n'avait pas cru qu'ils pourraient être heureux ensemble. Bien sûr, il y avait eu sa grossesse inattendue après leur brève histoire, mais elle ne l'avait pas épousé pour cette unique raison, malgré l'intense pression qu'il avait exercée sur elle en ce sens.

Son amour pour Javier n'avait pas été ce sentiment brûlant, profond, entier, qu'elle avait éprouvé pour Taft, mais elle s'était attachée à lui. Au début, tout du moins. Jusqu'à ce que ses infidélités répétées finissent par venir à bout de son affection.

Mais, tout au long des sept années de leur mariage, elle avait toujours conservé à Taft une place dans un coin de son cœur, comprit-elle soudain.

— Nous étions si bien ensemble. Tu te souviens ? demanda-t-il.

Les mots résonnèrent en elle, et des images de leur bonheur passé jaillirent dans son esprit. Dès le début, ils s'étaient parfaitement entendus. Physiquement comme moralement, ils avaient toujours été sur la même longueur d'onde.

— Oui, je me souviens, répondit-elle d'une voix étranglée.

La passion, le bonheur, le chagrin, elle se rappelait

tout. Les souvenirs de son désespoir et de son affreuse solitude après son départ de Pine Gulch la submergèrent telle une vague glacée, douchant son désir avec une cruelle efficacité.

Elle ne pouvait agir ainsi. Pas de nouveau. Pas avec Taft.

Elle l'aimait peut-être encore mais c'était une raison supplémentaire pour fuir ce canapé et leurs enivrants baisers.

Elle le repoussa. Elle avait besoin d'espace, pour reprendre son souffle et réfléchir, pour se rappeler ses bonnes raisons de ne pas se laisser entraîner dans cette voie.

— Je me rappelle tout, dit-elle froidement. Mes souvenirs ne sont pas estompés par le nombre d'aventures que j'aurais eues dans l'intervalle ! Je ne fonctionne pas comme ça, moi...

Il rejeta la tête en arrière comme si elle l'avait frappé.

— Je te l'ai dit, une réputation est vite fabriquée.

— Mais il y a un fond de vérité, tu ne peux le nier.

Là n'était pas la question, elle en avait conscience. La pure et simple vérité était qu'elle avait peur.

Elle l'aimait autant qu'autrefois, peut-être même davantage maintenant qu'elle apprenait à connaître celui qu'il était devenu. Mais elle lui avait offert son cœur une fois, et il s'était enfermé dans son chagrin et sa colère plutôt qu'accepter ce qu'elle avait à lui donner.

Encore, s'il ne s'agissait que d'elle, elle prendrait peut-être le risque. Mais elle devait penser à ses enfants. Alex et Maya s'attachaient déjà à Taft. Et s'il décidait qu'il préférait son existence insouciante et retournait à ses plaisirs sans se préoccuper d'elle ou de ses enfants ? Après tout, il avait déjà agi ainsi.

Son mari aussi avait choisi de satisfaire ses désirs égoïstes plutôt que se consacrer à sa famille, et elle devait se rappeler qu'elle ne serait pas la seule à souffrir si Taft décidait que, finalement, la vie de famille l'assommait. Ses enfants avaient déjà traversé l'épreuve de perdre leur père. Elle devait à tout prix les protéger, eux et l'existence qu'elle essayait de leur créer.

— Je ne veux pas de ça ! dit-elle fermement. Je ne veux pas de toi.

Malgré sa résolution, ses mains tremblaient quand elle les glissa dans la poche de son sweat. Poussant un profond soupir, elle se leva.

— Comme, semble-t-il, la moitié de la population féminine de cette ville, je suis faible en ce qui te concerne et j'en appelle à tes bons sentiments, Taft. Ne m'embrasse plus. Je suis sérieuse. Laisse-nous tranquilles, mes enfants et moi. Nous pouvons avoir des rapports amicaux, mais rien de plus. Nous avons trouvé un endroit où vivre, quelque part où nous pourrons être heureux et envisager l'avenir. Je ne supporterai pas que tu nous fasses souffrir en entrant et en sortant de nos vies selon ton bon plaisir. S'il te plaît, Taft, ne m'oblige pas à te supplier. Retourne à ta vie et laisse-nous en paix.

Les paroles de Laura étaient autant de coups de poignard dans son cœur.

Elle ne voulait pas de lui, c'était d'une limpidité aveuglante.

« Mes enfants et moi avons trouvé un endroit où vivre, quelque part où nous pourrons être heureux et envisager l'avenir. Je ne supporterai pas que tu nous fasses souffrir en entrant et, sortant de nos vies selon ton bon plaisir. »

Comme quelques jours avant leur mariage, elle avait jugé qu'il n'était pas à la hauteur. Une fois de plus.

Il reprit difficilement sa respiration. C'en était trop. Après les épreuves de cette journée qui le laissaient plus abattu que s'il avait descendu des kilomètres de rapides, il n'avait pas la force d'encaisser ce dernier coup du sort.

Et tandis qu'il la contemplait, mince et gracieuse, la vérité l'aveugla. Il l'aimait. Laura et ses enfants étaient tout pour lui. Il les voulait pour toujours près de lui, alors qu'elle souhaitait juste le voir disparaître.

La déception s'empara de lui, brutale comme l'embrasement qui avait failli le terrasser lors d'un incendie de forêt, quand il avait vingt ans. Et, comme cet incendie, sa douleur était violente, crue, incontrôlable.

Il n'y survivrait pas.

Il aurait voulu hurler, lui crier qu'elle se trompait. Il n'était plus le même homme, ne le voyait-elle pas ? Quand elle était partie, il avait tout juste vingt-quatre ans. Il n'était qu'un gamin sans cervelle.

Il lui avait peut-être fallu dix ans pour comprendre mais, à présent, il savait ce qu'il attendait de la vie. Il était prêt à s'engager corps et âme avec elle et ses enfants. Il voulait connaître le bonheur que Trace avait trouvé avec Rebecca. Ce don du ciel qu'il avait autrefois tenu entre ses mains et qu'il avait laissé filer. Jamais le chagrin de l'avoir perdue ne l'avait autant torturé qu'en cet instant précis.

Mais au fond qu'importait qu'il ait changé ? Elle ne voulait pas prendre le risque de souffrir encore par sa faute, et il ne voyait que rétorquer à ça.

Elle avait raison. Il s'était détourné de la chaleur de son amour au moment où il en avait le plus besoin. Il ne pouvait pas plus discuter ce point que changer ce qui avait été.

Comment lui prouver qu'il avait besoin d'elle pour l'aider à devenir celui qu'il désirait être ? Il aurait sacrifié n'importe quoi pour gagner le droit de prendre soin d'elle et de ses enfants, et ne voyait aucun moyen d'y parvenir.

— Laura…, souffla-t-il.

Mais elle secoua la tête.

— Inutile. Je ne suis… tout simplement pas assez forte pour revivre ça.

Sa détresse lui fendit d'autant plus le cœur qu'il savait en être responsable, à cet instant, comme dix ans plus tôt.

Sur un dernier regard, elle sortit en coup de vent de la chambre, le laissant seul.

Il demeura un long moment immobile, essayant de digérer sa défaite dans cette pièce qui paraissait à présent froide et sans vie.

Et maintenant ? Impossible de rester plus longtemps à l'auberge. Elle ne voulait pas de sa présence ici, et il ne supporterait pas de se cantonner à des échanges polis ou à de vagues signes de la main quand il la croiserait à la réception ou dans les couloirs.

Il avait terminé les travaux de menuiserie demandés par Jan. Et sa maison était prête à l'accueillir, mis à part quelques finitions. Il n'avait plus de raison de s'incruster.

Il soupira en sanglotant presque.

Dès le départ, elle n'avait pas voulu de lui à l'hôtel. Elle n'avait fini par tolérer sa présence que sur les instances de sa mère. Eh bien, il allait lui donner satisfaction et déménager, même si l'idée de la quitter, et de quitter Alex et Maya, lui causait une sensation de vide intolérable.

La perdre dix ans auparavant l'avait anéanti. Mais le chagrin causé par la rupture de leurs fiançailles pâlirait certainement comparé à celui qu'il allait éprouver maintenant.

10

— Alors, cette maison ?

Trop occupé à observer un petit garçon de l'âge d'Alex qui dévorait un hamburger au Gulch tout en mitraillant de remarques des parents dont les visages exprimaient une légère nuance de lassitude, Taft entendit à peine la question de son frère.

Des touristes, sans doute, se dit-il, car leurs visages ne lui disaient rien, et il connaissait tous les habitants de Pine Gulch, au moins de vue. La saison touristique ne débuterait vraiment qu'à la mi-mai, quand le printemps serait en pleine éclosion, mais ils rendaient peut-être visite à de la famille puisque c'était aujourd'hui la fête des Mères.

Où étaient-ils descendus ? se demanda-t-il. Cela paraîtrait-il bizarre qu'il s'approche d'eux et mentionne tout naturellement la Cold Creek Inn et son nouveau service de petit déjeuner, qui avait un succès fou ?

Probablement.

Et, si ces gens lui posaient des questions sur la qualité du menu, il devrait bien admettre qu'il n'en savait strictement rien. Il avait emménagé dans sa nouvelle maison la veille du jour où Laura avait commencé à servir les petits déjeuners.

Mais il n'allait pas se mettre à penser à Laura

maintenant. Il avait déjà dépassé son quota journalier environ dix minutes après minuit, en revenant d'une intervention pour un petit accrochage impliquant deux jeunes qui n'emprunteraient plus de sitôt la voiture flambant neuve de leur père.

Et il avait pensé à Laura jusqu'à 1 heure du matin, puis jusqu'à 2 heures, et ainsi de suite…

C'était un gentil petit garçon, pensa-t-il en regardant l'enfant boire une gorgée de soda. Pas si mignon qu'Alex, bien sûr, mais il était de parti pris.

— La maison ? répéta soudain Trace.

L'insistance du ton le fit sursauter, et il reporta son attention sur son frère.

— Elle est bien.

— Seulement bien ? Tu ne pourrais pas manifester un peu plus d'enthousiasme ? Tu as tout de même travaillé dessus tout l'hiver !

— Je suis content que ce soit terminé, répondit-il, espérant couper court à la conversation.

Il n'était pas d'humeur à subir un interrogatoire et, si son frère s'obstinait à le questionner, il réfléchirait à deux fois avant de l'inviter de nouveau à déjeuner. D'habitude, Trace et lui se retrouvaient au Gulch pour boire un verre ou prendre un repas ensemble. Avec la sécurité publique de leur ville, ils avaient un sujet de conversation assez fourni pour ne pas avoir à aborder de thèmes plus intimes.

Mais, depuis ses fiançailles, Trace consacrait à Rebecca et à Gabrielle la plus grande partie de son temps. Et il semblait avoir envie de parler de tout autre chose que de la sécurité à Pine Gulch.

— Je sais quand on me ment, déclara son jumeau d'un ton solennel. Rappelle-toi que je suis un représentant de la loi expérimenté, et ton frère, de surcroît. Je te connais sur le bout des doigts pour avoir passé avec toi trente-quatre ans sur cette terre. Et je vois que tu n'es pas heureux, que tu traînes une tête d'enterrement depuis quinze jours. Rebecca elle-même s'en est aperçue. Que se passe-t-il ?

Il ne se sentait pas de raconter à son frère que Laura lui avait fait un grand trou dans le cœur. Il souffrait de ne pas les voir, elle, Alex et Maya. A cet instant, il aurait donné n'importe quoi pour être assis en face d'eux, avec Maya qui lui sourirait gentiment, et Alex qui jacasserait à qui mieux mieux. Il n'était pas sûr d'avoir envie de partager cet état d'âme avec Trace, et de toute façon il ne trouverait pas les mots pour expliquer son humeur morose.

Cependant, son frère faisait peser sur lui un regard menaçant, et il se força à fournir un semblant de réponse.

— Je suis peut-être fatigué de la routine. Je fais le même travail depuis presque six ans, sans compter les années d'apprentissage. Il est peut-être temps que je change d'air.

— Où irais-tu ?

Il haussa les épaules.

— Je n'en sais rien. Je reçois des offres, de temps en temps. Nevada, Oregon, Alaska, même. Un changement me ferait probablement du bien.

Trace le dévisagea d'un air sceptique.

— Tu viens tout juste de terminer ta maison et tu penses à partir ? Après tout le temps et l'énergie que tu as mis dedans ?

Durant une de ses nuits d'insomnie, Taft en était venu à la triste conclusion que, Laura étant si proche et si lointaine à la fois, continuer à vivre à Pine Gulch lui serait une torture. Elle lui manquait terriblement. Cent fois par jour, il lui prenait l'envie de courir à l'auberge en prétendant qu'il devait s'assurer que le bâtiment répondait aux normes de sécurité en matière d'incendie, ou sous n'importe quel autre prétexte, rien que pour les revoir, elle et ses enfants.

Il avait mieux supporté son absence quand elle se trouvait au bout du monde. La perspective de semaines, de mois, et peut-être même d'années, à l'avoir toute proche, mais toujours inaccessible, dépasserait certainement ses forces.

Cette fois, c'était peut-être à son tour de partir.

— C'est une idée qui me titille depuis un moment, mais jusqu'à présent, elle est restée à l'état de projet.

Avant que Trace ne puisse répondre, Donna Archuleta, la propriétaire du Gulch avec Lou, son mari, leur apporta leur commande.

— Voici pour vous, Chef Bowman.

Elle posa devant Trace son sandwich préféré, au rosbif avec des poivrons verts et des oignons.

— Et pour l'autre Chef Bowman, dit-elle de sa voix éraillée d'ex-fumeuse.

Un pâté de viande accompagné de purée, spécialité de Lou Archuleta, surgit devant lui.

— Merci, Donna, lança son frère.

— Tout le plaisir est pour moi. Alors, les préparatifs de mariage avancent ? lui demanda-t-elle.

Trace se gratta la joue.

— Eh bien, je dois avouer que je m'en tiens le plus possible à l'écart. Mieux vaudrait poser la question à Rebecca.

— Je le ferais si elle daignait passer nous voir de temps en temps. Mais, maintenant qu'elle a ouvert son beau cabinet d'avocat et n'a plus besoin de sa place de serveuse, elle n'a plus de temps à nous consacrer.

Trace secoua la tête tout en adressant un sourire à l'irascible vieille dame.

— Je vous les amènerai, Gabrielle et elle, déjeuner un jour de la semaine. Qu'en dites-vous ?

— Je dis que ça fera l'affaire. Maintenant, mangez pendant que c'est chaud.

Sur ces mots, elle se fondit dans le bruit des couverts qui s'entrechoquaient et le brouhaha des conversations.

Taft avait espéré que l'intermède détournerait Trace de leur conversation, mais en fut pour ses frais.

— Si tu penses qu'aller t'installer ailleurs te ferait vraiment du bien, fonce, reprit son frère. Tu sais que nous te soutiendrons toujours. Tu nous manqueras, mais nous comprendrons.

— Merci, c'est sympa.

Il considérait comme l'un des plus beaux cadeaux que la vie lui ait fait d'avoir trois frères et sœur, qui l'aimaient et se montreraient solidaires en toutes circonstances.

— Nous comprendrons..., répéta Trace. A condition que tu partes pour de bonnes raisons, c'est-à-dire pour découvrir de nouveaux horizons et non pas pour fuir quelque chose.

Lou devait avoir pris un jour de congé parce que le pâté de viande lui parut soudain avoir autant de goût que du papier mâché.

— Que veux-tu que je fuie ?

Trace mordit dans son sandwich et prit le temps de mastiquer et d'avaler avant de répondre, le laissant se tortiller sous la compassion de son regard.

— Peut-être une certaine tenancière d'auberge que je ne nommerai pas.

Comment diable s'y prenait son frère ? Il ne lui avait pas parlé de Laura ces quinze derniers jours, et pourtant Trace avait deviné la profondeur de ses sentiments, peut-être même avant lui. C'était un de ces curieux phénomènes qui se produisaient entre jumeaux, supposa-t-il. Il avait su, la première fois qu'il avait rencontré Rebecca, dans ce restaurant, que Trace était déjà fou d'elle.

Une seule solution pour s'en sortir : feindre.

— Tu veux parler de Laura ? Mais c'est de l'histoire ancienne !

— En es-tu sûr ?

Il se força à rire.

— Complètement sûr ! Au cas où tu ne l'aurais pas remarqué, nous avons rompu nos fiançailles il y a dix ans.

— Je suis suffisamment observateur pour remarquer.

Trace le gratifia d'un regard pénétrant.

— En parlant d'être observateur, reprit-il, j'ai aussi un réseau actif d'informateurs. Et le bruit m'est revenu aux oreilles que tu n'avais pratiquement pas mis les pieds au Bandito du mois, c'est-à-dire à peu près depuis que Laura Santiago s'est installée en ville avec ses enfants.

— Tu me surveilles ?

— Disons plutôt que je suis submergé de questions par certains membres de la communauté féminine de Pine Gulch qui se demandent où tu as bien pu passer ces derniers temps.

Taft prit de la purée sur sa fourchette et la porta à ses lèvres, mais la trouva aussi insipide que le pâté.

— J'ai été occupé.

— Oui, oui. Par les travaux à l'auberge, si j'ai bien compris.

— J'ai terminé ma partie.

Il n'avait plus d'excuse pour s'attarder à Cold Creek Inn. Plus de raisons d'apprendre à Alex à se servir d'outils électriques, d'écouter Maya lui raconter des histoires dans un langage dont il ne comprenait pas la moitié, ou de regarder Laura faire éclore l'auberge dont elle avait tant rêvé.

Vraiment, il n'était pas certain de pouvoir rester à Pine Gulch à regarder Laura s'épanouir, travaillant dur à l'auberge, se faisant des amis, allant de l'avant.

Tout cela sans lui.

— Quand j'ai appris que tu t'étais installé à l'hôtel pour aider Laura et sa mère à effectuer des travaux, j'ai cru qu'elle et toi repartiez sur de nouvelles bases. Je suppose que je me suis trompé ?

Une autre raison pour laquelle il devait fuir cette ville. Sa famille et la moitié des habitants de Pine Gulch devaient les observer pour tenter de savoir s'ils reprendraient leur histoire là où elle en était restée.

— Laura n'en a aucune envie. Fiche-lui la paix, Trace. Il n'y a même pas un an qu'elle a perdu son mari. Ses enfants et elle se reconstruisent une existence à Pine Gulch. Elle a de grands projets pour l'auberge et, pour le moment, elle ne veut songer qu'à ça et au bien-être de ses enfants.

Sa voix dut trahir sa tristesse et tout ce qu'il cherchait à cacher, car son frère posa sur lui un regard plein de douceur.

Il se préparait à faire une plaisanterie stupide pour chasser cette expression quand sa radio ainsi que celle de Trace se mirent à crépiter avec un bel ensemble.

— A tous les membres des services de sécurité présents dans les parages. Appel d'urgence. Deux enfants manquants dans le secteur de Cold Creek Inn. Peut-être tombés à l'eau.

Il eut la sensation que son cœur s'arrêtait de battre.

Le secteur de Cold Creek Inn.

Alex. Maya.

Un goût de bile lui emplit la bouche. Mais l'heure n'était pas aux atermoiements, il fallait agir.

Sans même prendre la peine d'échanger un regard, Trace et lui se précipitèrent hors du restaurant, bondirent dans leurs véhicules et démarrèrent dans un hurlement de pneus.

Par radio, il prit contact avec la caserne.

— Ici, le capitaine Bowman. Que tous les hommes de la brigade commencent à passer la rivière au peigne fin !

— Bien, monsieur.

Le cœur battant à tout rompre, gyrophare actionné et sirène hurlante, il parcourut à toute allure la courte distance qui le séparait de l'auberge.

Une boule de terreur lui glaçait le ventre. Les enfants de Laura ne pouvaient pas mourir. Ce serait un horrible déchirement pour elle. Serrant les dents, il se força à repousser l'effrayante hypothèse.

Il arriva à l'auberge un dixième de seconde avant Trace et jaillit hors de son véhicule sans prendre la peine de couper le moteur. Il courut vers un groupe de personnes rassemblées auprès de la rivière aux flots bouillonnants.

Deux personnes retenaient Laura. Sa mère et un inconnu. En larmes, elle essayait de leur échapper pour se précipiter dans le courant.

— Laura, que s'est-il passé ?

Elle posa d'abord sur lui un regard aveugle, ses yeux immenses et pleins d'angoisse, puis elle le reconnut, et ses traits s'affaissèrent.

— Taft, mes enfants, lâcha-t-elle en sanglotant.

C'était le cri de douleur le plus bouleversant qu'il ait jamais entendu.

— Je dois aller les chercher ! cria-t-elle. Pourquoi ne me laisse-t-on pas aller les chercher ?

Le visage rougi et marbré par les larmes, Jan, qui maintenait toujours Laura, semblait tout aussi hystérique. Il était inutile d'espérer en tirer quelque chose.

Derrière elles, il voyait la rivière couler, haute et tumultueuse, et Lucky Lou qui courait le long de la berge en aboyant furieusement.

— Laura, reprends tes esprits, je t'en conjure, lui dit-il.

Alors que tout en lui criait que la situation était urgente, il se força à adopter un ton apaisant. C'était la seule manière d'atteindre Laura.

— S'il te plaît, chérie, c'est important. Pourquoi penses-tu qu'ils sont dans la rivière ? Qu'est-il arrivé ?

Elle prit sa respiration, faisant un visible effort sur elle-même pour se dominer, et il l'aima encore plus en cet instant où elle faisait montre d'un tel courage.

— Ils étaient là, juste là. Ils jouaient avec Lucky. Ils savaient qu'ils avaient interdiction de s'approcher de la rivière, je le leur avais dit et répété. J'étais en train de planter des fleurs et je gardais un œil sur eux. Et puis j'ai passé le coin de l'auberge pour aller chercher une caissette de plants. J'en ai eu peut-être pour trente secondes. Quand je suis revenue, le chien courait le long de la berge, et ils… ils avaient… disparu.

Le dernier mot prononcé dans un sanglot lui déchira le cœur.

— Il y a combien de temps ?

L'étranger intervint.

— Trois minutes, peut-être quatre. Je me garais sur le parking quand je l'ai vue s'élancer vers la rivière en hurlant quelque chose à propos de ses enfants. Je l'ai empêchée de sauter et j'ai appelé les secours.

Il remercierait cet homme plus tard. Pour l'heure, il n'y avait pas une seconde à perdre.

— Laura, promets-moi de rester ici. Tu ne les retrouveras pas en sautant dans l'eau et tu compliqueras les recherches. Le courant est trop fort. Reste ici, je te les ramènerai. Promets-moi.

Devant la terrible angoisse qui tordait les traits de Laura, il éprouva l'envie de la réconforter, mais il n'en avait pas le temps.

— Promets ! ordonna-t-il.

En hochant la tête, elle se laissa aller contre Jan et l'inconnu. Puis, s'effondrant à genoux dans la boue, elle agrippa la jupe de sa mère.

Il rebroussa chemin en courant vers son véhicule, hurlant ses ordres dans la radio tout en délimitant un périmètre de recherche pour l'équipe de sauvetage. Il régla les détails logistiques et ordonna à son second de diriger les opérations de quadrillage. Puis il évalua la profondeur de l'eau, la vitesse du courant et l'itinéraire de la rivière.

Il essayait de calculer combien de temps les enfants avaient pu flotter. Sans instrument de mesure, c'était pure approximation, mais il avait vécu toute sa vie le long de la Cold Creek et il en connaissait par cœur les humeurs et les caprices. Avec leurs amis, Trace et lui y pêchaient la truite arc-en-ciel, et il avait circulé en kayak sur ses eaux, même en période de crue.

Quelque chose le poussait à se diriger vers Saddleback Road. Vision, conseil d'un ange gardien ou déduction inconsciente, il l'ignorait, mais une image se formait clairement dans sa tête d'un endroit particulier où la rivière ralentissait légèrement pour former une boucle naturelle et se divisait en deux canaux qui finissaient par se rejoindre. Il devait s'y rendre de toute urgence.

C'était une idée complètement folle, et il ne pouvait que prier pour ne pas se tromper.

— Où es-tu ? lui demanda Trace dans sa radio.

— Je fonce à Saddleback, répondit-il d'une voix déformée par l'angoisse. Je commence les recherches à partir de là. Envoie-moi des hommes.

— Ne fais pas l'idiot, vieux.

Quand il atteignit le lieu qui semblait imprimé dans son esprit sans qu'il ait aucune explication logique au phénomène, il sauta à bas de son véhicule et ne s'arrêta que le temps de sortir son matériel de sauvetage du coffre. Puis il courut à la berge et scruta les eaux en amont et en aval à la recherche d'un signe de vie.

Petite chance dans son malheur : à cette époque de l'année, le courant était fort et l'eau froide car elle descendait des montagnes, mais la rivière n'était pas encore à son maximum de violence. Elle le serait dans quelques semaines quand le temps se réchaufferait nettement.

Il plissa les paupières en fouillant désespérément du regard le paysage quand une nouvelle image se forma dans son esprit, lui montrant le bord d'un des chenaux, à environ vingt mètres en amont. Il trouvait fou de suivre une vague intuition, mais c'était la seule piste dont il disposait.

Remontant la berge en courant, il aperçut l'île marécageuse formée par les deux bras de la rivière. Deux gros pins lui masquaient en partie la vue, mais son cœur bondit quand il crut apercevoir une tache rose.

Il chercha un meilleur angle de vue et, soudain, tout en lui se glaça.

Deux petites têtes brunes oscillaient dans l'enchevêtrement des branches d'un arbre à demi immergé et coincé entre deux rochers. Les enfants s'agrippaient-ils au tronc ? Ou celui-ci retenait-il leurs corps inertes ?

Il prit sa radio et se rapprocha tout en parlant.

— Ici, Chef Bowman. Je les ai repérés, vingt mètres à l'est de l'endroit où est garé mon pick-up sur Saddleback Road. Il me faut l'équipe nautique et l'ambulance.

Mais il n'allait pas rester inactif en attendant les renforts qui mettraient peut-être dix minutes à arriver. Dix minutes, c'était toute la différence entre la vie et la mort. Il ne savait pas si les enfants respiraient encore et ne voulait même pas envisager une autre possibilité. Mais, s'ils ne respiraient pas, ce laps de temps avant d'entreprendre la réanimation pouvait faire pencher la balance du mauvais côté.

Et puis la rivière était une créature capricieuse et vindicative. Le courant pouvait à tout moment les entraîner, et il ne prendrait pas le risque qu'ils lui échappent.

Ce qu'il s'apprêtait à faire était interdit par le protocole, c'est-à-dire précisément ce qu'il avait enseigné à ses hommes à ne *jamais* faire, sous aucun prétexte. Se lancer seul dans une opération de sauvetage était potentiellement fatal et accroissait significativement les risques pour tous les hommes impliqués.

Mais au diable le protocole ! Il devait atteindre tout de suite les enfants de Laura.

Cela aurait été plus confortable en combinaison de plongée, mais il n'avait pas le temps de la passer. Il courut le long de la berge vers un tronc d'arbre tombé qui formait un pont vers l'île. En un rien de temps il atterrit sur celle-ci et s'élança vers les enfants. Quand il appela, il crut voir une des têtes se soulever.

— Alex ! Maya ! Vous m'entendez ?

Cette fois encore, il lui sembla déceler un mouvement, mais sans pouvoir l'affirmer. Et, comme il leur serait impossible d'attraper la corde flottante, il allait devoir aller les chercher.

S'il calculait bien et entrait au bon endroit dans le courant, celui-ci l'entraînerait directement vers eux. Mais il faudrait vraiment bien calculer pour que le premier rocher le bloque et que son poids ne déloge pas le tronc, expédiant les enfants dans le courant.

Il attacha la corde de sécurité à un solide tronc de peuplier, l'autre extrémité autour de sa taille et il plongea dans l'eau. Elle lui arrivait à la poitrine et elle était si glacée qu'il sentit ses muscles se contracter douloureusement. Il poursuivit néanmoins sa progression vers les enfants, luttant comme il pouvait contre le courant.

Ce fut inutile.

Après seulement quelques pas, il sentit le sol fuir sous ses pieds. Il dut rassembler toutes ses forces pour diriger ses pieds vers l'aval, de manière qu'ils heurtent en premier tout obstacle éventuel. La dernière chose à souhaiter serait qu'il s'assomme.

Il avait mal jugé le courant car il atterrit légèrement

à gauche du rocher. Tandis qu'il bloquait ses pieds engourdis sur le second rocher afin d'arrêter son élan, une branche de l'arbre mort entailla son front de sa puissante griffe. Sans se soucier de la douleur, une main après l'autre, il se fraya un chemin vers les enfants, priant ardemment pour ne pas déloger le tronc.

— Alex, Maya, c'est Chef Bowman.

Il continua de les appeler, mais seul Alex semblait bouger. Quand il arriva à son niveau, le petit garçon ouvrit un œil, puis le referma, à bout de forces.

Il avait un bras passé autour de sa sœur : le visage de Maya baignait dans l'eau. Rassemblant ses forces, Taft la retourna, et un goût de cendre lui emplit la bouche. Les yeux de la petite fille regardaient dans le vide, et son visage demeurait immobile et sans vie.

Il pratiqua alternativement la respiration artificielle sur les deux enfants tout en travaillant aussi vite que le lui permettaient ses mains engourdies à les attacher à lui. Pourquoi l'équipe d'intervention n'arrivait-elle pas ?

Faire traverser à Maya et Alex le bras de rivière serait extrêmement périlleux. Mais, avec un regain de détermination et, probablement, l'aide des anges gardiens qu'il soupçonnait de veiller sur ces enfants, il se propulsa, une main après l'autre, le long du tronc glissant de mousse. Toutes les dix secondes, il s'arrêtait pour pratiquer le bouche-à-bouche sur les enfants.

Et il réussit l'exploit. Il atteignit la berge !

Complètement épuisé par sa lutte contre le courant, il entendit alors des cris et des appels et sentit des bras le hisser sur la terre ferme. On lui détachait les enfants.

— Chef ! comment diable avez-vous fait pour les dénicher ? s'exclama Luke Orosco, qui contemplait la scène d'un œil incrédule.

Il ne pouvait expliquer ce qui l'avait amené là. Miracle ou intuition, peu lui importait. Il était urgent de secourir les enfants, qui demeuraient inanimés, encore qu'il lui parût qu'Alex respirait tout seul.

Voyant que l'équipe se chargeait du petit garçon, il se tourna vers Maya et prit la direction des opérations.

— Maya ? Allons, allons, reviens, ma puce. Il va falloir respirer, chérie.

Se penchant sur l'enfant, il la plaça en position latérale de sécurité, presque à plat ventre, un genou remonté pour drainer le maximum d'eau possible de ses poumons. Il entendit Alex tousser en crachant de l'eau, mais Maya demeurait inerte.

— Reviens, Maya !

Il la retourna et recommença à pratiquer la respiration artificielle en se forçant à éloigner ses émotions et la pensée que Laura se laisserait mourir s'il ne ramenait pas son enfant à la vie. Il s'acharnait, repoussant sans ménagement les membres de l'équipe qui proposaient de le relayer.

Elle était restée dans l'eau si longtemps qu'il craignait que tous ses efforts ne se révèlent vains. Mais, alors que le désespoir commençait à planter ses griffes dans son cœur, il sentit chez elle un subtil changement. Un léger mouvement, une ébauche de respiration. Et soudain la petite fille toussa. Il la tourna alors sur le côté, et elle vomit des torrents d'eau.

Nouveau miracle, un peu de rose remplaça sa pâleur de cire. Puis elle poussa un cri rauque. Il l'enveloppa alors dans une couverture que lui tendait un de ses hommes.

— Oxygène ! cria-t-il.

Maya continuait de pleurer doucement, et il n'arrivait pas à se résoudre à desserrer son étreinte.

— Beau travail, Chef !

Il fut vaguement conscient qu'on l'applaudissait et lui tapait dans le dos, et que l'exultation qui suivait toujours un sauvetage réussi gagnait les membres de l'équipe. Mais il ne parvenait à se concentrer sur rien d'autre que Maya.

— Prêt à ce que nous la chargions dans l'ambulance ? s'enquit Tom.

Il ne voulait pas la lâcher, mais elle avait besoin de soins plus poussés que le traitement de base qu'ils pouvaient lui donner. A cause du manque prolongé d'oxygène, il demeurait un risque de lésion cérébrale. Pourvu que le froid de l'eau l'ait protégée de cette éventualité, pria-t-il.

— Oui. Il faut l'hospitaliser.

Quand elle fut allongée sur une civière, il se retourna. Alex était également prêt à être chargé dans l'ambulance. A présent conscient, le petit garçon observait avec intérêt l'activité qui se déployait autour de lui. Quand Taft approcha, il esquissa un pauvre sourire.

— Vous nous avez sauvés, Chef, dit-il d'une voix enrouée, lointaine. Je savais que vous viendriez.

Taft prit la main d'Alex et la serra, bouleversé par cette marque d'absolue confiance.

— Que s'est-il passé, Alex ? Vous aviez interdiction de vous approcher de la rivière.

— Je sais. Et nous restons toujours à l'écart. Mais Lucky Lou a couru vers la rivière, et Maya l'a suivi. J'ai couru derrière eux pour ramener Maya, mais elle a cru à un jeu. Elle riait comme une folle et, d'un seul coup, elle a glissé et est tombée à l'eau. Je ne savais pas quoi faire. J'ai pensé… j'ai pensé que je pouvais la rattraper. Je sais nager, mais l'eau allait si vite…

Comme le petit garçon se mettait à pleurer, il le prit dans ses bras et le serra contre lui. C'était un brave petit bonhomme qui avait fait son possible pour protéger sa sœur.

Taft sentit des larmes lui piquer les paupières, émotion ou contrecoup, il ne savait pas. Mais il était profondément reconnaissant aux anges gardiens qui avaient participé au sauvetage.

— Tu es en sécurité, maintenant. Ça va aller.

— Et Maya ? Comment va-t-elle ?

Il craignait de n'avoir pas la réponse à cette question.

— On l'emmène à l'hôpital pour la soigner. Et tu vas être aussi du voyage.

Taft vit alors une voiture de police s'arrêter brutalement. Son frère en descendit, et le passager jaillit par l'autre portière.

Laura.

Elle se tint quelques instants à côté du véhicule, comme si elle ne croyait pas à la réalité de la scène, puis courut vers eux. Un instant plus tard, elle prenait Alex dans ses bras et le serrait à l'étouffer.

— Oh ! mon amour ! dit-elle dans un sanglot. Tu vas bien ? Vraiment bien ? Et Maya ?

Soulevant Alex avec un bras, elle courut vers l'ambulance et prit Maya dans son autre bras.

— Désolé, madame. Mais nous devons transporter ces enfants à la clinique, dit Tom d'un ton ferme, quoique plein de sympathie. Ils sont en état de choc et sans doute en hypothermie.

— Oh ! bien sûr…

Elle pâlit. Bien que sortis de l'eau, ses enfants n'étaient pas totalement tirés d'affaire.

— Ils vont s'en sortir, Laura, lui dit Taft en s'approchant d'elle.

Il l'espérait de tout son cœur, mais entretenait des craintes sur l'état de santé de Maya.

Elle leva les yeux sur lui et parut le voir pour la première fois.

— Tu saignes, dit-elle.

Vraiment ? Sans doute la branche qu'il avait heurtée en essayant d'atteindre les enfants. Soutenu par un afflux d'adrénaline, il n'y avait pas pris garde mais, à présent, il sentait la douleur.

— Une coupure sans gravité.

— Et tu es trempé.

— Chef Bowman nous a sortis de l'eau, maman, annonça Alex d'une petite voix. Il a attaché une corde à un arbre et il est arrivé jusqu'à nous. C'est ce que j'aurais dû faire pour rattraper Maya.

Elle regarda son fils, Taft, les flots qui grondaient et la corde encore attachée au peuplier.

— Tu les as sauvés, dit-elle.

— J'avais promis de te les ramener.

— Tu l'as fait.

Il rougit, embarrassé par la gratitude qu'il lisait dans son regard. S'était-elle imaginé qu'il laisserait ses enfants se noyer ? Il les aimait. Il aurait volé à leur secours quelles que soient les circonstances.

— Au mépris de toutes les règles de sécurité, intervint Luke.

Il eut envie de le frapper de se montrer si bavard.

— Je m'en moque ! dit-elle. Oh ! Taft, merci, merci !

Elle l'étreignit avec emportement, Alex encore dans

les bras, et il referma ses bras sur eux en frissonnant. Il ne supportait pas de penser à ce qui aurait pu arriver. S'il avait dépassé l'endroit et les avait manqués. S'il n'avait pas été si proche, juste au Gulch, quand l'appel était arrivé. Cent petits miracles s'étaient combinés pour rendre possible le sauvetage.

Finalement Luke s'éclaircit la gorge.

— Doc Dalton nous attend. Maintenant, il faut y aller.

Elle le lâcha, et il vit ses yeux rougis et pleins de larmes.

— Oui, allons-y, dit-elle.

— Vous pouvez monter avec eux dans l'ambulance, dit Luke à Laura.

Sans plus le regarder, elle s'installa près de ses enfants. Il n'y avait pas de place pour lui, de toute façon. Bien sûr, il aurait pu insister pour les accompagner en tant que personnel médical formé aux urgences. Mais Laura et ses enfants formaient une famille, et il n'en faisait pas partie. Elle le lui avait clairement fait comprendre. Il devrait toujours rester à la périphérie de leurs vies. C'était ainsi que le voulait Laura, et il ne voyait pas comment la faire changer d'avis.

Il regarda les portes de l'ambulance se refermer, comme pour symboliser la coupure qui existait entre eux. Cody Shepherd se mit au volant, et le véhicule quitta les lieux.

Tandis qu'il les regardait s'éloigner, il fut vaguement conscient que Trace s'approchait de lui et, posant une main sur son épaule, lui offrait son soutien muet. Encore une histoire de jumeaux. Trace devait avoir compris son désarroi alors qu'il se séparait de ceux qu'il voulait pour famille.

— Spectaculaire sauvetage, dit Trace. Mais c'est un miracle que vous n'ayez pas été tous les trois engloutis.

— Je sais.

L'adrénaline qui l'avait porté tout le temps de l'action s'estompait peu à peu, le laissant brisé.

— Pour ta gouverne, tu recommences ça, et Ridge et moi attachons ce qui reste de toi derrière un de nos chevaux.

— Avais-je le choix ? Je savais que le tronc auquel ils se cramponnaient ne résisterait pas longtemps à la violence du courant. A chaque instant, ils risquaient d'être emportés, et je n'aurais pas eu une seconde chance. Imagine que Destry ou Gabrielle se soient trouvées dans la même situation. Tu aurais fait pareil.

Trace demeura quelques instants silencieux, puis grommela :

— Probablement. Ce qui ne veut pas dire que j'aurais eu raison.

A ce moment, Terry McNeil approcha, une trousse d'urgence à la main.

— A votre tour, Chef.

Il avait probablement besoin d'un ou deux points de suture à en juger par le sang qu'il perdait, mais il n'avait aucune envie de se retrouver à la clinique face à Laura, pour se voir rappeler encore une fois ce qu'il perdait.

— Je vais m'en occuper, dit-il.

— Vous êtes sûr ? La blessure paraît profonde.

Comme il fixait Terry sans un mot, celui-ci finit par hausser les épaules.

— Comme vous voudrez. Mais nettoyez bien à fond. Qui sait quelles bactéries infestent ces eaux.

— De toute façon, je rentre chez moi me changer. Je désinfecterai la plaie là-bas.

Il aurait dû jubiler après cet exploit, et une part de lui-même en était fière, bien sûr. Seulement, il était complètement épuisé, physiquement et mentalement. Il ne rêvait que de rentrer chez lui et de dormir.

— Ne faites pas l'idiot, ajouta Terry.

Il aurait bien répondu que c'était trop tard. Il s'était conduit en idiot dix ans plus tôt, quand il avait laissé Laura le quitter. Il avait tenu le bonheur dans ses mains et l'avait laissé filer comme ces chatons de peuplier emportés par le flot.

Laura avait beau être revenue, jamais plus elle ne serait sienne. Et la douleur que lui causait cette certitude était mille fois plus terrible que celle infligée par les arbres morts, les rochers et le courant impétueux de la Cold Creek.

11

Elle avait été à deux doigts de tout perdre.

Des heures après le miraculeux sauvetage de ses enfants, Laura ressentait encore des élancements nerveux, et une crispation intérieure l'empêchait de se détendre.

Elle ne supportait pas d'imaginer ce qui aurait pu arriver.

Sans Taft et son fol héroïsme, elle se préparerait peut-être à assister à deux enterrements au lieu d'être assise sur le bord de son lit à contempler ses enfants endormis. Maya suçait son pouce, ce qui ne lui était pas arrivé depuis longtemps, tandis qu'Alex dormait, un bras passé autour de son chien bien-aimé, allongé contre lui.

Une violation pure et simple de la règle qu'elle avait établie quand, cédant aux supplications de son fils, elle avait autorisé l'adoption de Lucky Lou.

« Je ne veux pas voir de chien sur le lit », avait-elle dit. Pourtant, ce soir, considérant que la situation méritait bien exception, elle avait fait une entorse à la règle.

Elle n'avait pas voulu quitter ses enfants des yeux, même pas à l'heure du coucher. Et, comme elle ne pouvait les surveiller tous les deux dans leurs lits, elle avait décidé de rapatrier exceptionnellement tout le monde dans le sien. Elle ne savait pas trop où elle allait dormir, peut-être devrait-elle se coucher en travers du lit, au pied de ses enfants, mais de toute façon le sommeil serait long à venir.

Elle aurait pourtant dû être épuisée. Après le sauvetage, ils avaient passé plusieurs heures à la clinique, jusqu'au moment où le Dr Dalton et sa femme, Maggie, avaient déclaré les enfants suffisamment solides pour rentrer chez eux.

Le Dr Dalton avait d'abord voulu les envoyer passer la nuit à l'hôpital d'Idaho Falls, en observation, mais après quelques heures de repos Maya sautait sur son lit tel un petit singe, et Alex ne cessait de jacasser d'une voix enrouée.

— Vous pouvez les amener chez vous, avait dit avec réticence le Dr Dalton, à condition de les surveiller étroitement. Appelez-moi à la moindre modification de la respiration ou au moindre changement de comportement.

Elle était si heureuse d'avoir ses enfants auprès d'elle, sains et saufs, qu'elle aurait accepté n'importe quoi.

Chaque fois qu'elle pensait à ce qui aurait pu se produire si Taft n'avait réussi à les localiser, l'effroi lui broyait le cœur, et elle serrait ses bras contre elle le temps de reprendre contenance.

Elle n'oublierait jamais ce moment où elle avait jailli de la voiture de police de Trace et vu Taft trempé des pieds à la tête, le visage couvert de sang, serrant son fils contre lui. Quelque chose avait remué en elle, quelque chose de si profond, de si vital, qu'elle avait repoussé la sensation pour l'analyser plus tard, quand elle en aurait le temps.

Elle fut presque soulagée quand un rai de lumière

passant sous la porte annonça l'arrivée de sa mère. Jan entra et vint s'asseoir près d'elle sur le lit. Elle paraissait soudain plus âgée. Les rides qui marquaient le coin de ses yeux et encadraient sa bouche semblaient plus profondes.

— Ils sont si tranquilles quand ils dorment, murmura sa mère en contemplant ses petits-enfants.

Laura sentit alors un élan d'amour pour elle la soulever. Sa mère l'avait constamment soutenue durant son malheureux mariage. Même si elle n'était pas entrée auprès d'elle dans les détails de sa vie avec Javier — elle n'y arrivait toujours pas —, elle avait toujours pu lui téléphoner ou échanger des e-mails avec elle, y puisant du réconfort.

Sa mère n'avait pourtant pas eu la vie facile. Elle avait subi trois fausses couches avant sa naissance, et deux par la suite. Quand Laura était adolescente, elle avait souvent senti peser sur elle le fait d'être la seule survivante de six grossesses. Et elle espérait vivement être la fille que sa mère désirait.

— Ils sont tranquilles, répondit-elle d'une voix très basse, afin de ne pas réveiller ses enfants, encore qu'elle ait le sentiment que même la fanfare de l'école ne les aurait pas tirés du sommeil après ce qu'ils avaient enduré au cours de la journée.

— Difficile de croire en les voyant dormir comme de petits anges qu'ils peuvent se fourrer dans les pires ennuis le jour, n'est-ce pas ? ajouta-t-elle.

— J'aurais dû faire poser une clôture le long de la rivière depuis longtemps, dit sa mère d'un ton coupable.

Laura secoua la tête.

— Tu n'es en rien responsable, maman ! J'aurais dû me rappeler de ne pas les quitter des yeux une seule seconde. Ils sont juste trop doués pour se mettre dans le pétrin.

— Si Taft n'avait pas été là…

Elle serra la main de sa mère, toujours solide à soixante-dix ans.

— Je sais. Mais il était là.

Et il avait fait preuve d'un grand courage en se jetant à l'eau sans attendre l'équipe d'intervention. Le personnel médical n'avait cessé d'en parler durant le trajet en ambulance.

— Ecoute, tout le monde va bien, dit-elle. Le Dr Dalton a dit qu'il n'y avait pas de séquelles. Ils risquent juste des ennuis intestinaux pour avoir avalé beaucoup d'eau de rivière. Il faudra surveiller d'éventuels maux de ventre, c'est tout.

— C'est peu de chose. Ils sont là, c'est le principal.

Sa mère contempla les enfants un long moment, puis tourna vers elle un regard soucieux.

— Tu te demandes sans doute pourquoi tu es revenue. Avec tous les ennuis que nous avons eus depuis ton arrivée, je parie que tu te dis que tu aurais mieux fait de rester à Madrid.

— Je ne voudrais pour rien au monde être ailleurs qu'ici, maman. Je continue de penser que revenir m'installer à Pine Gulch était une bonne décision.

— Même si ça t'oblige à revoir Taft ?

Elle s'agita sous le regard inquisiteur de sa mère.

— Pourquoi est-ce que ça m'ennuierait ?

— Je ne sais pas. Votre passé, je suppose.

— Ce passé ne t'a pas empêchée de l'inviter à venir vivre à l'auberge pendant des semaines !

— Ne crois pas que je n'ai pas remarqué ton petit manège pour l'éviter. Tu prétends que les choses se sont terminées amicalement entre vous, mais je n'en suis pas convaincue. Tu éprouves toujours des sentiments pour lui, n'est-ce pas ?

Elle s'apprêta à lui donner sa réponse standard. *Notre histoire remonte à des années. Nous avons tous les deux changé et poursuivi notre route.*

Mais peut-être parce qu'elle venait de frôler le drame, elle ne put se résoudre à mentir à sa mère.

— Oui, avoua-t-elle. Je l'aime depuis l'adolescence. Et je ne peux cesser de l'aimer.

— Pourquoi le devrais-tu ? Ce garçon tient toujours à toi. Je l'ai compris dès le premier jour, quand il est venu proposer de nous aider pour les travaux de rénovation. Il a sauté dans la rivière et risqué sa vie pour sauver tes enfants. Cela devrait te renseigner sur la profondeur de ses sentiments.

Elle songea à toutes les raisons avancées pour se persuader de ne pas laisser Taft rentrer dans sa vie. Au regard des derniers événements, aucune ne pesait lourd dans la balance.

— C'est compliqué, dit-elle seulement, peu désireuse d'entrer dans les détails avec sa mère.

— La vie est compliquée, chérie. Difficile, cruelle, épuisante. Et merveilleuse aussi. Encore plus si tu la partages avec un homme juste et bon.

Laura pensa à son père, un homme gentil, compatissant, drôle et généreux. Le meilleur homme de la terre. Le genre d'homme qui ouvrait les portes de son établissement pour trois fois rien, et quelquefois pour rien du tout, aux gens qui n'avaient nulle part où aller.

En cet instant, elle aurait donné n'importe quoi pour qu'il soit là, contemplant ses enfants avec sa mère et elle.

Mais peut-être les regardait-il, se dit-elle avec un

frisson. Ses enfants auraient dû mourir dans les eaux gonflées de la Cold Creek. Qu'ils aient survécu était un miracle. Comme si une force supérieure avait aidé Taft à mener sa mission à bien.

Son père lui manquait terriblement. Il aimait bien Taft et l'avait considéré comme le fils qu'il n'avait pas eu. Ses parents avaient été bouleversés par la rupture de leurs fiançailles, mais son père n'avait jamais cherché à en connaître les raisons.

— Pendant que tu étais à la clinique, cet après-midi, reprit sa mère après quelques instants, j'étais agitée, désemparée, et j'ai eu besoin de m'occuper en vous attendant. Alors, j'ai fait une tarte aux pommes cara-mélisées. Tu ne te souviens peut-être pas, mais c'était la tarte préférée de Taft.

Il avait un faible pour les pâtisseries, elle s'en souve-nait très bien.

— C'est un piètre remerciement pour m'avoir rendu mes petits-enfants, ce sera en attendant que je trouve mieux. J'allais la lui apporter. A moins que tu ne veuilles t'en charger…

Laura regarda ses enfants endormis, puis sa mère, qui essayait d'avoir l'air naturelle. Elle devinait sans peine ses intentions : les rapprocher, Taft et elle. Et c'était sans doute dans ce but qu'elle avait accepté qu'il vienne habiter à l'auberge sous prétexte de travaux de menuiserie à effectuer.

Sa mère pouvait se montrer intrigante. Peut-être cherchait-elle un moyen de les retenir, ses enfants et elle, à Pine Gulch. Ou bien jouait-elle les entremetteuses parce qu'elle avait deviné que son mariage avec Javier n'avait pas été heureux et qu'elle voulait un avenir différent pour sa fille.

Ou peut-être simplement aimait-elle Taft.

Quelles que soient les raisons de sa mère, Laura avait une décision cruciale à prendre : apporter à Taft la tarte en modeste témoignage de leur immense gratitude, ou bien déjouer les plans de sa mère et insister pour rester ici avec les enfants.

Son instinct lui commandait d'éviter de revoir Taft aussi vite, alors qu'elle se trouvait encore sous le coup de puissantes émotions. Ses défenses étaient probablement au plus bas. S'il l'embrassait de nouveau, elle n'était pas du tout sûre d'avoir le courage de lui résister.

Elle grimaça. Agir ainsi serait le comble de la lâcheté. Elle devait aller trouver Taft, ne serait-ce que pour lui exprimer, à présent qu'elle avait recouvré un peu de sang-froid, son immense gratitude.

— Je vais y aller, maman.

— Es-tu sûre de toi ?

— Oui, je dois le faire, tu as raison. Peux-tu veiller sur Alex et Maya ?

— Je ne bouge pas d'ici, promit sa mère. Je vais m'asseoir près d'eux et travailler à mon crochet.

— Tu n'es pas obligée de rester là, tu sais. Tu peux t'installer dans la salle de séjour et venir les voir à intervalles réguliers.

— Je reste ici. Entre Lou et moi, ils seront sous bonne garde.

C'était une belle soirée, inhabituellement chaude pour la saison. Elle traversa la ville en voiture, fenêtres ouvertes, savourant le spectacle et les bruits de Pine Gulch qui se préparait pour la nuit. Comme on était vendredi, le cinéma de plein air pullulait de voitures.

Des adolescents traînaient, attendant impatiemment la fin de l'année scolaire, de jeunes parents achetaient des hamburgers, des seniors offraient des cônes glacés à leurs petits-enfants. Les fleurs des jardinières installées le long de Main Street commençaient à fleurir, et partout la nature reprenait ses droits. Le printemps était une belle saison en Idaho. Après les inévitables rigueurs de l'hiver, elle débordait de vie et d'espoir.

Laura avait l'impression de participer à cette renaissance.

Elle avait entendu parler de personnes qui, après avoir approché la mort de près, expliquaient que l'expérience leur avait procuré un nouveau respect pour la vie et une nouvelle perception de la beauté du monde. C'était ce qu'elle éprouvait. Car, même si c'étaient ses enfants qui avaient failli mourir, Laura savait qu'elle serait morte avec eux.

Alex et Maya étaient revenus près d'elle, et elle prenait une nouvelle conscience de la beauté des fleurs ornant les jardins amoureusement entretenus, des montagnes dominant la ville, solides, immuables, et du sentiment d'appartenance que diffusait cet endroit.

Elle roulait vers Cold Creek Canyon, à travers lequel la rivière s'écoulait des hauteurs vers la vallée. Pins de Douglas et trembles y croissaient en nombre, et il lui fallut un moment pour découvrir la boîte aux lettres portant le nom de Taft. Elle fouilla du regard entre les arbres mais, dans la lumière déclinante, elle n'aperçut de la maison que le toit de métal vert, qui se fondait dans la végétation.

Un pont enjambait la rivière. En le franchissant, elle ne put résister à l'envie de regarder le flot argenté qui se ruait sur les rochers et les troncs d'arbres. Ses enfants avaient séjourné dans cette eau glacée, songea-t-elle, reprise d'effroi à la pensée du danger auquel ils avaient échappé.

Elle ne devait pourtant pas se laisser paralyser par la frayeur. Quand le courant serait un peu moins fort, elle emmènerait Alex et Maya pêcher, afin de les aider à surmonter leur peur de l'eau.

Elle resta ainsi quelques instants sur le pont, observant les cingles rapides comme l'éclair sillonner le cours d'eau à la recherche d'insectes, et un martin-pêcheur perché sur une branche, guettant, immobile, le moment de fendre les flots pour capturer une truite malchanceuse.

Bien qu'appréciant la sérénité du lieu, elle rassembla tout son courage pour redémarrer et suivre l'allée qui se frayait un passage entre les pins. Elle était curieuse de découvrir la maison de Taft. Il l'avait déjà invitée à venir la voir, se rappela-t-elle, et elle avait changé de sujet, ne voulant pas entremêler davantage leurs existences.

Les arbres finirent par se clairsemer pour former une clairière, et elle retint son souffle devant la magnifique construction de rondins et de pierre de rivière à un étage. D'immenses baies aéraient la façade, et un porche faisait tout le tour de la maison.

Elle l'aima immédiatement, de la cheminée en pierre qui s'élevait du toit à l'unique chaise Adirondack installée sous le porche et dirigée de manière à avoir vue sur les montagnes. Sans pouvoir expliquer pourquoi, elle se sentait chaleureusement accueillie ici.

Les battements de son cœur résonnaient étrangement dans ses oreilles quand elle gara sa voiture et en descendit. Elle aperçut une lumière à une fenêtre et entendit un martèlement provenant de l'arrière de la maison.

S'emparant de la tarte préparée par sa mère, elle se dirigea vers l'endroit d'où provenait le bruit.

Elle trouva Taft dans une clairière située derrière la maison, occupé à édifier une structure qu'elle supposa être un abri pour ses chevaux. Il avait ôté sa chemise pour manier le pistolet à clous, et sa ceinture à outils pendait sur ses hanches. Voyant ses muscles onduler sous la peau brune, elle sentit son estomac se contracter.

C'était une nouvelle image à insérer dans l'album mental où elle collectionnait les photos sexy de Taft Bowman.

Elle exhala un petit soupir, se rappelant sévèrement qu'elle n'était pas venue là pour admirer son corps d'athlète, et elle se força à mettre un pied devant l'autre.

Elle ne cherchait pas à se montrer discrète mais, avec le bruit du pistolet et du compresseur qu'il utilisait pour l'alimenter, il ne l'entendit pas approcher, pas même quand elle parvint à sa hauteur. Elle comprit pourquoi : il avait des écouteurs dans les oreilles, reliés à un lecteur placé dans la poche arrière de son jean.

Quelque chose alerta enfin Taft de sa présence car, tout à coup, le bruit du pistolet cessa, et il s'immobilisa une fraction de seconde. Puis il se retourna. Alors, elle vit une myriade d'émotions passer sur son visage. Surprise, plaisir, résignation, quelque chose qui ressemblait beaucoup à du désir, puis son expression se ferma.

— Bonsoir, Laura.

— Bonsoir.

— Un instant.

Il ôta les écouteurs puis alla éteindre le compresseur.

Brusquement, le silence retomba, uniquement rompu par le gémissement du vent dans la cime des arbres.

Taft s'empara de sa chemise et l'enfila. Elle éprouva alors une sourde déception, mais se reprit aussitôt.

— Je t'ai apporté une tarte confectionnée à ton intention par ma mère.

Elle la lui tendit, se sentant soudain ridicule devant la modestie de l'offre.

— Une tarte ?

— Je sais, c'est sans commune mesure avec ce que tu as fait pour nous, mais… enfin, c'est un petit quelque chose.

— Merci. J'adore la tarte, et comme je n'ai rien préparé c'est parfait. Je la mangerai au dîner.

Il portait un bandage au front, qui contrastait avec ses cheveux bruns et sa peau hâlée par le soleil. Cela lui donnait une allure de pirate.

— Ta tête. Tu t'es blessé pendant le sauvetage, n'est-ce pas ?

Il haussa les épaules.

— Ce n'est rien. Une simple coupure.

Elle sentit tout à coup les larmes lui brûler les paupières.

— Je suis navrée.

— Voyons, ce n'est rien. Je me serais volontiers coupé bras et jambes pour récupérer tes enfants.

Elle le regarda dans le crépuscule, si grand, si solide, si familier, et elle sentit l'amour la submerger. C'était Taft, son meilleur ami. L'homme qu'elle avait toujours aimé, qui savait la faire rire, qui lui donnait l'impression d'être forte et de pouvoir réussir tout ce qu'elle entreprenait.

Les sentiments qu'elle avait voulu contenir depuis

son retour à Pine Gulch semblèrent briser d'invisibles digues, et son cœur déborda d'amour.

Son envie de pleurer se faisant de plus en plus insistante, elle songea à se retirer avant de perdre toute maîtrise d'elle-même et de sangloter devant lui.

Finalement, elle poussa un soupir tremblant.

— Je… je voulais juste te remercier. Encore une fois, je veux dire. Ce n'est pas assez, cela ne sera jamais assez, mais, merci. Je te dois… tout.

— Mais non, tu ne me dois rien. Je n'ai fait que mon travail.

— Tu plaisantes ?

Il la contempla un long moment, et elle pria qu'il ne voie pas l'émotion qui l'étranglait.

— Non, d'accord, dit-il enfin. Si j'avais fait mon travail et suivi la procédure, j'aurais attendu que l'équipe nautique vienne m'aider à les tirer de là. J'ai passé les trois quarts de mon temps à entraîner mes bénévoles à ne jamais faire ce que j'ai fait aujourd'hui. Ce n'était pas mon travail. C'était plus. Beaucoup plus.

Une larme glissa le long de la joue de Laura. Elle distinguait à peine l'expression de Taft dans le soir tombant, et il ne lui restait plus qu'à espérer que l'inverse soit vrai. Il fallait qu'elle parte, tout de suite.

— Je suis ta débitrice, Taft. Sache qu'il y aura toujours une chambre pour toi à l'auberge.

— Merci, c'est gentil.

Elle hocha la tête.

— Eh bien, encore merci. Savoure la tarte, et, euh… à plus tard.

Elle fit si brusquement demi-tour qu'elle faillit trébucher. Reprenant son équilibre, elle se hâta vers sa voiture tandis que les larmes trop longtemps contenues inondaient son visage. Elle ne savait pas très bien pourquoi elle pleurait. Pour plusieurs raisons, sans doute. L'angoisse mortelle d'avoir perdu ses enfants, la joie de les avoir retrouvés sains et saufs, et cette soudaine découverte qu'elle aimait Taft Bowman encore plus passionnément que la stupide jeune fille d'autrefois.

— Laura, attends.

Elle secoua la tête, incapable de se retourner de crainte de lui révéler ses sentiments. Cependant, en un clin d'œil, il la rattrapa et la fit pivoter pour qu'elle se retrouve face à lui.

Quand il baissa les yeux sur elle, elle eut conscience qu'elle devait être horrible avec son visage marbré de larmes et ses yeux rougis.

— Laura, murmura-t-il.

Puis, avec un cri sourd, il la serra dans ses bras, l'enveloppant de sa force et de sa chaleur. Elle fut alors incapable de se contenir, et il la tint serrée contre lui tandis qu'elle sanglotait, donnant libre cours à ce qui lui semblait soudainement trop immense et trop lourd pour être contenu.

— J'aurais pu les perdre, hoqueta-t-elle.

— Je sais, je sais.

Elle sentit les bras de Taft resserrer leur étreinte : sa place était bel et bien de toute éternité dans ses bras. Rien d'autre ne comptait. Elle aimait Taft Bowman, l'avait toujours aimé et elle lui accordait toute sa confiance.

Il était son héros dans tous les sens possibles du terme.

— Et toi, dit-elle en reniflant, tu as risqué ta vie pour aller les chercher. Tu aurais pu être emporté par les flots.

— Mais je n'ai pas été emporté. Nous nous en sommes tous les trois sortis.

Elle referma ses bras sur lui, et ils restèrent un long moment enlacés, avec la rivière qui grondait sur les rochers tandis que le vent soupirait dans les arbres. Un oiseau de nuit hulula doucement, et le chant des grillons emplit la nuit.

A ce moment, quelque chose changea entre eux. Cela lui rappela la première fois où il l'avait embrassée, sur un rocher surplombant River Bow Ranch, et qu'elle avait su que rien ne serait plus jamais pareil.

Quelques instants plus tard, il prit son visage entre ses mains et il l'embrassa avec une tendresse qui redoubla son envie de pleurer.

Ce fut un moment si parfait qu'elle aurait voulu qu'il ne finisse jamais. Elle voulait tout savourer, la douceur du tissu de la chemise de Taft, les muscles contenus en dessous, sa bouche, si ferme, si déterminée, sur la sienne.

Elle glissa ses mains dans son dos pour mieux l'étreindre. Avec un sourd gémissement, il l'embrassa avec une ardeur redoublée, et elle répondit avec bonheur à sa passion.

Il glissa la main sous sa chemise pour atteindre la peau nue de sa taille, et elle se rappela qu'il avait toujours su la caresser et l'embrasser jusqu'à la rendre folle de désir. Elle frissonna légèrement, mais ce fut assez pour qu'il arrache sa bouche à la sienne.

Il la regarda, et elle lut du remords dans ses yeux. La lâchant, il recula d'un pas.

— Tu m'avais demandé de ne plus t'embrasser. Je suis navré, Laura. J'ai essayé de tenir parole. Je te jure que j'ai essayé !

Quand avait-elle bien pu exiger de lui un pareil serment ? Ce ne fut qu'après quelques instants de réflexion qu'elle se souvint qu'il l'avait embrassée dans la chambre qu'elle finissait d'aménager. Elle se rappela son trouble et sa certitude qu'il la blesserait de nouveau pour peu qu'elle lui en donne l'occasion.

Une éternité lui sembla s'être écoulée depuis. Comment avait-elle été assez sotte pour laisser ses peurs lui empoisonner la vie ?

Il s'agissait de Taft, l'homme qu'elle aimait depuis ses douze ans ! Il l'aimait et il aimait ses enfants Quand elle était sortie de la voiture de police de son frère et qu'elle l'avait vu près de la civière, tenant Alex dans ses bras, quand elle avait vu la corde encore attachée à l'arbre et le bouillonnement furieux des eaux dans lesquelles il avait sauté pour sauver ses enfants, elle avait compris qu'il était entièrement digne de sa confiance. Il avait enfreint la règle et tenté l'impossible pour sauver ses enfants.

« Je me serais volontiers coupé bras et jambes pour récupérer tes enfants. »

Il avait risqué sa vie. Qu'était-elle prête, elle, à risquer ? Tout.

Elle le regarda gravement, le cœur battant, avec l'impression que c'était elle qui allait se jeter dans les eaux glacées et tourbillonnantes de la Cold Creek River.

— Mais rien ne m'interdit, *à moi*, de t'embrasser. Nous sommes bien d'accord ?

Elle vit les yeux de Taft s'assombrir sous l'effet de l'incompréhension, puis une lueur d'espoir passa dans son regard. Et cette petite lumière suffit à l'encourager à prendre ses mains fortes dans les siennes. Alors, elle l'attira à elle et, se soulevant sur la pointe des pieds, posa sa bouche sur le coin de ses lèvres.

Un instant, il parut hésiter, puis il pencha la tête, et elle l'embrassa à pleine bouche, une joie infinie au cœur.

Cependant, il s'écarta de nouveau, son expression à vif, presque désespérée.

— Tu ne peux pas jouer les girouettes, Laura ! Tu dois décider. Je t'aime, je n'ai jamais cessé de t'aimer. Sans que je m'en rende compte, une part de moi attendait patiemment ton retour.

Il lui retira ses mains.

— Je sais que je t'ai fait du mal par le passé, poursuivit-il. Je ne peux rien y changer. Si je pouvais revenir en arrière, je n'hésiterais pas un instant.

En entendant ces mots, elle secoua la tête.

— Je ne voudrais rien changer, dit-elle. Si les choses avaient été différentes, je n'aurais pas eu Alex, ni Maya.

— Tu sais, j'ai compris juste après ton départ à quel point j'avais été idiot, trop entêté et trop fier pour admettre que je souffrais. Et je me suis enfoncé dans ma sottise en ne courant pas après toi comme j'en avais envie.

— Je t'ai attendu, Taft, soupira-t-elle. Pendant deux ans, je n'ai pas eu de flirt, même si tes frasques me sont revenues aux oreilles. Si tu m'avais fait signe, je serais revenue en un clin d'œil.

— Je ne suis plus le même, Laura. Je veux croire que je suis devenu meilleur, probablement parce que la vie ne m'a pas épargné.

— Qui épargne-t-elle ? murmura-t-elle.

— Il faut que tu saches, Laura, je veux tout. Un foyer, une famille. Tout ça avec toi. Je le voulais déjà il y a dix ans.

Une joie sauvage jaillit en elle. Comment était-il

possible de passer en quelques heures du plus profond désespoir au bonheur le plus intense ?

— J'espère que tu sais que j'aime aussi tes enfants, dit-il en lui prenant la main. Alex est un petit garçon formidable. Il y a tant de choses que j'aimerais lui apprendre. Faire du vélo, fabriquer des boulettes de papier mâché, seller son cheval. Je crois que je pourrais être un bon père pour lui.

Il porta leurs mains enlacées à son cœur.

— Quant à Maya, c'est un cadeau du ciel. Je ne sais pas exactement de quoi elle aura besoin dans la vie, mais je te jure bien que je ferai en sorte qu'elle l'ait. Je te promets de veiller sur elle et de lui offrir toutes les chances pour qu'elle puisse ouvrir du mieux possible ses ailes. Je veux lui donner un lieu où elle pourra s'épanouir, un lieu où elle saura, à chaque instant, qu'elle est aimée.

Si elle n'avait déjà été folle de cet homme, cette seule déclaration d'amour pour sa vulnérable petite fille l'aurait mise à ses genoux. Elle le contempla, les yeux pleins de larmes de joie.

— Je ne voulais pas te faire pleurer, murmura-t-il.

En voyant les yeux de Taft également humides, elle tressaillit. C'était un signe. L'ancien Taft n'aurait jamais laissé percer ce témoignage de son émotion.

— Je t'aime, Taft. Je t'aime tellement.

Les mots semblaient si insuffisants pour exprimer l'étendue de ses sentiments… comme offrir une tarte en remerciement du sauvetage de deux précieuses vies. Alors, elle fit la seule chose possible. Elle le serra contre son cœur et l'embrassa. Devinait-il l'intense, l'exquise, l'ineffable joie qui palpitait en elle ?

Après un long moment, il s'écarta. Il était aussi ému qu'elle.

— Veux-tu visiter la maison maintenant ? demanda-t-il.

Etait-ce une subtile invitation pour l'emmener à l'intérieur et lui faire l'amour ? Elle n'était pas sûre d'avoir envie d'ajouter une expérience bouleversante à toutes celles qu'elle venait de vivre. Mais elle tenait à voir sa maison et lui faisait entièrement confiance. Si elle lui demandait d'attendre, il le ferait sans hésitation.

— Oui, dit-elle.

En souriant, il la prit par la main et la guida vers la maison.

Après avoir monté l'escalier qui menait au porche, ils pénétrèrent dans une grande salle occupant toute la hauteur du chalet et éclairée par de vastes baies vitrées. Au niveau de l'étage, une galerie desservait d'autres pièces.

Combien de chambres comportait cette maison ? Et pourquoi un célibataire avait-il construit une demeure qui semblait faite pour abriter une famille ?

L'agencement lui parut étrangement familier, tout comme certains détails. La cheminée en pierre de rivière, le vaste espace ouvert, l'utilisation aléatoire des rondins qui, formant saillie par endroits, donnaient du relief à la pièce.

Mais ce ne fut que lorsqu'elle vit la cuisine et en examina l'équipement que le jour se fit dans son esprit.

— Mais c'est ma maison ! s'écria-t-elle.

— *Notre* maison ! Tu te souviens que tu te plongeais pendant des heures dans toutes les publications traitant de maisons en rondins qui te tombaient sous la main ? J'ai commencé à construire cette maison il y a six mois, mais c'est seulement quand tu es réapparue que je me suis rendu compte que j'avais conservé ces rêves dans un coin de mon inconscient et qu'ils ont émergé quand j'ai dessiné les plans de la maison.

C'était une maison faite pour l'amour, les rires, les jeux d'enfants escaladant les meubles et lançant des jouets depuis la galerie.

— Est-ce que tu l'aimes ? demanda-t-il.

Elle vit dans son regard une inquiétude qui la charma plus qu'un sourire taquin ou qu'une remarque pleine d'humour.

— Je l'adore, Taft ! Elle est parfaite. Plus que parfaite !

Il l'attira à lui et l'étreignit dans cette maison construite par lui. *L'amour ne suit pas toujours une ligne droite,* songea-t-elle. *Parfois, il emprunte des sentiers détournés et chute dans des précipices.* Pourtant, malgré les déchirements passés, Taft et elle avaient fini par se retrouver.

Et, cette fois, pour toujours.

Epilogue

Laura était en retard.

Dans l'entrée de la petite église de Pine Gulch, sous une arche voûtée décorée de rubans, de fleurs et de feuillages rouges, bronze et vert foncé, Taft accueillait les derniers arrivants en s'efforçant de garder son calme.

Il consulta sa montre. Déjà dix minutes de retard. Ils étaient censés se marier, et Laura lui faisait faux bond !

— Elle va arriver. Cette femme est folle de toi. Détends-toi.

Vêtu d'un smoking pour tenir dignement son rôle de témoin, Trace affichait un flegme si exaspérant que Taft eut envie de le boxer.

— Je sais, répondit-il néanmoins.

Malgré sa nervosité, il ne doutait pas que Laura arrive. Au cours des six derniers mois, leur amour n'avait fait que croître et embellir, et il avait pris d'encore plus riches couleurs que celles dont se parait l'automne autour d'eux.

Il ne craignait pas qu'elle annule leur mariage au dernier moment, mais son retard n'en devenait pas moins inquiétant.

Il regarda au-dehors comme si ce simple geste pouvait la faire apparaître.

— J'espère juste qu'elle n'a pas de problème. Tu n'as pas ta radio sur toi, je suppose ?

— Euh… non. J'assiste à un mariage, au cas où tu l'aurais oublié. Ne jugeant pas utile que ma radio crépite en pleine cérémonie, j'ai préféré m'en passer pour quelques heures.

— Probablement une bonne idée. Tu ne crois pas qu'elle ait eu un accident ou je ne sais quoi ?

Trace lui adressa un regard de pitié. Cette constante inquiétude était un des inconvénients de leur travail, et son frère s'inquiétait sûrement à propos de Rebecca et Gabrielle tout comme il se faisait du souci pour Laura et les enfants.

— Mais non, reprit Trace. Il y a sûrement une explication. Pourquoi ne pas appeler Caidy ?

Ce serait sans doute le mieux à faire avant qu'il ne cède à la panique. En tant que demoiselle d'honneur, sa sœur devait se trouver avec Laura.

— Oui, oui, bonne idée. Passe-moi ton portable.

— Je m'en charge. Il faut bien que je serve à quelque chose.

— Donne-le-moi. S'il te plaît ? ajouta-t-il devant la réticence de son jumeau.

Trace fouilla sa poche à la recherche de son téléphone.

— Un instant, que je l'allume. Je ne voulais pas que la sonnerie intervienne au moment où tu prononcerais tes vœux.

Il attendit impatiemment. Enfin, après une éternité, son frère lui tend l'appareil. Mais, avant même qu'il ne trouve le numéro de Caidy dans le répertoire, le téléphone se mit à sonner.

— Où es-tu ? demanda-t-il en voyant apparaître le nom de sa sœur sur l'écran.

— Taft ? Qu'est-ce que tu fabriques avec le téléphone de Trace ?

— J'allais t'appeler. Que se passe-t-il ? Laura va bien ?

— Nous partons pour l'église. J'appelais pour t'avertir que nous avons eu un petit problème. Maya s'est réveillée avec un mal de ventre et elle a vomi juste avant que nous partions, puis pendant le trajet, et nous avons dû faire demi-tour pour la changer.

— Et maintenant ? Comment va-t-elle ?

— Ça va, mais ce n'est pas la grande forme. Elle est agitée, et Laura essaie de la calmer. Dès notre arrivée, nous arrangerons la tenue de Maya et on pourra commencer. Voilà, nous y sommes.

Il vit la limousine de location se garer le long de l'église, près de la porte de la salle de réception.

— Je vous vois, dit-il. Merci pour ton appel.

Il rendit son téléphone à son frère. Ridge les avait rejoints. Il paraissait inquiet.

— Les filles vont bien ? s'enquit-il.

— Maya a mal au cœur. Peux-tu faire patienter les invités encore quelques minutes ?

— Pas de problème. Et si je faisais une démonstration de lancer de lasso ? Je dois justement en avoir un dans le pick-up.

La tentative de son frère pour détendre l'atmosphère tomba à plat.

— Je pense que l'orgue suffira. Je vais voir comment va Maya, lui répondit Taft.

— Tu sais ce qu'on dit, voir sa future femme avant le mariage porte malheur, fit Trace. Si je me souviens bien, Ridge et toi m'avez pratiquement attaché pour m'empêcher de voir Rebecca avant le mien.

— Les circonstances sont particulières. Et puis vous pouvez essayer de m'arrêter si vous voulez. Je vous souhaite bonne chance.

Aucun de ses frères ne faisant mine de s'interposer, il traversa l'église pour se rendre à la salle de réception. A travers la porte, il entendit des chuchotements de voix féminines, puis un petit gémissement. Cette plainte balayant ses dernières hésitations, il poussa la porte.

Son regard se porta instinctivement sur Laura, ravissante dans sa robe de dentelle crème, ses cheveux couleur miel rassemblés en une coiffure sophistiquée qui la faisait paraître élégante et fragile à la fois. Uniquement vêtue d'une culotte blanche, Maya se blottissait sur ses genoux, sous les regards impuissants de Jan et Caidy.

Quand Maya l'aperçut, elle renifla bruyamment.

— Taft, dit-elle dans un gémissement.

Il se pencha sur les deux êtres qu'il aimait si tendrement et souleva la petite fille dans ses bras sans se soucier de son smoking.

— Que t'arrive-t-il, ma puce ?

— Mal au ventre.

Apparemment, elle n'avait pas de fièvre.

— Crois-tu que ce soit une infection intestinale ? demanda Jan.

Il songea au parasite que l'enfant avait récolté en avalant la moitié de la Cold Creek.

— Je ne le pense pas. Ses troubles sont guéris depuis trois mois. D'après Doc Dalton, elle est désormais en parfaite santé.

Il ressentait toujours une faiblesse quand il pensait au danger auquel les enfants avaient réchappé. Il avait été guidé vers eux par une force supérieure, il en était certain. Il trouvait également miraculeux qu'Alex soit sorti indemne de l'épreuve, et Maya avec seulement une parasitose.

Elle ne paraissait pourtant pas en forme aujourd'hui. Il hésitait à demander à Jake Dalton de venir l'examiner quand un détail auquel il n'avait pas prêté attention sur le moment lui revint à la mémoire.

— Maya, combien de morceaux de gâteau as-tu mangés hier, au repas de répétition ?

A deux reprises, il l'avait vue avec une assiette pleine mais, pris dans la joyeuse ambiance de fête, il n'avait pas clairement imprimé l'information dans son esprit.

Elle haussa les épaules, et il décela une certaine culpabilité dans son regard quand elle leva deux doigts.

— En es-tu bien sûre ?

Elle regarda tour à tour sa mère et lui. Puis, comme à regret, leva deux doigts de son autre main.

Laura poussa un gémissement.

— Inutile de chercher plus loin la cause de son malaise ! J'aurais dû y penser. Nous étions si distraits, je n'ai même pas vu qu'elle s'était resservie !

— J'aime les gâteaux, déclara la petite.

Il ne put retenir un sourire.

— Moi aussi, ma puce. Mais je pense que tu devras faire doucement tout à l'heure avec le gâteau de mariage.

— D'accord.

Il la serra contre lui.

— Tu te sens mieux maintenant ?

Tout en hochant la tête, elle écrasa du poing les larmes qui coulaient sur ses joues.

Elle était si adorable qu'il n'arrivait pas encore à croire à son bonheur d'avoir la chance de tenir lieu de père à cette précieuse enfant et à son non moins précieux frère.

— Ma robe, sale, dit Maya.

— Il va falloir la laver, intervint Jan. Mais je te promets qu'elle sera sèche pour la réception. Et regarde ! Je t'avais acheté celle-ci pour Noël. Tu vas la mettre maintenant et tu seras ravissante.

— Tu es géniale, maman, murmura Laura.

— Ça m'arrive, concéda Jan.

Avec l'aide de Caidy, Jan entreprit de passer la jolie robe rouge à sa petite-fille et de réparer le désordre de sa coiffure.

— La crise est passée ? demanda-t-il à Laura pendant que Jan et Caidy s'affairaient autour de Maya.

— On le dirait !

Devant son sourire reconnaissant, son cœur déborda d'amour pour elle. Et, quand elle s'approcha de lui et glissa ses bras autour de sa taille, il referma les siens sur elle et s'émerveilla une fois de plus : elle y était définitivement à sa place, comblant ces vides en lui qui l'avait attendue toutes ces années.

Il l'embrassa sur le front, attentif à ne pas déranger la belle ordonnance de ses cheveux.

— Je n'ai jamais été plus sûr de quelque chose qu'aujourd'hui, dit-il. J'espère que tu le sais.

— Oui, murmura-t-elle dans un souffle.

Il eut très envie de l'embrasser, mais se retint en songeant que ce n'était pas vraiment le moment.

La porte s'ouvrit derrière eux, et Alex entra en coup de vent, perpétuelle boule d'énergie sauf quand il dormait.

— Quand est-ce que le mariage va commencer ? J'en ai marre d'attendre !

— Je comprends, répondit Taft en souriant.

Il s'écarta de Laura pour ébouriffer les cheveux de l'enfant.

Sa famille.

Il l'avait attendue plus de dix ans et n'était pas sûr de pouvoir attendre une minute de plus que ses rêves enfouis deviennent réalité.

— Je crois que c'est bon, annonça Caidy tandis que Jan attachait un ruban dans les cheveux bruns de Maya.

— N'est-elle pas jolie ? demanda Jan.

— Superbe ! s'exclama-t-il.

Avec un large sourire, Maya glissa sa main dans la sienne.

— Mariage, maintenant.

— Bonne idée, chérie.

Il se tourna vers Laura.

— Es-tu prête ?

Elle lui sourit.

Et, tandis qu'il contemplait la femme qu'il avait connue la moitié de sa vie et aimée depuis presque aussi longtemps, il vit leur existence s'étendre devant eux, lumineuse et belle, pleine de joie, de rires et d'amour.

— Je le suis enfin, répondit-elle en prenant sa main.

Et, ensemble, ils marchèrent vers leur avenir.

Retrouvez un nouveau roman de RaeAnne Thayne dès le mois de novembre dans votre collection Passions *!*

Passions

— Le 1ᵉʳ septembre —

Passions n°418

Le prix de la séduction - Yvonne Lindsay

Série : «Les secrets de Waverly's»

Pour convaincre Avery Cullen de lui vendre les toiles impressionnistes en sa possession, Marcus Price, marchand d'art chez Waverly's, est prêt à tout. Y compris à séduire la riche héritière, ce qui ne devrait pas s'avérer trop difficile, s'il en croit la lueur d'intérêt qu'il voit briller dans le regard de la jeune femme. Mais s'il veut parvenir à ses fins, Marcus doit aussi et avant tout faire face à un obstacle inattendu – en domptant le désir qui s'empare de lui chaque fois qu'il se trouve en présence de l'époustouflante Avery...

Fiancée pour un mois - Linda Winstead Jones

Bien des fois, Daisy a imaginé ses retrouvailles avec Jacob Tasker – il la dévorerait des yeux tout en regrettant amèrement de l'avoir abandonnée autrefois, elle l'éconduirait avec fierté... Mais pas une seule fois elle n'a pensé qu'il reviendrait dans leur petite ville de Bell Grove, plus beau encore qu'à l'époque de leur liaison, avec l'intention de lui demander l'impossible : jouer, auprès de sa famille, et pour un mois seulement, le rôle de sa fiancée...

Passions n°419

La passion de Gabriella - Nora Roberts

Saga : «Les joyaux de Cordina»

Perdue, bouleversée, Gabriella ne sait plus qui elle est... Comment a-t-elle pu tout oublier de sa famille, et même de Cordina, le magnifique pays dont elle est la princesse ? Dans le tourbillon d'émotions qui la submergent bientôt, elle ne peut se raccrocher qu'à une seule certitude : Reeve MacGee, l'homme chargé de la protéger, est le seul en qui elle puisse avoir confiance. Auprès de lui, c'est bien simple, elle a l'impression de pouvoir abandonner son titre, son rang, pour n'être plus qu'une femme, tout simplement. Une femme vibrante de désir pour lui...

L'honneur d'Alexander - Nora Roberts

Glacial, puissant, arrogant, incroyablement viril... Le prince Alexander, l'héritier de la couronne de Cordina, représente une énigme pour Eve. Et un objet de fascination, aussi. Pourtant, en aucun cas elle ne doit céder aux sentiments troublants qu'il éveille en elle. Si Alexander l'a conviée dans son palais, c'est uniquement pour qu'elle organise le plus grand festival du pays – et jamais il ne sera question d'amour entre eux. Car même si le prince la couve d'un regard chargé de désir, lier son destin à une étrangère sans noblesse lui sera à jamais interdit...

Soumise à son destin - Christine Rimmer

Epouser Alexander Bravo-Calabretti, cet homme aussi froid que distant ? Jamais Liliana, princesse d'Alagonia, n'aurait imaginé qu'elle en arriverait à une telle extrémité... Et pourtant, depuis qu'elle s'est abandonnée dans les bras de son ennemi de toujours – pour une nuit seulement – elle n'a plus le choix. Car la voilà enceinte, et pour le bien de son enfant et de son pays, elle va devoir se marier avec Alexander. Même si cela signifie pour elle renoncer à l'amour sincère et éternel auquel elle a aspiré toute sa vie...

Juste un rêve... - Stella Bagwell

Depuis qu'elle travaille pour Russ Hollister, pas une seconde Laurel ne l'a considéré autrement que comme son patron. Mais il est très sexy, c'est un fait. Et curieusement, depuis qu'il lui a proposé de le suivre dans le nouveau poste qu'il occupera au ranch de Chaparral, elle se prend à rêver qu'il puisse s'intéresser à elle. Une rêverie à laquelle elle doit pourtant se soustraire au plus vite, elle ne le sait que trop bien. Non seulement Laurel ne peut risquer de compromettre sa carrière et son cœur pour une histoire nécessairement vouée à l'échec, mais depuis la tragédie qui a marqué sa vie, elle ne se sent pas prête à aimer de nouveau...

Un vibrant secret - Nancy Robards Thompson
Série : «Le destin des Fortune»

Pour échapper à la tornade qui balaye Red Rock, Jordana Fortune se réfugie dans une maison à l'abandon – avec Tanner Redmond, qu'elle vient de rencontrer. Là, dans cet abri exigu et coupé du monde, elle ne tarde pas à s'abandonner au désir qu'il lui inspire... Seulement voilà, alors qu'elle pense ne jamais revoir Tanner, Jordana a la surprise de le voir débarquer chez elle quelques mois plus tard. Or, loin de l'amant tendre qu'elle a connu, c'est un homme furieux qu'elle découvre. Et pour cause : Tanner a appris qu'elle attend un enfant de lui, et s'il est là aujourd'hui, c'est pour exiger qu'elle l'épouse sans tarder.

La promesse d'un baiser - Sara Orwig

Lorsqu'elle croise le regard brûlant du séduisant inconnu qui vient de l'aborder, Sophia sent un étrange et délicieux frisson la parcourir. Elle n'a qu'une envie, à présent : qu'il l'embrasse. Déjà, l'air lui paraît plus chaud, l'ambiance, presque torride. Et lorsque, enfin, il pose ses lèvres sur les siennes, elle s'abandonne au plaisir, comme si c'était la chose la plus naturelle du monde... Est-ce cela, l'amour ? se demande-t-elle soudain, chavirée. Rien n'est moins sûr, car Sophia ignore encore que la rencontre qui vient de bouleverser sa vie n'est en rien le fruit du hasard...

L'amant de Wolff Mountain - Janice Maynard

Lorsque, sept ans plus tôt, Sam Ely l'a rejetée après qu'elle s'est offerte à lui, Annalise Wolff s'est juré de fuir cet homme coûte que coûte. Hélas, quand une tempête de neige les réunit tous deux dans une demeure glacée et coupée du monde, Annalise doit se rendre à l'évidence : sa passion pour Sam ne s'est jamais éteinte. Et si elle en croit le regard ardent qu'il pose désormais sur elle, Sam semble quant à lui résolu à profiter de leur toute nouvelle proximité pour réécrire leur histoire...

Héritière malgré elle - Beth Kery

Deidre Kavanaugh n'en revient pas : son père biologique vient de lui léguer une immense fortune et la moitié des parts de son entreprise. Or, si cet héritage la surprend et l'émeut, il l'embarrasse aussi. Et cela d'autant plus que Nick Malone, le bras droit de son père, persuadé qu'elle n'est qu'une intrigante, a décidé de contester le testament. Pis, il a l'intention de séjourner auprès d'elle, à Harbor Town, pour mieux la surveiller ! Révoltée et blessée, Deidre n'a pourtant d'autre choix que de supporter la présence à son côté de cet homme puissant – et bien trop troublant...

Un défi très sexy - Debbi Rawlins

Cole McAllister : un regard brûlant sous son stetson, le corps le plus parfait sur lequel Jamie ait jamais posé les yeux... et un visage sur lequel se lit sans ambiguïté la plus franche hostilité ! Mais même si Cole ne fait rien pour dissimuler son irritation quand son ranch, récemment transformé en chambres d'hôtes, se voit envahi par de jeunes citadines en quête d'aventure et de grands espaces, Jamie n'en est pas moins décidée à lui prouver qu'elle n'a rien, elle, d'une écervelée. Et surtout, à le convaincre de s'abandonner au désir entre ses bras. Un désir qu'elle est sûre de voir briller dans les yeux de son séduisant hôte chaque fois que leurs regards se croisent...

Pour une seule nuit... - Nancy Warren

Hailey ne laisse jamais la moindre place à l'imprévu. Aussi, quand elle se rend compte que le charme renversant et le corps sublime de Rob Klassen l'empêchent non seulement de se concentrer sur son travail, mais la poursuivent jusque dans ses rêves, n'a-t-elle d'autre choix que d'agir. Puisqu'elle ne peut éviter tout contact avec son plus important client, il ne lui reste qu'à céder, pour une nuit, au désir qui la consume, avant de se remettre sereinement au travail. Une nuit, une seule, mais qui promet d'être la plus passionnée, la plus enivrante et la plus excitante de toute sa vie...

Best-Sellers n°568 • suspense
La peur sans mémoire - Lori Foster

Intense et bouleversante. La nuit qu'Alani vient de passer avec Jackson Savor résonne en elle comme une révélation. Après son enlèvement à Tijuana, deux ans plus tôt, et les cauchemars qui l'assaillent depuis, jamais elle ne se serait crue capable de s'abandonner ainsi dans les bras d'un homme. Et pourtant, Jackson, ce redoutable mercenaire qui n'a de limites que celles fixées par l'honneur, a su trouver le chemin de son cœur. Hélas, cette parenthèse amoureuse est de courte durée. Au petit matin, à peine sortie de la torpeur du plaisir, Alani comprend qu'il y a un problème : son amant, si empressé un peu plus tôt, a tout oublié de leurs ébats torrides. Pas de doute possible : il a été drogué. Mais par qui ? Et comment ? Le coupable est-il lié aux odieux trafiquants sur lesquels Jackson enquête ? Ces questions sans réponse, ce sentiment d'impuissance, Alani les supporte d'autant plus mal qu'elle y a déjà été confrontée. Mais au côté de Jackson, et pour donner une chance à leur histoire, elle est prête à affronter le danger, et ses peurs…

Best-Sellers n°569 • suspense
Le mystère de Home Valley - Karen Harper

Mille fois, Hannah a imaginé son retour à Home Valley, la communauté amish où elle a grandi et avec laquelle elle a rompu trois ans plus tôt. Mille fois, elle a imaginé ses retrouvailles avec Seth, l'homme qu'elle aurait épousé s'il ne l'avait cruellement trahie. Mais pas un seul instant elle n'aurait pensé que cela se ferait dans des circonstances aussi dramatiques. Car dès son retour, alors qu'elle a décidé sur un coup de tête de se rendre de nuit dans le cimetière de la Home Valley, elle est prise pour cible par un homme armé, qui heureusement ne parvient qu'à la blesser. Pourquoi cet homme a-t-il voulu la tuer ? Va-t-il s'arrêter là ? Pour répondre à ces angoissantes questions, Hannah décide d'apporter toute son aide au ténébreux Linc Armstrong, l'agent du FBI chargé de l'enquête, et qui suscite la méfiance chez les autres membres de la communauté amish — et surtout chez Seth. Ecartelée entre deux mondes, entre deux hommes, Hannah va bientôt être submergée par ses sentiments – des sentiments aussi angoissants que les allées du cimetière plongées dans l'obscurité…

Best-Sellers n°570 • thriller
Piège de neige - Lisa Jackson

Prisonnière du criminel pervers qu'elle traque depuis des semaines dans l'hiver glacial du Montana, l'inspecteur Regan Pescoli n'a plus qu'une obsession : s'échapper coûte que coûte. Aussi essaie-t-elle, dans le cachot obscur et froid où elle est enfermée, de dominer la terreur grandissante qui menace de la paralyser. Car ce n'est pas seulement sa vie qui est en jeu, mais également celle d'autres captives, piégées comme elles et promises à la mort. Pour les sauver, autant que pour retrouver ses enfants et Nate Santana, l'homme qu'elle aime, Regan est déterminée à découvrir le point faible du tueur. Pour cela, il lui faudra aller au bout de son courage, de sa résistance physique… Et vaincre définitivement ce maniaque, avant qu'il ne soit trop tard.

Best-Sellers n°571 • suspense
Les disparues du bayou - Brenda Novak

Depuis l'enlèvement de sa petite sœur Kimberly, seize ans plus tôt, Jasmine Stratford a enfoui ses souffrances au plus profond d'elle-même et s'est dévouée corps et âme à son métier de profileur. Mais son passé resurgit brutalement lorsqu'elle reçoit un colis anonyme contenant le bracelet qu'elle avait offert à Kimberly pour ses huit ans. Bouleversée, elle se lance alors dans une enquête qui la conduit à La Nouvelle-Orléans. Là, elle ne tarde pas à découvrir un lien effrayant entre le meurtre récent de la fille d'un certain Romain Fornier et le kidnapping de sa petite sœur. Prête à tout pour découvrir la vérité, Jasmine prend contact avec Romain Fornier, seul capable de l'aider à démasquer le criminel. Elle se heurte alors à un homme mystérieux, muré dans le chagrin et vivant dans le bayou comme un ermite. Un homme qu'elle va devoir convaincre de l'aider à affronter le défi que leur a lancé le tueur : *« Arrêtez-moi »*.

Best-Sellers n°572 • roman
L'écho des silences - Heather Gudenkauf

Allison. Brynn. Charm. Claire. Quatre femmes prisonnières d'un secret qui pourrait les détruire… et dont un petit garçon est la clé. Allison garde depuis cinq ans le silence sur le triste drame qu'elle a vécu adolescente et qui l'a conduite en prison pour infanticide. Brynn sait tout ce qui s'est passé cette nuit-là, mais elle s'est murée dans l'oubli pour ne pas sombrer dans la folie. Charm a fait ce qu'elle a pu, bien sûr, pourtant elle a dû renoncer à son rêve et se taire. Alors elle veille en secret sur son petit ange. Claire vit loin du passé pour tenter de bâtir son avenir avec ceux qui comptent pour elle. Et elle gardera tous les secrets pour protéger le petit être qu'elle aime plus que tout au monde. Quatre femmes réfugiées dans le silence, détenant chacune la pièce d'un sombre puzzle.

Best-Sellers n°573 • roman
Un jardin pour l'été - Sherryl Woods

Son cœur qui bat plus vite lorsqu'elle consulte sa messagerie, son imagination qui s'emballe lorsqu'elle revoit en pensée le visage aux traits virils de celui dont elle est tombée amoureuse… Moira doit se rendre à l'évidence : elle ne peut oublier Luke O'Brien. Il faut dire qu'avec ses cheveux bruns en bataille, son regard parfois grave mais pétillant de vie, son sourire irrésistible, cet Américain venu passer ses vacances en Irlande n'a guère eu de mal à la séduire. Sauf qu'après le mois idyllique qu'ils ont passé ensemble, Luke est reparti aux Etats-Unis reprendre le cours de sa vie, et peut-être même retrouver une autre femme. Alors que Moira tente de se persuader que tout est ainsi pour le mieux, son grand-père lui demande de l'accompagner à Chasepeake Shores, la petite ville de la côte Est des Etats-Unis où vit Luke. Moira n'hésite que quelques secondes avant d'accepter. Même si, dès lors, une question l'obsède : saura-t-elle convaincre Luke qu'il y a une place pour elle dans sa vie ?

Best-Sellers n°574 • historique
La maîtresse de l'Irlandais - Nicola Cornick

Londres, 1813.

Autrefois reine de la haute société londonienne, Charlotte Cummings a vu son existence voler en éclats lorsque son époux – las de ses frasques – a mis fin à leur mariage du jour au lendemain. Brusquement exclue des soirées mondaines, ruinée et endettée, Charlotte n'a eu d'autre choix que de renoncer à son honneur en vendant ses charmes chez la cruelle Mme Tong. Jusqu'à ce qu'un jour un troublant gentleman ne lui redonne espoir en lui proposant un pacte aussi tentant que surprenant. Si elle accepte de devenir sa maîtresse, elle retrouvera son statut de lady et les privilèges qui vont avec. D'abord hésitante, Charlotte finit par se soumettre à ce scandaleux marché, même si elle pressent que cet homme mystérieux lui cache quelque chose…

Best-Sellers n°575 • historique
Un secret aux Caraïbes - Shannon Drake

Mer des Caraïbes, 1716.

Roberta Cuthbert ne vit que pour se venger du cruel pirate qui a tué ses parents et anéanti le village de ses ancêtres, en Irlande. Pour cela, elle a tout abandonné, allant jusqu'à se faire passer pour un homme et entrer dans la piraterie, afin de parcourir les mers à la recherche de son ennemi. Pourtant, le jour où elle fait prisonnier le capitaine Logan Haggerty, elle comprend que son déguisement ne sera d'aucune protection contre les sentiments troublants que cet homme éveille en elle. Comment pourrait-elle maintenir son image de pirate impitoyable quand elle ne s'est jamais sentie aussi féminine que sous son regard doré ? Bouleversée, Roberta n'en est pas moins déterminée à ignorer la tentation, coûte que coûte. Jusqu'à ce que le capitaine la sauve de la noyade lors d'une violente tempête, et qu'ils ne s'échouent tous deux sur une île déserte…

Best-Sellers n°576 • érotique
L'éducation de Jane - Charlotte Featherstone

Jane le sait : lord Matthew peut être dur. Cassant. Impitoyable avec ceux qu'il pense faibles. Pourtant, lorsqu'elle l'a trouvé, affreusement blessé, dans l'hôpital où elle travaille, et qu'elle l'a veillé jour et nuit, c'est lui qui, les yeux protégés par un bandage, se trouvait à sa merci. Lui, l'homme à la réputation sulfureuse, qui la suppliait de le laisser toucher son visage, sa peau, ses lèvres, son corps tout entier, comme si ces gestes troublants avaient le pouvoir de le ramener à la vie. Alors aujourd'hui, même s'il a recouvré la vue et risque de la trouver laide, comparée à ses nombreuses maîtresses, même s'il est redevenu l'aristocrate arrogant dont les frasques libertines défrayent la chronique mondaine, Jane est décidée à se livrer à lui, corps et âme. Un choix insensé qui pourrait la détruire, mais devant lequel elle ne reculera pas. Car à l'instant où Matthew a posé les mains sur elle, elle a su qu'elle avait trouvé son maître…

www.harlequin.fr

OFFRE DE BIENVENUE

2 romans Passions et 2 cadeaux surprise !

Vous êtes fan de la collection Passions ? Pour prolonger le plaisir, recevez gratuiteme
2 romans Passions (réunis en 1 volume) et 2 cadeaux surprise !

Une fois votre colis de bienvenue reçu, si vous souhaitez continuer à recevoir nos roma
Passions, cela se fera automatiquement. Vous recevrez alors chaque mois 3 volum
doubles inédits de cette collection au prix avantageux de 6,84€ le volume (au lieu de 7,2C
auxquels viendront s'ajouter 2,95€* de participation aux frais d'envoi.

*5,00€ pour la Belgique

▶ **Vous n'avez aucune obligation d'achat et cette offre est sans engagement de durée !**

Les bonnes raisons de s'abonner :

- Aucun engagement de durée ni de minimum d'achat.
- Vos romans en avant-première.
- - 5% de réduction systématique sur vos romans.
- La livraison à domicile.

Et aussi des avantages exclusifs :

- Des cadeaux tout au long de l'année qui récompensent votre fidélité.
- Des réductions sur vos romans par le biais de nombreuses promotions.
- Des romans exclusivement réédités pour nos abonné(e)s notamment des sagas à succ
- L'abonnement systématique à notre magazine d'actu ROMANCE.
- Des points cadeaux pouvant être échangés contre des livres ou des cadeaux.

Rejoignez-nous vite en complétant et en nous renvoyant le bulletin !

N° d'abonnée (si vous en avez un) ⊔⊔⊔⊔⊔⊔⊔⊔⊔   RZ3F09
RZ3FB1

Nom : .... Prénom : ....

Adresse : ....

CP : ⊔⊔⊔⊔⊔⊔   Ville : ....

Pays : .... Téléphone : ⊔⊔⊔⊔⊔⊔⊔⊔⊔⊔

E-mail : ....

☐ Oui, je souhaite être tenue informée par e-mail de l'actualité des éditions Harlequin.

☐ Oui, je souhaite bénéficier par e-mail des offres promotionnelles des partenaires des éditions Harlequin.

Renvoyez cette page à : Service Lectrices Harlequin – BP 20008 – 59718 Lille Cedex 9 - France

Découvrez les
EXCLUSIVITÉS
qui vous sont réservées sur

www.harlequin.fr

La lecture en ligne **GRATUITE**
L'ensemble des **NOUVEAUTÉS**
Les livres **NUMÉRIQUES**
Les **PARUTIONS** à venir
Les infos sur vos **AUTEURS** favoris
Les **OFFRES** spéciales...

...et bien d'autres surprises !

Rendez-vous vite sur

www.harlequin.fr

Composé et édité par les

éditions ✛ **HARLEQUIN**

Achevé d'imprimer en Italie (Milan)
par Rotolito Lombarda
en juillet 2013

Dépôt légal en août 2013

Dana Nussio began telling 'people stories' around the
same time she started talking. She's continued both
activities, nonstop, ever since. She left a career as an
award-winning newspaper reporter to raise three
daughters, but the stories followed her home as she
discovered the joy of writing fiction. Now an award-
winning author and member of Romance Writers of
America's Honour Roll of bestselling authors, she loves
telling emotional stories filled with honourable but
flawed characters.